MARK TWAIN

Przygody Hucka

Wydawnictwo Zielona Sowa
Kraków

Tytuł oryginału:
The Adventures of Huckleberry Finn

Tłumaczenie:
Marceli Tarnowski

Projekt graficzny serii:
Mariusz Pająk

Ilustracja na okładce:
Zbigniew Seweryn

Ilustracje:
Paweł Kołodziejski

Opracowanie graficzne okładki:
Mariusz Pająk

Skład i łamanie:
Anna Ulek

Redakcja:
Marta Stęplewska

ISBN 978-83-7435-328-1

Wydawnictwo Zielona Sowa Sp z o.o.
30-404 Kraków, ul. Cegielniana 4A
tel./fax (012) 266-62-94, tel. (012) 266-62-92
www.zielonasowa.pl
wydawnictwo@zielonasowa.pl

I

Cywilizowanie Hucka. – Mojżesz w sitowiu. – Miss Watson. –
Tomek Sawyer czeka na mnie.

Muszę państwu powiedzieć, że ja i Tomek Sawyer, mój przyjaciel, znaleźliśmy pieniądze, które rabusie ukryli w jaskini, i to nas wzbogaciło. Dostaliśmy każdy po sześć tysięcy talarów, samym złotem. Otóż sędzia Thatcher oddał je na procent, co nam przynosiło każdemu po dolarze dziennie, przez rok cały. Wdowa Douglasowa wzięła mnie do siebie za syna i obiecała, że mnie ucywilizuje; trudno jednak było wytrwać w tym domu, tak okropnie porządna i przyzwoita była wdowa i wszystkie jej postępki. Toteż ile razy nie mogłem wytrzymać, wymykałem się, włożywszy na siebie stare łachmany i kapelusz. Tomek Sawyer zawsze mi obiecywał, że zebrawszy bandę rozbójników i stanąwszy na jej czele, przyjmie mnie do niej, bylebym tylko pozostał u wdowy i wiódł porządne życie. Wracałem też do niej.

Wdowa płakała nade mną, nazywając mnie biedną zbłąkaną owieczką i dając mi różne inne przezwiska, którymi zresztą nie chciała mnie krzywdzić. Sprawiła mi też nowe ubranie, w którym się strasznie pociłem, bo było ciasne. Gdy wdowa zadzwoniła na wieczerzę, trzeba było zaraz przychodzić i czekać, aż ona, spuściwszy głowę, pomruczy trochę nad jedzeniem, które, prawdę rzekłszy, było do niczego.

Po wieczerzy wdowa wydobywała księgę i uczyła mnie o Mojżeszu i o sitowiu. Aż poty na mnie biły, tak pragnąłem dowiedzieć się wszystkiego o Mojżeszu, ale gdy się okazało, że on już od dawna nie żyje, przestałem dbać o niego, bo co mnie tam obchodzą umarli.

Siostra jej, miss Watson, przychuda nieco stara panna, z puklami w obwarzanek zwiniętymi na skroni, zamieszkawszy z nią, gnębiła mnie elementarzem, znęcając się nade mną co dzień przez pół godziny. Nie mógłbym wytrzymać dłużej. Potem z dobrą godzinę bywało śmiertelnie nudno, więc też zaczynałem się kręcić. Wtedy miss Watson mawiała:

– Huckleberry, po co kładziesz tu nogi? – albo: – Nie garb się tak, siedź prosto.

W parę minut później znów zrzędziła:

– Nie otwieraj ust, nie przeciągaj się tak; dlaczego nie siedzisz przyzwoicie – i opowiadała mi o tym miejscu, gdzie dusze idą za karę.

Miss Watson ciągle czepiała się mnie, aż mi się to w końcu uprzykrzyło. Niezadługo zaczęła sprowadzać wszystkich Murzynów na pacierz, a po pacierzu każdy musiał iść do łóżka. I ja poszedłem do swego pokoju, z kawałkiem świecy, a postawiwszy ją na stole, sam siadłem na krześle przy oknie i próbowałem myśleć o czymś wesołym, ale na próżno. Czułem się taki sam i taki smutny, żem prawie śmierci już pragnął. Gwiazdy świeciły na niebie, w pobliskim lesie posępnie jakoś szumiały liście; w oddali odzywała się sowa, zawodząc po kimś, kto już umarł; przy domu pies i puszczyk, wzajemnie sobie wtórując, zapowiadały komuś śmierć; wiatr usiłował coś mi powiedzieć, coś do ucha szepnąć, a ja nie mogłem zrozumieć o co idzie, i aż mnie dreszcze przejęły. Zapragnąłem jakiegoś towarzystwa. Aż oto pająk zaczął mi leźć po ramieniu. Strąciłem go tak silnie, że wpadł w płomień; zanim zdążyłem dobiec do stołu, już był nieżywy. Nie wątpiłem, że to zły znak i że śmierć pająka pewno mi smutek przyniesie, toteż, przestraszony, zacząłem z siebie zrywać ubranie. Po trzech obrotach w kółko, przy żegnaniu się za każdym razem, wziąłem kosmyk swych włosów i szczelnie obwiązałem go nitką, aby oddalić od siebie czarownice, które urzec mnie mogły. Lecz to mi spokoju nie przywróciło. Siedząc tak, słyszę, że w pobliskim mieście zaczyna bić zegar. Bum! bum! bum! Dwanaście razy uderzył – potem znów cisza. Wtem, na dole, pośród drzew, trzasnęła złamana gałązka... coś się tam rusza! Prawie tłumiąc oddech, słuchałem. Po chwili zaledwie dosłyszałem na dole: „Mia-u! Mi-a-u-u!" Doskonale! Więc ja też: „Mia-u! Mi-a-u-u!" jak najciszej... Zdmuchnąwszy świecę, wyszedłem przez okno na gzyms, biegnący wokoło domu. Stamtąd zsunąłem się na ziemię i podpełzłem pomiędzy drzewami w głąb ogrodu, gdzie, ma się rozumieć, czekał na mnie... któż by inny, jak nie Tomek Sawyer!

II

Chłopcy wymykają się Jimowi. – Banda rozbójnicza. – Plany głęboko obmyślane.

Szliśmy na palcach ścieżyną, która wijąc się wśród drzew, wiodła na skraj ogrodu. Idąc, musieliśmy się pochylać, żeby gałęzie nie podrapały nam twarzy. Nagle w ciemności potknąłem się o korzeń tuż przy kuchni. Narobiwszy hałasu, musieliśmy przycupnąć na ziemi i leżeć cicho. Jim, ogromny Murzyn, należący do miss Watson, siedział w otwartych drzwiach kuchni, widzieliśmy go jak najwyraźniej, przed światłem. Usłyszawszy hałas, wstał, wyciągnął szyję i nasłuchiwał przez parę minut.

– Kto tam? – zapytał.

Znów nasłuchuje, a wreszcie wszedłszy do ogrodu, tak stanął między nami dwoma, że każdy z nas mógłby dotknąć go ręką. Jak na złość zaczęło mnie swędzić kolano, potem ucho, następnie plecy, pomiędzy samymi łopatkami. Zdawało mi się, że umrę, jeżeli się nie podrapię. Już ja to nieraz zauważyłem, że gdy jesteś w przyzwoitym towarzystwie albo na pogrzebie, w ogóle wówczas, gdy ci się drapać nie wypada, to od razu w kilkunastu miejscach poczujesz swędzenie. Po chwili Jim się odzywa:

– Kto tam? Odezwij się. Czy tam jest kto? Bodaj pies zdeptał mego kota, jeżeli nie słyszałem, że coś chodzi. Wiem, co zrobię. Będę tu siedział, póki znów czego nie usłyszę.

Usiadł więc na ziemi, pomiędzy mną i Tomkiem. Plecami oparł się o drzewo, a nogi wyciągnął przed siebie tak, że jedną prawie dotykał mojej. Poczułem swędzenie w nosie, i to tak silne, że aż łzy mi stanęły w oczach, nie podrapałem się jednak, żeby nie zdradzić swej obecności. Męczarnia ta trwała kilka minut, a wydała mi się bardzo długa. Gdy już czułem, że nie wytrzymam, Jim zaczął oddychać ciężko, a potem zachrapał.

Wówczas, pełzając po cichu na rękach i na kolanach, poczęliśmy się coraz bardziej oddalać od Jima. Nagle Tomek szepnął mi, czyby nie można przywiązać Jima do drzewa, ot tak przez figle. Nie zgodziłem się. Mógł narobić hałasu i zaraz by się wykryło, że mnie nie ma w domu. Po chwili Tomek postanowił zabrać z kuchni parę świec. Jakoż udało nam się zdobyć trzy świece, za które położył na stole pięć centów. Chociaż na mnie aż poty biły z niecierpliwości, Tomek popełznął na czworakach do Jima, aby mu spłatać jakiegoś figla. Skoro powrócił, dowiedziałem się, że zdjąwszy Jimowi kapelusz z głowy, zawiesił go na dość wysokiej gałęzi. Później Murzyn opowiadał, że czarownice urzekły go i, pozbawiwszy przytomności, jeździły na nim wierzchem po okolicy. Pięciocentówkę zaś nosił zawsze na szyi, zawieszoną na sznureczku, mówiąc, że to dany mu przez diabła talizman na każdą chorobę i na sprowadzanie czarownic do usług.

Spotkawszy Józia Harpera, Benia Rogersa i kilku innych chłopców, ukrytych w zapuszczonym sadzie, popłynęliśmy z nimi łódką ku wąwozowi, odległemu o jakie półtrzeciej mili. Tu, w krzakach, Tomek, odebrawszy od nas przysięgę, że dochowamy tajemnicy, pokazał nam rozpadlinę, wiodącą w głąb wzgórza, a ukrytą w najgęstszych zaroślach; zapaliwszy świece, wczołgaliśmy się na czworakach do obszernej jaskini, Tomek zaś, będący na przodzie, wrócił pod ścianę i znikł niebawem w otworze tak ukrytym, że nikt by go się nie był domyślił. Poszliśmy wszyscy jego śladem, a po przejściu przez wąziutki korytarzyk, znaleźliśmy się w małym niby pokoiku, wilgotnym i zimnym. Tomek powiada:

– No! Teraz utworzymy bandę rozbójników i nazwiemy ją bandą Tomka Sawyera. Każdy, kto chce do niej należeć, niech złoży przysięgę i krwią podpisze swoje nazwisko.

Zgoda była ogólna i ochocza.

Tomek wydostał więc arkusz papieru, na którym poprzednio napisał przysięgę, i przeczytał ją głośno. Każdy z chcących należeć do bandy zobowiązywał się, że święcie dochowa wszystkich tajemnic. Gdyby który z członków bandy zdradził jej tajemnicę, czekała go za to kara ścięcia, po czym trup jego miał być spalony, popioły rzucone na wiatr, imię jego krwią wykreślone ze spisu członków. Pozostałym wzbraniało się wymawiać imię zdrajcy, które miało być uroczyście przeklęte, a potem na wieki zapomniane.

Wszyscy uznali jednomyślnie, że rota przysięgi jest prześliczna, i każdy zapytywał Tomka, czy ją sam ułożył. Tomek odpowiadał każdemu, że trochę sam, a resztę wziął z książek o rozbójnikach morskich i opryszkach.

Niektórzy uważali, że należałoby zabijać rodziny zdrajców, którzy wydali tajemnicę stowarzyszenia. Tomkowi podobał się ten pomysł, wziął więc ołówek i dodał kilka słów w tym sensie. Na to odzywa się Benio Rogers:

– No, a Huck Finn? On nie ma nikogo z rodziny. Cóż z nim będzie?

– Ma przecie ojca – odpowiada Tomek.

– Tak, ma ojca, ale nikt teraz nie wie, gdzie się ten ojciec podziewa. Dawniej widywano go po chlewach, gdzie sypiał pijany razem z wieprzami, ale od roku przeszło nikt go nie spotkał w tych stronach.

Zaczęli rozprawiać o tym i o mały włos nie wyrzucili mnie spomiędzy siebie, powiadali bowiem, że każdy z nas musi mieć rodzinę lub kogoś przeznaczonego do zabicia, gdyż w przeciwnym razie nie byłoby wśród nas sprawiedliwości. Nikt nie wiedział, jak na to poradzić, milczeli więc wszyscy zakłopotani. Ja gotów byłem płakać, ale naraz przyszła mi myśl szczęśliwa do głowy.

– Oddam wam miss Watson! – krzyknąłem.

Na co oni, jak jeden, zawołali:

– Prawda! Prawda! Można zabić miss Watson! Wszystko w porządku! Przyjmujemy miss Watson. Huck może do nas należeć.

Po czym każdy ukłuł się szpilką w palec, wycisnął kropelkę krwi i podpisał nią swoje nazwisko, kto zaś pisać nie umiał, ten znak swój własnoręcznie położył na papierze.

– A teraz – zaczął Benio Rogers – trzeba się naradzić, jaka będzie działalność stowarzyszenia.

– Żadna inna, prócz grabieży i morderstw! – odparł Tomek.

– Ale kogo i co mamy grabić? Domy, bydło czy też...

– Pleciesz! Kto zabiera bydło i tym podobne rzeczy, jest nie rozbójnikiem, lecz złodziejem! – odpowiada Tomek. – My nie złodzieje, jeno rozbójnicy. W maskach na twarzy, zatrzymując na gościńcach wozy z towarami, będziemy zabijali podróżnych, żeby im zabierać zegarki i pieniądze.

– Czy koniecznie trzeba zabijać?

– Koniecznie, tak wypada. W niektórych książkach czytałem, że lepiej nie, ale w innych uważane to jest za konieczność. Z wyjątkiem, ma się rozumieć, tych podróżnych, których się tu przyprowadzi do jaskini i trzymać będzie, dopóki nie złożą okupu.

– Okupu? Co to znaczy?

– Nie wiem dobrze... „Wziąć okup". Tak jest napisane w książkach, więc naturalnie trzeba tak czynić.

– Ale jakże możemy tak czynić, skoro nie wiemy dobrze, co to jest?

– E! Nie nudź. Musimy i koniec. Nie słyszysz, tak napisane jest w książkach! Chcesz być byle jakim rozbójnikiem i robić nie to, co potrzeba, lecz to, co ci przyjdzie do głowy?

– Dobrze ci mówić, Tomku, ale ja bym tylko chciał wiedzieć, co będzie, jeżeli i nasi jeńcy nie będą rozumieli, co to jest „okup"? Jak ty myślisz: co to znaczy?

– Nie... nie wiem... Może oni będą wiedzieli...

– A jeżeli nie będą, to co?

– Ha! To trzeba ich będzie trzymać w niewoli, dopóki nie pomrą.

– A! Tak, to rozumiem. Tak, to dobrze. Czemuś od razu tak nie mówił? Myślę tylko, że będzie z nimi dużo kłopotu, bo trzeba im jeść dawać i pilnować, żeby nie pouciekali.

– Co też ty pleciesz, Beniu? Jak mogą uciekać, spod straży, gotowej do zabicia ich, gdy palcem ruszą?

– Straż? A to mi się podoba! Więc musimy pilnować ich dnie i noce?

– Głupstwo! Dlaczego nie mamy zabić ich od razu, zamiast czekać aż „wezmą okup" i umrą?

– Dlatego, że tak jest w książkach. Powiedz mi raz, Beniu, czy chcesz być prawdziwym rozbójnikiem, czy nie? Albo myślisz może, że ci, co pisali książki, nie wiedzieli, jaki rozbójnik być powinien? Czy chcesz ich uczyć rozumu i myślisz, żeś od nich mądrzejszy? Nie... Prawda? Więc siedź cicho i postępuj według prawideł.

– Dobrze już, dobrze. Nie upieram się, tylko chciałem zrozumieć. A kobiety? Czy mamy je także zabijać?

– Słuchaj, Beniu, gdybym tak niczego nie rozumiał, jak ty, to już bym przynajmniej cicho siedział. Zabijać kobiety? W jakiejże książce powiedziano, że można zabijać kobiety? Nie! Przyprowadziwszy je do jaskini, będziesz dla nich słodki jak cukierek; zawsze skończy się na tym, że kobieta zakocha się w tobie i nie zechce wracać do domu.

– No, kiedy tak, to tak. Tylko widzisz, niezadługo tyle się w jaskini nazbiera kobiet i jeńców czekających na „okup", że zabraknie miejsca dla rozbójników. No, ale niech i tak będzie.

Mały Tomuś Barnes rozespał się przez ten czas na dobre; gdy go zbudzono, przestraszył się i zaczął krzyczeć, że on chce iść do domu, do swej mamusi, a nie myśli już wcale być rozbójnikiem.

Inni, śmiejąc się z niego, przezywali go beksą. Tomuś więc rozzłoszczony, zagroził wydaniem wszystkich tajemnic. Tomek Sawyer dał mu tedy pięć centów, żeby milczał, nam zaś polecił rozejść się i wyznaczył schadzkę za tydzień.

Benio Rogers oświadczył, że jest wolny tylko w niedzielę i w inne dni na rozbój chodzić nie może.

Ale wszyscy chłopcy oparli się temu, utrzymując, że grzech rabować w niedzielę jako w dzień Pański.

Po czym, obrawszy Tomka Sawyera dowódcą, a Józia Harpera jego namiestnikiem, rozeszliśmy się do domów.

Wróciłem przez okno do pokoju przed samym świtem. Nowe moje ubranie potłuszczone było i całe zawalane gliną, a ja okropnie zmęczony.

III

Porządna bura. — Geniusze. – Tomek Sawyer okłamuje mnie.

No, porządną też wziąłem burę nazajutrz rano od starej miss Watson za to, że tak wybrudziłem ubranie! Ale wdowa nie łajała mnie wcale, tylko zabrała się do czyszczenia i wywabiania plam, a tyle przy tym miała roboty, tak się zmęczyła, że postanowiłem być lepszy choć przez dni kilka.

Taty nie widział nikt od roku przeszło i bardzo mi z tym było dobrze; nie miałem najmniejszej ochoty znów go zobaczyć. Miał brzydki zwyczaj bić mnie zawsze, nawet gdy był trzeźwy, toteż spędzałem w lesie cały czas jego bytności w okolicy. W tych dniach właśnie znaleziono go w rzece, o jakie dwanaście mil od miasta: utonął! Tak przynajmniej mówiono, gdyż topielec był tego samego wzrostu, tak samo obdarty i miał takie same długie włosy. Twarzy tylko rozpoznać nie mogli, bo tak długo leżała w wodzie, że już przestała być twarzą. Zwłoki, płynące na wznak, wydobyto i pogrzebano na brzegu. Ale ja ciągle byłem niespokojny, bo pamiętałem zawsze, co kiedyś słyszałem: że mężczyzna, gdy utonie, nie może wypłynąć na wznak, tylko zawsze twarzą do wody. Pewien byłem, że to nie mój ojciec, lecz jakaś kobieta w stroju męskim.

Bawiliśmy się od czasu do czasu w rozbójników, z miesiąc może, a potem daliśmy pokój. Nikogośmy nie ograbili ani zabili, tylko tak udawaliśmy, że napadamy. Czyniąc zasadzki w lesie, uderzaliśmy na ludzi pędzących wieprze do miasta, na kobiety wiozące na targ jarzyny, niewolników jednak nie braliśmy. Tomek Sawyer nazywał wieprze „jeńcami", a jarzyny „łupem".

Pewnego dnia Tomek wyprawił jednego z naszych chłopców do miasta i kazał mu biegać po ulicach z zapalonym patykiem, to jest z „żagwią mordu", na znak, że banda powinna się zebrać czym prędzej. Gdy się zjawiliśmy, powiedział nam, że otrzymał przez swoich szpiegów ważne wiadomości. Nazajutrz stanąć miała obozem w jednej z dolin górskich karawana kupców hiszpańskich i bogatych Arabów, wiodąca z sobą dwieście słoni, sześćset wielbłądów i przeszło tysiąc mułów, objuczonych samymi brylantami; cała zaś straż karawany składała się z czterystu zaledwie żołnierzy. Otóż uczyniwszy zasadzkę, mieliśmy niespodzianie uderzyć na karawanę, rozbić ją i zabrać skarby. Kazał nam broń wyczyścić, opatrzyć i stać w wojennym pogotowiu. Nawet przy pogoniach za wózkiem z rzepą musieliśmy zawsze mieć wyczyszczoną broń, choć składała się ona tylko z kijów od mioteł i blaszanych szabelek, które można było trzeć i szorować do siódmego potu, blacha zaś zawsze była blachą, tak jak kij kijem. Nie wierząc, żebyśmy mogli pobić taką moc Hiszpanów i Arabów, z ciekawości jedynie ujrzenia wielbłądów i słoni, stawiłem się nazajutrz, w sobotę, o wyznaczonej godzinie.

Z gęstych zarośli na komendę wodza zbiegliśmy pędem w dolinę. Nie było tam jednak Hiszpanów ani Arabów, nie było wielbłądów ani słoni, ale za to spotkaliśmy dzieciaki z niedzielnej szkółki na majówce.

Napadliśmy na nie i rozpędzili, jedyną wszakże naszą zdobyczą były pierniczki i marmolada. Benio Rogers znalazł wprawdzie zwiniętą z gałganów lalkę, a Józio Harper książeczkę do nabożeństwa, lecz nauczyciel, zmusiwszy nas do oddania łupu, rozpędził bandę. Brylantów nie widziałem wcale i powiedziałem to Tomkowi, on jednak upierał się, że były ich tam całe fury; byli też i Arabowie, słonie i wszystko, co być miało. Na pytanie, dlaczego ja nic nie widziałem, nazwał mnie nieukiem, dodając, że gdybym znał „Don Kichota", nie potrzebowałbym pytać. Stało się to wszystko za sprawą czarów. Nieprzyjaźni nam czarnoksiężnicy przemienili wszystko w dzieci z niedzielnej szkółki, w pierniczki i w galaretę.

– Skoro tak – odpowiedziałem – to trzeba bić się z czarnoksiężnikami.

– Cóż ty sobie myślisz, głowo cielęca! – odparł Tomek – czy to czarnoksiężnik nie ma całego wojska geniuszów, które cię rozsiekają na drobny mak, zanim zmówisz pacierz?! Każdy geniusz wysoki jak drzewo, a gruby jak kościół.

– A jeżeli kilka geniuszów stanie po naszej stronie, czy nie możemy zwyciężyć tamtych?

– Aha! A skądże weźmiesz geniuszów?

– Nie wiem. Skądże ich biorą czarnoksiężnicy?

– To co innego. Taki czarnoksiężnik potrze sobie pierścień albo starą lampę blaszaną i geniusze hurmem się cisną do niego... Pioruny biją, grzmot huczy, błyskawice latają po niebie, dym bucha kłębami, a czarnoksiężnik rozkazuje geniuszom i co im powie, to one czynią. Dla nich to nic wyrwać wieżę z korzeniami i przerzucić ją sobie przez głowę razem z dyrektorem niedzielnej szkółki.

– Któż ich zmusi do wyrwania wieży?

– Każdy, kto potrze lampę albo pierścień. One są poddane każdemu, kto posiada lampę albo taki pierścień i muszą być posłuszne każdemu rozkazowi swego władcy. Jeżeli im powie: „Zbudujcie mi pałac na czterdzieści mil długi, cały z diamentów i napełnijcie go od dachu do piwnic cukierkami, porwijcie cesarzowi chińskiemu córkę dla mnie na żonę", one muszą to zrobić, i to zaraz, nim słońce wstanie. Więcej ci powiem: muszą na twój rozkaz przenosić ten pałac z miejsca na miejsce, i to prędko; raz, dwa, trzy, jakby walca tańczył. Rozumiesz?

– Wiesz, co ja myślę? Głupie być muszą te geniusze, jeżeli tak szafują pałacami i cukierkami, zamiast je zatrzymać dla siebie! Niedoczekanie niczyje, żebym ja porzucał to, co robię, i pędził na rozkazy pierwszego lepszego, kto potrze starą lampę albo pierścień!

– Sam nie wiesz, co gadasz, Huck. A ja ci powiadam, że rad nierad i ty byś przyjść musiał.

– Ja? Gdybym był wysoki jak to drzewo i gruby jak nasz kościół? No, dobrze, przyszedłbym, ale za to zmusiłbym tego człowieka do wdrapania się na najwyższe drzewo w lesie.

– Wiesz, Huck, z tobą gadać nie warto. O niczym nie masz pojęcia! Istna cielęca głowa!

Rozważając to wszystko przez dni kilka, postanowiłem wreszcie przekonać się, czy jest w tym cokolwiek prawdy. Wyszukawszy starą blaszaną lampę i równie stary pierścień żelazny, tarłem go w lesie aż do potu, licząc na to, że zbudowany przez geniusza pałac sprzedam za dobre pieniądze. Ale wszystko na nic! Nie przyszedł ani jeden geniusz. Doszedłem więc do wniosku, ze cała gadanina była kłamstwem, przez Tomka wymyślonym. Może on zresztą i wierzył zarówno w Arabów, jak i w słonie, ale ja nie. To była po prostu szkółka niedzielna.

IV

Powoli naprzód. – Huck i sędzia. – Zabobon.

Upłynęło kilka miesięcy i nadeszła zima. Prawie przez cały ten czas chodziłem do szkoły, umiałem już czytać, pisałem jako tako, umiałem na pamięć tabliczkę mnożenia aż do: „pięć razy siedem – trzydzieści pięć". Zdaje mi się jednak, że gdybym żył nie wiem jak długo i przez całe życie chodził do szkoły, to nie potrafiłbym nauczyć się jej do końca. Nic mam jakoś zapału do matematyki.

Z początku nie cierpiałem szkoły, ale powoli doszło do tego, że znosiłem ją nieźle. Gdy byłem zanadto zmęczony nauką, szedłem zamiast do szkoły na wagary, a nazajutrz brałem za to odpowiednie natarcie głowy, które mnie otrzeźwiało na czas jakiś. Im dłużej zresztą chodziłem do szkoły, tym nauka wydawała mi się łatwiejsza i zabawniejsza. Przyzwyczaiłem się także do mojej wdowy i dziwactwa jej przestały mnie razić. Co prawda okropnie mi było ciężko żyć ciągle wśród czterech ścian i sypiać w łóżku, ale przed nadejściem zimy wykradałem się kiedy niekiedy i spędzałem noc w lesie pod gołym niebem, tak że miałem trochę odpoczynku i ulgi. Wolałem dawny sposób życia, ale przyzwyczajałem się do nowego, nawet zaczynałem go lubić. Wdowa mawiała, że czynię postępy; „powoli, ale naprzód", i była ze mnie bardzo zadowolona, dodając, że mnie się wstydzić nie potrzebuje.

Pewnego dnia przy śniadaniu zdarzył mi się wypadek: przewróciłem solniczkę. Czym prędzej wyciągnąłem rękę, aby wziąć trochę soli i dla odwrócenia nieszczęścia, rzucić ją przez lewe ramię poza siebie, ale zburczała mnie miss Watson. „Weżże ze stołu ręce – powiada – zawsze musisz coś zrobić". Wdowa wtrąciła jakieś słówko za mną, ale ja już wiedziałem, że nieszczęście nie da się odwrócić. Wstałem od śniadania w złym humorze, myśląc o tym tylko, skąd zwali się na mnie bieda.

Są sposoby na odwrócenie pewnych nieszczęść, ale na to, które sprowadza rozsypana sól, nie ma żadnego. Chodziłem więc smutny, ciągle mając się na baczności.

Wkrótce potem, będąc w ogrodzie, spostrzegłem na śniegu jakieś ślady. Ktoś idąc od lasu ku domowi, postał trochę przy bramie i obszedł ogród dookoła pod parkanem. Dziwne to było, że nie wszedł do środka, lecz krążył. Przyglądając się bacznie owym śladom, spostrzegłem, że w obcasach lewego buta były ćwieki w kształcie krzyża, mające odpędzać diabła. Zerwawszy się w mgnieniu oka, wpadam do sędziego Thatchera, cały zdyszany.

– Cóż to, mój chłopcze, tchu złapać nie możesz? Po procent przychodzisz?

– Nie, proszę pana, a czy już jest?

– A jakże! Za całe pół roku. Dzisiejszej nocy upłynęło półrocze. Są pieniądze, są, sto pięćdziesiąt dolarów z górą. Niemały to grosz, jak dla ciebie. Daj mi upoważnienie do złączenia tej sumki z kapitałem, bo jeżeli ją weźmiesz do ręki, wydasz wszystko.

– Nie, proszę pana – mówię – nie wydam, nie. Mnie tych pieniędzy nie potrzeba, ani tych, ani sześciu tysięcy. Niech pan sobie wszystko zabierze.

Zdziwił się sędzia, nie mogąc zrozumieć mojej mowy.

– Co to ma znaczyć, mój chłopcze?

– Niech pan się nie pyta. Proszę zabrać wszystko. Czy dobrze?...

– Nic nie rozumiem. Co ci się stało?

– Ja pana na wszystko proszę o wzięcie tych pieniędzy bez żadnych pytań, żebym kłamać nie potrzebował.

Sędzia pomyślał chwilkę, a potem rzekł:

– Aha! Rozumiem. Chcesz mi pożyczyć swoją własność.

– Tak! Pożyczyć. Rozumie się!

– A cóż? Pożyczkę zaciągnąć mogę.

Napisał więc coś na arkuszu papieru, przeczytał raz i drugi i mówi:

– Oto jest dowód, że pożyczyłem od ciebie sześć tysięcy na lat dziesięć, z obowiązkiem włączenia procentu do kapitału. Podpisz imię i nazwisko. A teraz... masz oto dolara dla siebie.

Podpisawszy, wziąłem dolara i wróciłem do domu.

Jim, Murzyn miss Watson, posiadał kulę ze zbitej sierści, wielką jak pięść, wyjętą z żołądka wołu. Używał on jej do wróżenia, mówiąc, że w środku siedzi zaklęty duch, któremu wszystko jest wiadome. Zaraz więc powiedziawszy Jimowi, że ojciec powrócił, bo widziałem jego ślady na śniegu, prosiłem go o wybadanie ducha, co ojciec zamierza czynić i czy długo tu zabawi. Wyjąwszy kulę włosianą, Jim coś nad nią szeptał, a potem rzucił na podłogę. Upadła, lecz nie odbita potoczyła się niedaleko, na cal zaledwie. Znów ją Jim rzucił raz, drugi i trzeci, a ona zawsze padała tak samo i nie toczyła się wcale. Ukląkł tedy Jim, przyłożył do niej ucho i słuchał, ale na próżno.

– Zdarza się – wyjaśnił – że kula dopóty nic nie powie, dopóki nie otrzyma pieniędzy.

– Mam starą monetę fałszywą, ćwierć dolara (z rozmysłu nic nie mówiłem o dolarze), może weźmie ją kula, która przecież nie pozna się na niej.

Jim wsadził monetę pod kulę, znów przykląkł, przyłożył ucho i słuchał. Tym razem kula oświadczyła, że gotowa mi przepowiedzieć całe życie. Ja na to „i owszem". Gadała więc kula Jimowi, a Jim powtarzał mnie. Mówiła tak:

– Ojciec twój dotychczas nie wie jeszcze, co zrobi. Czasem zamierza pójść het, daleko, czasem znów mówi, że zostanie. Niech robi, co chce. Uno-

szą się nad nim dwa anioły. Jeden aż lśni od białości, drugi jest czarny. Biały skłania go ku dobremu, czarny przeszkadza. Nie można jeszcze przewidzieć, który zwycięży. O siebie bądź spokojny. Pomimo wielkich kłopotów i zmartwień, czeka cię w końcu radość i szczęście. Stoją koło ciebie dwie panny. Jedna biała, a druga czarna, jedna bogata, druga uboga. Ożenisz się najpierw z ubogą, później z bogatą. Strzeż się wody, nie puszczaj się na nią, bo za wodą wielką śmierć twoja stoi i czeka...

Gdy powróciłem do swego pokoiku, czekał tam na mnie mój ojciec we własnej osobie.

V

Ojciec Hucka. – Czuły „tatuś". – Poprawa.

Wszedłszy, zamknąłem drzwi, odwracam się i widzę: tatuś! Zazwyczaj drżałem przed nim, gdyż bił mnie, ile się zmieściło. Ojciec mój miał lat pięćdziesiąt z górą i na tyle wyglądał. Czarne włosy długie, potargane i zatłuszczone, tak spadały na twarz, że mu prawie oczu widać nie było. Nosił też i bokobrody, twarz białą, bladą zaledwie można było dojrzeć przez włosy. Łachmany z trudem się na nim trzymały. Gdy, śledząc, założył nogę na nogę, z jednego buta wyglądały dwa palce, którymi od czasu do czasu poruszał. Na podłodze położył kapelusz stary, czarny, pikowy, którego dno oddarte wpadało do środka, przypominając wieko od pudełka.

On patrzył na mnie, ja na niego. Postawiwszy świecę na stole, dostrzegłem, że okno jest otwarte: musiał wejść po gzymsie na balkon. Po długim milczeniu rzekł wreszcie:

– A to mi elegant, co się zowie. Pewno się masz za coś wielkiego? Co?

– Może się mam, a może i nie mam – odpowiedziałem.

– Nie rozpuszczaj buzi tak śmiało! Straśnieś głowę zadarł podczas mojej nieobecności. Przytrę ja ci rogów, nim cię z rąk wypuszczę. Podobno jesteś uczony: umiesz czytać i pisać? Masz się za coś lepszego od ojca? Co? Prawda? Ale ja to z ciebie wytrzęsę. Kto ci powiedział, że możesz się bawić w taką głupotę, jak uczoność? Hę? Pytam się ciebie, kto ci to powiedział?

– Wdowa.

– Wdowa? To tak? A wdowie kto powiedział, że może wtykać nos w cudze sprawy?

– Nikt jej tego nie mówił.

– No to ja ją oduczę wtykania nosa. Słuchaj no: rzucisz mi szkołę, rozumiesz? Ja im pokażę, co to jest tak wychowywać chłopca, żeby zadzierał nosa, patrzył z góry na ojca i miał siebie za coś lepszego. Niech ja cię złapię w tej szkole! Popamiętasz ty mnie! Matka twoja, rodzona matka, czytać nie umiała... i pisać także! Nikt w rodzinie naszej nie umiał czytać ani pisać... do samej śmierci. I ja nie umiem, a ty się będziesz nadymał swoją mądrością! Ja nie taki, żebym to znosił – rozumiesz? Weź książkę, niech no usłyszę jak ty czytasz?

Zaledwie przeczytałem kilka wierszy o Waszyngtonie, ojciec dał książce takiego prztyka, że wypadła mi z ręki o kilka kroków.

– No, teraz widzę, że umiesz czytać. Ale słuchaj, daj pokój z tą nauką. Ja tego nie chcę. Niech no cię przydybię, ty elegancie, w bliskości szkoły, skórą odpowiesz mi za to. Przede wszystkim religię mieć trzeba; czcić ojca i matkę. Co z ciebie za syn wyrośnie?

Wziąwszy do ręki mały obrazek, przedstawiający żółte krowy i chłopczyka niebiesko ubranego, zapytał:

– Co to?

– Nagroda za dobrą naukę.

Rozdarł obrazek na dwoje, mówiąc z cicha:

– Ja ci dam coś lepszego: wygarbuję ci skórę, co się zowie!...

Siedział jakiś czas, mrucząc coś pod nosem, a w końcu rzekł:

– Jaki to z ciebie paniczyk! Łóżko, pościel, lustro, dywanik na podłodze, fiu, fiu! A rodzony ojciec musi ze świniami sypiać w chlewie! Jak żyję, nie widziałem takiego syna. Że ja cię oduczę tych grymasów, to pewne. Z rąk nie popuszczę! Tony sobie jakieś będziesz nadawał? Ja ci pokażę tony! Powiadają, że masz pieniądze. Jakie pieniądze? Skąd? Gadaj.

– Nieprawdę mówią.

– Mów no ty do mnie, jak się patrzy, bo się moja cierpliwość wyczerpie. Gadaj prawdę! W miasteczku wszyscy o tym gadają, żeś bogaty. Wszyscy powtarzają to samo. Dlatego przyszedłem. Jutro zaraz oddasz mi pieniądze.

– Nie mam żadnych pieniędzy.

– Nieprawda. Są u sędziego Thatchera. Odbierz i daj mi, bo potrzebuję.

– Powiadam tatusiowi, że nie mam żadnych pieniędzy. Proszę się spytać pana sędziego.

– Dobrze, zapytam się. Gadaj zaraz: ile masz w kieszeni?

– Mam tylko dolara; potrzebny mi...

– Mało mnie to obchodzi. Dawaj go zaraz.

Wypróbowawszy w zębach dolara, powiedział, że pójdzie do miasteczka po wódkę, której jakoby tego dnia nie miał w ustach – i wyszedł przez okno.

Po dobrej chwili, gdy już byłem pewien, że go nie ma, wsadził głowę do pokoju, wołając:

– A pamiętaj, co ci mówiłem, żebyś się nie kręcił koło szkoły!

Nazajutrz poszedł pijany do sędziego, żeby odebrać moje pieniądze. Spotkawszy się z odmową, zaprzysiągł zemstę i sądowne dochodzenie owych pieniędzy.

Sędzia i wdowa podali do sądu prośbę o odebranie mnie ojcu i ustanowienie opiekuna. Ale gdy przybył nowy sędzia, który nie znał tatusia ani nikogo w mieście, nie pozwolił na rozłączenie mnie z ojcem.

Pod ciągłą groźbą ojca pożyczyłem od sędziego Thatchera trzy dolary, za które ojciec upił się i takich narobił awantur w mieście, że go wreszcie wsadzili na tydzień do kozy.

Tymczasem nowy sędzia postanowił zająć się ojcem. Wziął go do swego domu, ubrał czysto od stóp do głowy, sadzał do stołu ze swą rodziną i był dla niego prawdziwym dobrodziejem. Po wieczerzy rozmawiał z nim o wstrzemięźliwości, o poprawie, a tak pięknie, że stary, płacząc, przeklinał swoją głupotę i solennie przyrzekał rozpocząć uczciwy żywot, byleby mu sędzia swojej pomocy nie odmawiał. Sędzia, słysząc te słowa, ściskał tatusia jak brata i płakał nad nim razem z całą swoją rodziną. Gdy przyszła pora spoczynku, stary mój, powstawszy z krzesła, wzniósł rękę do góry i rzekł:

– Spojrzyjcie na tę rękę, szanowni państwo. Weźcie tę rękę w swoje dłonie, uściśnijcie ją. Była to ręka ostatniego łotra, ale nią nie jest i nigdy nie będzie, dziś ona należy do człowieka, który rozpoczął nowe życie i bodajbym nie ruszył się z tego miejsca, jeśli powrócę do dawnego. Zapamiętajcie sobie te słowa, szanowni państwo! Nie zapominajcie, że wyszły z moich ust. Nie lękajcie się dotknąć tej ręki, bo ona już czysta.

Więc kto był w pokoju, ściskał rękę ojca, a żona sędziego nawet ją pocałowała. Wreszcie mój stary podpisał znakiem przyrzeczenie, że będzie innym człowiekiem. Sędzia mówił, że nie pamięta uroczystszej chwili w swoim życiu. Gdy stary przeszedł do pokoju, w którym zwykle nocowali najprzedniejsi goście, w nocy, poczuwszy widać straszne pragnienie, spuścił się z okna na filarze ganku, poszedł do szynku i oddał nowy surdut za flaszkę wódki. Wróciwszy z dzbankiem, pił co się zowie. Spuszczając się nad ranem, pijaniusieńki, po filarze, spadł, złamał lewe ramię w dwóch miejscach i leżał w śniegu na wpół umarły.

Sędzia, wziąwszy sobie do serca tę historię z moim starym, miał się podobno odezwać, że takiego człowieka poprawić może tylko kula karabinowa.

VI

Tatuś bierze się do sędziego Thatchera. – Huck w ręku ojca. – Tatuś używa.

Wyzdrowiawszy, tatuś zaraz zaskarżył sędziego Thatchera o pieniądze. Wziął się także i do mnie za chodzenie do szkoły, lecz choć mnie wytłukł parę razy, uczyłem się nadal. Dawniej nic mnie do szkoły nie ciągnęło, ale teraz chodziłem do niej na złość ojcu! Sprawa w sądzie ciągnęła się bardzo powoli, więc od czasu do czasu musiałem brać od sędziego Thatchera po kilka dolarów, żeby uniknąć garbowania skóry. Ile razy ojciec dostał pieniądze, zawsze się upijał i awantury opłacał kozą.

Gdy zaś wdowa zabraniała mu wtrącać się do mnie, pewnego dnia, na wiosnę, porwał mnie, wsadził w czółno i popłynął na drugą stronę rzeki, do lesistego brzegu stanu Illinois, gdzie nie było domów, tylko stara buda drewniana, a las taki gęsty, że kto go nie znał, musiał w nim zbłądzić. Cały czas trzymał mnie przy sobie. Tak mnie pilnował, że nie miałem sposobności do ucieczki. Mieszkaliśmy w tej starej budzie, którą tatuś zamykał na klucz, chowając go zawsze pod poduszkę. Miał też i strzelbę, pewnie skradzioną, polowaliśmy więc i łowili ryby, żyjąc zdobyczą. Wdowa dowiedziała się jakoś, gdzie jestem, i przysłała po mnie człowieka. Ale ojciec zagroził mi śmiercią i zostałem. Po pewnym czasie przywykłem do nowego życia, polubiłem je nawet i byłoby mi nieźle, gdyby nie to garbowanie mej skóry.

Ale gdy tatuś coraz częściej brał się do kija, postanowiłem wydostać się z budy. Nieraz już tego próbowałem, ale na próżno. Okienko było tak małe, że i szczeniak nie przelazłby przez nie; kominem wyjść nie mogłem, bo wąski, drzwi zaś były zbite z grubych desek dębowych, a tatuś zawsze gdzieś chował wszelkie narzędzia, których szukałem ze sto razy. Nareszcie udało mi się znaleźć w wiązaniach dachu starą zardzewiałą piłę bez rękojeści. Wysmarowawszy ją tłuszczem, zabrałem się zaraz do roboty.

Do jednej ściany, przy której mieliśmy stół, przybita była spadająca do ziemi zużyta dera końska, dla zabezpieczenia od wiatru świecy, która zawsze stała w tym miejscu. Wlazłszy więc pod stół, uniosłem derę i zacząłem w pierwszej belce od dołu wypiłowywać otwór dość wielki, żebym się mógł przez niego wydostać. Ciężka to była robota i szła powoli, lecz gdy już zbliżała się ku końcowi, silny wystrzał zapowiedział przybycie ojca. Uprzątnąwszy ślady swej pracy, spuściłem derę i schowałem piłę. Po chwili wszedł tatuś.

Był jak zwykle w złym humorze i powiedział, że ma nadzieję wygrać proces, ale nieprędko, bo sędzia Thatcher działa na zwłokę. Mówił też, że sąd po raz drugi ma wyrokować w sprawie wyznaczenia wdowy moją opiekunką i że zapewne tym razem wdowa zwycięży. Co prawda, nie miałem już najmniejszej ochoty wracać do niej po to, żeby się, jak mówiła, „cywilizować".

– Chciałbym widzieć – mówił ojciec – jak cię to wdowa teraz odbierze. Będę stał na czatach bez ustanku, a gdybym spostrzegł, że chcą cię wykraść, znajdę inne miejsce, w którym cię do śmierci nikt nie znajdzie.

Zaniepokojony tymi słowami, postanowiłem nie czekać, aż tatuś spełni swój zamiar.

Posłał mnie do łodzi po przywiezione sprawunki. Był tam worek mąki, połeć słoniny, proch i naboje, garncowy gąsior wódki, trochę bielizny, a przy tym stara jakaś książka i dwa numery gazety, w którą był połeć owinięty. Zabrałem, ile mogłem unieść, a wróciwszy po resztę, usiadłem w łodzi i tak myślę: gdy będę uciekał, zabrawszy strzelbę i trochę bielizny, pójdę w las, nigdzie się nie zatrzymując. Co w dzień upoluję, zjem w nocy, byleby odejść tak daleko, żeby ani tatuś, ani wdowa nie mogli wpaść na ślad mój. Jeżeli tatuś upije się dzisiaj aż do utraty przytomności, a na pewno to zrobi, skończę swój otwór tej nocy jeszcze i ucieknę.

Gdy zaniosłem do budy resztę sprawunków, było już ciemno. Podczas gotowania wieczerzy ojciec pociągnął z butelki, a w miarę jak pił coraz więcej, obyczajem swoim wymyślał na rząd.

Rozprawiał i rozprawiał, słaniając się po izdebce, ale że nie bardzo pewnie stał na nogach, więc przewrócił się i wpadł głową w kadź z solonym mięsem. Stłukł się bardzo, więc klął siarczyście, a wreszcie nawymyślał kadzi, którą też kopnął, aż zadudniła.

Po kolacji chwycił znów za flaszkę, mówiąc, że dosyć w niej wódki na dwa upicia. Pomyślałem, że za godzinę będzie gotów, a ja wówczas wykradnę mu klucz lub wyrżnę otwór. Pił i popijał, aż w końcu upadł na posłanie. Niestety, nie usnął mocno, lecz tylko drzemał niespokojnie, jęczał, stękał, rzucał się na wszystkie strony. Zmęczony oczekiwaniem, zasnąłem wreszcie twardo, zostawiając świecę niezgaszoną.

Jak długo spałem, tego nie wiem, lecz nagle zerwałem się na równe nogi, słysząc jakiś wrzask okropny. Patrzę, aż tu tatuś, zupełnie nieprzytomny, rzuca się po izbie, krzycząc: „węże, węże!" W przywidzeniu, że je ma przy swoich nogach, otrząsał się z nich, krzycząc, że go jeden ugryzł w policzek. Ja jednak nie widziałem żadnego węża. Potem znów zaczął biegać naokoło izby, krzycząc:

– Zrzuć go! Zrzuć! W kark mnie ugryzł!

Nigdy nie widziałem u człowieka takich strasznych oczu, jak wtedy u ojca. Niebawem zmęczył się i upadł na ziemię zadyszany. Wsparty na łokciu, przysłuchiwał się czemuś.

– Huu! Huu... huu... To umarli idą... Huu... huu... huu... Po mnie idą...
Ale ja... nie pójdę. Hu! Przyszli... Już są... Nie dotykać mnie... Precz z rękami... zimne... Puszczajcie... A-a-a-a! Puśćcie mnie biednego...

Stanął na czworakach i, czołgając się, prosił, by go puścili; potem zawi-
nął głowę w kołdrę i wsunął się pod stół, wrzeszcząc: „puszczajcie!", a przez
kołdrę słychać było jego szlochanie!...

Po jakimś czasie, stanąwszy na równe nogi, nieprzytomny i dziki, rzucił
się na mnie. Uciekałem, a on mnie gonił po całej izbie, ściskając w ręku mały
nożyk składany, ostry jak brzytwa; nazywając mnie aniołem śmierci, krzyczał, że gdy ja zginę, to już nie przyjdą po niego. Perswadowałem mu, że to
ja, Huck, ale on ze śmiechem, podobnym do zgrzytania piły, krzyczał, klął
i gonił za mną. Lecz gdy zawróciwszy na miejscu, przemknąłem mu się pod
ramieniem, schwycił mnie za kurtkę na plecach... i byłem pewny, że już po
mnie. Na szczęście, wysunąłem się z kurtki i to mnie uratowało. Niebawem
zabrakło mu sił, upadł na podłogę, włożył nóż pod siebie i siedział oparty
plecami o drzwi, mówiąc, że gdy odpocznie, zabije mnie.

Gdy szybko zasnął, wziąwszy jedyne nasze krzesło, z siedzeniem prze-
dziurawionym, stanąłem na nim najostrożniej, żeby zdjąć ze ściany strzelbę.
Przekonawszy się, że jest nabita, położyłem ją w poprzek pudła, w którym
trzymaliśmy rzepę, lufą wprost twarzy ojca. Następnie, usiadłszy za pudłem,
czekałem, czy się nie zbudzi. Ach, jak wolno, jak ciężko płynęły godziny tej
nocy!

VII

Jakiś człowiek. – Zamknięty. – Przygotowania do podróży. – Ułożenie i wykonanie planu. – Odpoczynek.

– Wsta-a-waj! Co ty sobie myślisz!

Otworzywszy oczy, spojrzałem dokoła, starając się przypomnieć sobie,
gdzie jestem. Słońce stało już wysoko, musiałem więc długo spać. Tatuś stał
nade mną i wyglądał zarówno na człowieka w złym humorze, jak i na chorego.

– A ty co robisz z tą strzelbą? – zapytał.

Przypuszczając, że nie pamięta, co wyrabiał w nocy, odpowiedziałem:

– Ktoś tu próbował wejść, więc miałem broń w pogotowiu.

– Czemuś mnie nie obudził?

– Próbowałem, ale nie mogłem.

– Hm! No dobrze... Idź no zobacz, czy nie ma rybek na haczykach...
Wieczorem założyłem wędki... Ja także wyjdę, lecz nie na długo.

Gdy otworzył drzwi, pobiegłem prosto nad rzekę. Woda niosła gałęzie, spore odłamy kory, oderwane kępki nadbrzeżnej ziemi. Widocznie rzeka przybierała. Czemu nie byłem w mieście! Miałbym używanie, co się zowie. Czerwcowy przypływ zawsze dawał mi zdobycz. Niech tylko woda przybierze, zaraz niesie drzewo różnej wielkości. Łapało się nieraz po kilkanaście bali razem zbitych.

Idąc brzegiem, to bacznie śledziłem ojca, to spoglądałem na powierzchnię rzeki. Patrzę, aż tu płynie jak łabędź łódź prześliczna, ze trzynaście do czternastu stóp długa. Jak żaba skoczyłem z brzegu do wody i za chwilę siedziałem w łodzi. Gdy do brzegu dopłynąłem, tatusia jeszcze nie było. Kierując łódź w stronę niewielkiej zatoki, ocienionej brzozami i dzikim winem, postanowiłem schować dobrze swą zdobycz, a gdy przyjdzie chwila ucieczki, popłynąć sobie z jakie mil pięćdziesiąt w dół rzeki i przybić do miejsca, które już znałem... Wygodniej mi będzie niż pieszo.

Po śniadaniu ojciec rzekł do mnie:

– Jeżeli ten jakiś człowiek przyjdzie jeszcze do naszej budy, obudź mnie natychmiast... Rozumiesz? On na pewno coś złego zamierza. Od czego strzelba? Pamiętaj, żebyś mnie zbudził!

To mówiąc zasnął, ale to właśnie, co powiedział, nasunęło mi pomysł. Wstawszy około południa, poszliśmy z tatusiem na brzeg rzeki. Woda płynęła wartkim prądem, niosąc na wezbranej fali mnóstwo drzewa. Patrzymy, az tu nadpływa dziewięć bali, spojonych w tratwę. Popłynęliśmy ku nim czółenkiem i przyciągnęli do brzegu. Potem zjedliśmy obiad. Kto inny byłby tu przeczekał dzień cały, pilnując, czy czego więcej nie złowi; ale tatuś nie taki. Dosyć mu było na dziś dziewięciu bali; śpieszył do miasta, żeby je sprzedać. Zamknął mnie więc i wsiadłszy w swoje czółenko, do którego przywiązał bale, około pół do trzeciej popłynął do miasta. Pewien byłem, że nie powróci tej nocy. Czekałem, dopóki nie wywnioskowałem, że jest daleko, a potem, wydobywszy z ukrycia piłę, znów się zabrałem do roboty. Zanim ojciec przepłynął rzekę, ja już wyszedłem z budy; on i jego tratwa wyglądali jak ciemna plama, niknąca w oddali na wodzie.

Wziąwszy worek z mąką, zaniosłem go do łodzi, a następnie uczyniłem to samo ze słoniną, cukrem, kawą i amunicją. Potem wziąłem jeszcze materac, poduszkę, kołdrę, wiadro, naczyńko do picia z wydrążonej tykwy, kubek blaszany, starą swoją piłę, dwa prześcieradła, imbryczek do kawy, mały kociołek, wędki, zapałki i mnóstwo innych drobiazgów, o ile tylko miały jaką wartość. Do czysta wyniosłem wszystko. Miałem chętkę i na siekierę, lecz jedna tylko była przy stosie drzewa na opał, musiałem ją więc zostawić z poważnych przyczyn. Zabrawszy na koniec strzelbę, byłem już gotów do drogi.

Przeciągnąwszy przez otwór w ścianie tyle rzeczy, wydeptałem ścieżkę gładziuteńką, którą dla zatarcia śladów starannie zasypałem. Potem, wprawiwszy w ścianę kawałek wypiłowany, podparłem go trzema kamieniami, żeby nie wypadł, bo ściana trochę się w tym miejscu wypaczyła.

Reszta mojej drogi do łodzi zarastała trawą rzadką, króciutką, twardą, na której żadnego nie zostało śladu. Wziąwszy strzelbę, poszedłem do lasu, żeby upolować z parę ptaków, aż tu spostrzegłem sporego wieprzka, który uciekłszy pewno z folwarku, zdziczał zupełnie, co u nas często się zdarza. Zabiłem go i przyniosłem do domu.

Wreszcie porwałem siekierę i dalejże walić we drzwi, aż drzazgi lecą. Zrąbawszy drzwi co się zowie, zaniosłem wieprzka do izby, położyłem go przy samym stole, wbiłem mu siekierę w gardło i zostawiłem tak, żeby na ziemię krwi naciekło. Następnie, wziąwszy stary worek, napchałem w niego kamieni, unurzałem we krwi i wlokłem za sobą, od miejsca gdzie leżał wieprzek, aż do rzeki. Tam go wrzuciłem i zaraz poszedł na dno. Szkoda, że nie było przy tym Tomka Sawyera, bo on bardzo się zapala do wszystkiego, co wymaga trochę wyobraźni i pomysłowości.

Załatwiwszy się z workiem, wyrwałem sobie trochę włosów, przylepiłem je do zakrwawionej siekiery, którą wreszcie rzuciłem w kąt. Wtedy dopiero podniosłem z ziemi wieprzka, wziąłem go, jak dziecko, na ramiona, otuliłem połami ubrania, żeby krew z niego nie kapała, i poniosłem ku rzece. Wyjąwszy z łodzi worek z mąką, zaniosłem go na powrót do domu, podziurawiłem piłą i postawiłem na zwykłym miejscu. Na koniec powlokłem dziurawy worek po trawie w zupełnie przeciwną stronę, do niewielkiego jeziorka, zarosłego trzciną i szuwarem. Pełno tam bywało cyranek i różnego ptactwa wodnego. Z tamtej strony jeziorka wypływał strumyk, który płynął nie wiem już gdzie, ale z pewnością nie wpadał do naszej rzeki.

Mąka, sypiąc się przez dziurę, ubieliła ścieżkę od samego domu aż do jeziorka. Rzuciłem tam jeszcze osełkę do ostrzenia nożyka, niby przypadkiem upuszczoną. Wtedy dopiero, zebrawszy brzegi dziur i związawszy je sznurkiem, razem z piłą odniosłem do łodzi.

Tymczasem już się ściemniło: wyprowadziwszy więc łódź z zatoczki, zatrzymałem się w cieniu drzew u brzegu z zamiarem czekania na księżyc. Dla bezpieczeństwa uwiązałem nawet łódź u drzewa, a sam, podjadłszy trochę, usiadłem w łodzi dla obmyślenia dalszego planu.

Szukając mnie, będą szli do brzegu po śladzie zakrwawionego worka z kamieniami. Na trawie ślad zgubią, lecz znajdą drugi, mąką usypany, a prowadzący do jeziorka. Pomyślą więc: Aha! Był tu rozbójnik. Chłopca zabił, zabrał, co się dało, a przez jezioro uciekł strumykiem. Nie znalazłszy moich zwłok w rzece, dadzą pokój poszukiwaniom. Doskonale, mogę teraz robić, co chcę, i płynąć, gdzie mi się podoba.

Popłynę sobie na Jackson's Island, tam mi będzie dobrze. Całą wysepkę znam na wylot; wiem, że nikt tam nie bywa. Nocami mogę robić wycieczki do miasta, pomyszkować to tu, to tam i zdobyć, co mi potrzebne. Tak! Nie ma dla mnie lepszego schronienia; na Jackson's Island płynę!

Zmęczony okrutnie, sam nie wiem, kiedy zasnąłem. Obudziwszy się, nie mogłem zdać sobie na razie sprawy, gdzie jestem: usiadłem więc i rozglądałem się naokoło, wszystko mi się wydawało dziwne i straszne. Jak okiem sięgnąć, wszędzie tylko woda i woda. Księżyc świecił tak jasno, że mogłem policzyć, z ilu bali składa się tratwa, płynąca równo, cicho i prędko środkiem rzeki.

Przeciągnąwszy się raz i drugi, miałem już odwiązać łódź i popłynąć, gdy usłyszałem gdzieś w oddali na rzece majaczenie niewyraźnych głosów. Po chwili rozległy się głuche, ale wyraźniejsze, miarowe uderzenia wioseł. Ostrożnie wyjrzawszy przez gałęzie, widzę, że od przeciwnego brzegu podpływa ku mnie coraz bliżej duża, piękna łódź. Kto tam wie, ilu na niej ludzi? Dużo mogłaby unieść... Gdy prawie zrównała się ze mną, dojrzałem jednego tylko wioślarza. Może tatuś? – myślę, choć nie przypuszczałem, że to on. Zatrzymawszy się o kilkadziesiąt kroków ode mnie, ze środka rzeki skręca do brzegu... już jest tak blisko, że końcem lufy mógłbym dotknąć wioślarza... To tatuś! Niezawodnie on! Nie dostrzegł mnie, ale trzeźwy zupełnie, widać to ze sposobu wiosłowania i z całej postawy.

Nie traciłem więc czasu. Po paru minutach płynąłem już cichutko w dół rzeki, trzymając się ciągle ocienionego brzegu. Gdy przebyłem z półtrzeciej mili, pchnąłem się ku środkowi rzeki, wiedząc, że niezadługo napotkam łódź przewozową, płynącą ranem do miasta. Ułożywszy się na dnie czółna, pozwoliłem mu płynąć z wodą wśród drzew, unoszonych przez fale.

Woda niosła mnie ciągle i doniosła. Podnoszę się, patrzę: przede mną Jackson's Island o jakie dwie mile (angielskie) w bok od głównego prądu rzeki. Stoi na wodzie starodrzewu pełna, ciemna, wielka, podobna do parowca bez świateł. Brzeg jej ostro wrzyna się w wodę, ale teraz nie widać występu; cały zalany.

Wkrótce byłem na wyspie. Niesiony prądem, szybko opłynąłem występ, a utknąwszy na mieliźnie, wylądowałem naprzeciw brzegu Illinois. Łódź wciągnąłem do znanej mi zatoczki, tak ukrytej wśród bujnych drzew, że jej tam niczyje oko nie wyśledzi.

Usiadłszy na kłodzie, leżącej na stromo ściętym brzegu, przyglądałem się ogromnej rzece i położonemu o trzy mile stamtąd miastu, w którym jeszcze tu i ówdzie drgały światełka. Środkiem rzeki płynęła ogromna tratwa z przytwierdzoną do niej latarnią, i usłyszałem wyraźnie jakiś głos: „Hej, tam! Brać się na prawo! Nie zawadzić o brzeg wysepki!"

Prawie o świcie poszedłem pomiędzy drzewa, żeby zdrzemnąć się trochę przed śniadaniem.

VIII

Sen w lesie. – Szukanie zwłok. – Baczność! – Zwiedzam wyspę.
– Spotkanie z Jimem. – Ucieczka Jima. – Znaki. – Balaam.

Wysoko stało już słońce, gdy obudziłem się, musiała być godzina ósma. Leżąc na trawie pośród gęstych drzew, zadowolony i spokojny, myślałem o różnych rzeczach. Złote cętki, jakby przesiane przez gęstwinę liści, poruszając się na trawie, podskakiwały, zmieniały co chwila miejsce, jakby zdradzały istnienie wietrzyka tam w górze, ponad gęstym sklepieniem drzew. Wiewiórki siedziały na gałęziach, przyjaźnie na mnie spoglądając.

Tak dobrze mi było, że nie miałem ochoty myśleć o śniadaniu. Zdrzemnąwszy się znów, usłyszałem we śnie głuche a potężne: „bu-um-m!" daleko gdzieś, w górze rzeki. Podnoszę się, wspieram na łokciu i nasłuchuję; po chwili znów słyszę: „bu-um-m!" Wstaję więc, rozgarniam liście i patrzę: nad wodą wije się kłąb dymu, a środkiem rzeki płynie znana mi łódź przewozowa, pełna ludzi. Wiedziałem już, co to znaczy. Znów słyszę huk, widzę kłąb dymu i wiem, że na łodzi znajduje się mała armatka, z której strzelają tuż nad wodą, aby poruszona wystrzałem, prędzej zwłoki moje wyrzuciła.

Głodny byłem porządnie, ale nie mogłem rozniecać ognia, który mógłby mnie zdradzić. Siedziałem więc spokojnie, przyglądając się kłębom dymu i przysłuchując hukowi wystrzałów. Rzeka bardzo była w tym miejscu szeroka, a zresztą w pogodny poranek letni zawsze tak ślicznie wygląda, że nie przykrzyło mi się wciąż patrzeć na poszukiwania mojego ciała, pomimo że głód dokuczał mi coraz bardziej.

Przypomniałem też sobie, że aby znaleźć zwłoki topielca, najlepiej włożyć trochę żywego srebra w bochenek chleba i puścić na wodę. Będzie on płynął prościuteńko aż do miejsca, gdzie zwłoki leżą, i tam się zatrzyma. O, myślę sobie, trzeba się mieć na baczności: a nuż do mnie przypłynie taki bochenek i zatrzyma się tu? Pobiegłem więc na brzeg od strony stanu Illinois, czy też nie widać bochenka! Jest! Płynie! Wziąwszy pręt długi, przyciągnąłem nim chleb ku sobie; lecz gdy już miałem go prawie, potknąłem się, pręt wypadł mi z ręki, a bochenek popłynął dalej.

Po niejakim czasie nadpływa drugi i tym razem powiodło mi się. Roz-
łamałem bochen, wyrzuciłem żywe srebro i dalejże jeść! Wyborny był, miej-
ski, nie żaden razowiec, ani też placek zakalcowaty.

Znalazłszy wygodne miejsce wśród liści, usiadłem na kłodzie i przegry-
zając chlebem, patrzyłem z zadowoleniem na łódź z armatką. Niezawodnie
wdowa, proboszcz albo ktoś inny modlić się musiał do Boga, żeby ten chleb
na mnie natrafił. I tak się stało. Widocznie jest nieco prawdy w naukach
wdowy o Opatrzności, o modlitwie... Tak, gdy modli się wdowa albo proboszcz – to co innego, ale moja modlitwa nie odniosłaby skutku, który niewątpliwie zależy od tego, kto się modli: dobry, czy zły.

Łódź nadpłynęła wreszcie tak blisko, że doskonale widziałem siedzące
w niej osoby. Tatuś, sędzia Thatcher z córką Elżbietką, Józio Harper, Tomek
Sawyer z ciotką Polcią i małym jego braciszkiem oraz inni ludzie. Rozmawiali o mnie, o morderstwie na mnie dokonanym, gdy kapitan wyrzekł:

– Proszę teraz dobrze uważać. Prąd idzie pod samym brzegiem, mógł
więc wyrzucić zwłoki. Kto wie, czy się nie znajdą zaplątane gdzieś w krzakach.

Ja tej nadziei nie miałem. Stali wszyscy na pomoście, oparci o poręcz,
z wzrokiem wytężonym na nadbrzeżne zarośla. Widziałem ich doskonale,
ale oni mnie nic widzieli. Wtem kapitan zakomenderował: „Ognia!"

I jak mi nie huknie armata nad samym uchem! Myślałem, że już po mnie,
że ogłuchnę od huku i oślepnę od dymu. Strzelając kulami, byliby niewątpliwie znaleźli zwłoki, za którymi tak się uganiali! Na szczęście, byłem zdrów
i cały. Po chwili łódź znikła mi z oczu. Coraz słabiej słychać było wystrzały,
a po upływie godziny nic nie słyszałem.

Wiedząc, że teraz nikt mnie już szukać nie będzie, powynosiłem z łodzi
swoje graty i założyłem wśród gęstwiny obóz, zrobiwszy z prześcieradeł na-
miot dla ochrony od deszczu. Złowiwszy rybę i oskrobawszy ją piłą, przed
zachodem rozpaliłem ogień, aby przyrządzić wieczerzę, po czym założyłem
wędkę, by mieć świeżą rybę na jutro.

Siedząc przy ogniu, czułem się najzupełniej zadowolony. Powoli jednak
strach mnie ogarniał wśród samotności, poszedłem więc na brzeg słuchać
uderzeń fali, liczyć gwiazdy na niebie, a kłody i bale na wodzie, gdy mi się
zaś i to sprzykrzyło, poszedłem spać. Nie ma lepszego sposobu zabicia czasu, gdy się człowiekowi przykrzy: zaśniesz i zapomnisz o wszystkim.

Tak było przez trzy dni i trzy noce. Żadnej odmiany – ciągle to samo.
Tyle tylko, że na drugi dzień zwiedziłem wyspę. Będąc tu panem, chciałem
wszystko obejrzeć; głównie jednak chodziło mi o zabicie czasu.

Wśród tej włóczęgi po lesie, doszedłem prawie do przeciwległego brzegu swej wyspy. Miałem broń ze sobą, ale nie strzeliłem ani razu, niosłem ją

tylko dla obrony w razie napaści. Idąc, nastąpiłem na węża, który uciekał, czołgając się wśród traw i kwiatów. Biegłem za nim przez chwilę, chcąc go zabić bez użycia strzelby, i niespodzianie trafiłem na dymiące jeszcze popioły ogniska, które tu ktoś rozniecił.

Serce mi tak w piersiach zakołatało, że nie zwlekając, rozpocząłem na palcach odwrót, dokonywany gwałtownie, w największym strachu.

Dotarłszy do obozowiska, jakkolwiek głodny porządnie, przeniosłem wszystkie swe rzeczy do łodzi, żeby nie zostawić żadnego śladu; zgasiłem ogień, rozrzuciłem popiół, nadając ognisku wygląd zeszłorocznego, a w końcu wszedłem na drzewo.

Po jakich może dwu godzinach, gdy nic nie widziałem i nie słyszałem, spuściłem się z drzewa w gęstwinę i czuwałem, nic nie jedząc, prócz jagód i resztek ze śniadania.

O zmroku, popłynąwszy na wybrzeże Illinois, również jak i wyspa lesiste, zjadłem wieczerzę, zdecydowany przepędzić tam noc, gdy nagle usłyszałem tętent nóg końskich i ludzkie głosy. Zebrawszy czym prędzej wszystko do łodzi, wróciłem jeszcze do lasu, żeby zobaczyć, co to za ludzie i czego chcą. Zaledwie zrobiłem kilkanaście kroków, gdy usłyszałem głos:

– Zostańmy tu na nocleg, jeżeli znajdziemy odpowiednie miejsce; konie są bardzo zmęczone.

Nie czekając dłużej, znów popłynąłem ku wyspie, z postanowieniem spędzenia nocy w łodzi.

Niewiele jednak spałem, budząc się ciągle w przekonaniu, że ktoś trzyma mnie za kark; sen taki nie mógł mnie pokrzepić. Dopiero, gdy postanowiłem dowiedzieć się, kto mieszka ze mną na wyspie, doznałem ulgi na sercu.

Odepchnąwszy trochę łódź od brzegu, płynąłem, trzymając się cienia. Wiatr lekki, chłodnawy, zwiastował bliskie świtanie. Opłynąwszy całą długość wyspy, wziąłem strzelbę i po długim skradaniu się brzegiem lasu, zmęczony siadłem na pniaku. Wkrótce ponad drzewami ukazała się blada, wąska smuga jasności – brzask poranny. Z fuzją na ramieniu ruszyłem w głąb lasu szukać tego miejsca, gdzie widziałem gorące jeszcze ognisko, co minuta przystając i nasłuchując. Nagle spostrzegłem, że wśród drzew coś błyszczy niby ogień. Idę ku niemu, ostrożnie, cicho i widzę, że ktoś leży na ziemi. Aż mnie mrowie przeszło! Było już prawie jasno: za chwilę miał być wschód. Po paru minutach śpiący budzi się, zrzuca kołdrę z głowy, patrzę: Jim, Murzyn miss Watson. To się dopiero ucieszyłem!

– Jim! – wołam na niego.

Skoczył jak oparzony i spojrzawszy na mnie błędnym wzrokiem upadł przede mną na kolana, składając ręce jak do modlitwy.

– Nie czyń mi nic złego. Nie czyń! Jim nigdy żadnego ducha nie skrzyw-dził... Jim zawsze lubił umarłych. Idź sobie, duchu, idź, wracaj do rzeki, gdzie twoje mieszkanie, nie czyń staremu Jimowi krzywdy!

Udało mi się jednak przekonać go, że nie jestem umarłym. Ogromnie byłem rad ze spotkania z Jimem; nie czułem się już tak samotny.

– Rozpal porządny ogień, zjemy śniadanie – rzekłem do niego.

– Po co rozpalać ogień? Malin ani poziomek nie będziemy przecie gotowali? A prawda! Masz z sobą strzelbę, może upolujemy coś lepszego.

– Jak to? Więc żyjesz tylko malinami i poziomkami?

– Nic innego nie miałem.

– Tak? Jak dawno tu jesteś?

– Przyszedłem tej samej nocy, kiedy ciebie zabili.

– I cały czas nie jadłeś nic prócz jagód?

– Ano, tak.

– No to musisz być okropnie głodny?

– Zjadłbym chyba konia całego. A ty od jak dawna jesteś na tej wyspie?

– Także od tej nocy, gdy mnie zabili.

– Nie może być? Czym żyjesz? A prawda, ze strzelbą głodu nie ma. Upoluże co, a ja rozpalę ogień.

Udaliśmy się więc w stronę zatoki, w której stała moja łódź i podczas gdy Jim rozniecał ogień na małej polance wśród drzew, ja przyniosłem mąkę, słoninę, imbryczek do kawy, patelnię, cukier i dwie blaszane filiżanki. Jim patrzył na to wszystko ze zdziwieniem i ze strachem, bo myślał, że to czary. Złapała się też na wędkę wyborna ryba, Jim oskrobał ją nożem, który miał przy sobie, i usmażył.

Gdy śniadanie było gotowe, usiedliśmy wygodnie na ziemi i zajadali ze smakiem gorącą strawę, zwłaszcza Jim, który od tak dawna nie miał nic w ustach oprócz jagód. Po obfitym śniadaniu pokładliśmy się na trawie i leżymy.

Po chwili Jim powiada:

– Słuchaj no, Huck, a kogóż tam zabili w waszej bandzie, kiedyś ty żywy? Opowiedziałem mu wszystko ku wielkiej jego radości.

– A ty skąd się tu wziąłeś?

Zakłopotany milczał przez chwilę, a potem rzekł:

– A nie wydasz mnie, Huck, jeżeli ci powiem całą prawdę?

– Nie, Jim, słowo daję.

– Kiedy tak, to wierzę. Słuchaj, Huck, ja... ja uciekłem.

– Jim!

– Dałeś słowo, że nie powiesz nikomu, pamiętaj, Huck, dałeś słowo!

– Prawda, dałem. Przyrzekłem, że nie powiem, i nie powiem. Niech mi tam wymyślają od najgorszych, niech mną pogardzają za to, że nie doniosłem o zbiegłym Murzynie, wszystko mi jedno: słowa dotrzymam. Zresztą, nie myślę wracać do miasta. Opowiedzże mi, jak było.

– Jeżeli nie powiesz, to słuchaj. Było tak: Stara pani – to znaczy miss Watson, dokuczała mi ciągle, nudziła, łajała, utrzymując jednak, że za nic w świecie nie sprzedałaby mnie kupcom z Orleanu. Tymczasem zauważyłem, że jeden z tamtejszych kupców ciągle do niej zachodzi, i zacząłem być niespokojny. Wreszcie jednego wieczora wchodzę do pokoju dość późno i przez nie domknięte drzwi słyszę, jak moja pani opowiada wdowie o swym zamiarze sprzedania mnie kupcowi z Orleanu. Wdowa żądała od siostry przyrzeczenia, że mnie zostawi w domu, ale ja już nie czekałem, co dalej będzie, i uciekłem. Wybiegłszy na wzgórek ponad rzeką, ujrzałem pustą łódkę; postanowiłem ją zabrać i uciec; że jednak było jeszcze za wcześnie, tu i ówdzie bowiem snuli się ludzie po brzegu, ukrywszy się więc w starym sklepie, stojącym pustką, przesiedziałem tam całą noc. Około szóstej rano zaczęły się pokazywać łodzie, później było ich mnóstwo, a na wszystkich mówiono tylko o przyjściu twego ojca z wiadomością, że cię zabito. Rozmaici panowie i panie przeprawiali się przez rzekę po to tylko, żeby zobaczyć miejsce, gdzieś został zamordowany. Inni znów, stojąc na brzegu w oczekiwaniu na jakąś łódź, tak głośno rozmawiali o wypadku, że z rozmowy ich wszystkiego się dowiedziałem. Okropnie mi było żal ciebie, Huck. Biedny chłopiec! – myślałem – zamordowano go. Ale teraz, gdy przekonałem się, że żyjesz, już mi cię nie żal...

Przeleżałem tam cały dzień pod stertą wiórów, nie obawiając się poszukiwań, bo wiedziałem, że stara moja pani razem z siostrą wybierała się po śniadaniu na jakieś pobożne zebranie. Że zaś zwykle o wschodzie słońca szedłem z bydłem na pole, nikogo więc moja nieobecność rano nie zadziwiła.

Dopiero gdy się ściemniło, wyszedłszy z mego ukrycia, czym prędzej pobiegłem za miasto. Łodzi wczorajszej nie było, więc nie wiedziałem, jak uciekać. Jeżeli pójdę piechotą, psy mnie wytropią; jeżeli zabiorę czyjąś łódź, to domyślą się, że uciekłem na drugi brzeg, popłyną tam i wytropią mnie psami. Najlepiej byłoby dostać tratwę...

Wśród takich myśli patrząc na rzekę, spostrzegłem, że środkiem płynie jakieś światło. Rzucam się więc do wody, płynę na środek rzeki i ukryty wśród drzew, pędzonych przez falę, czekam, aż się owo światło przybliży. Domyśliłem się, że to pewno ktoś drzewo tratwą spławia i że na niej może nie ma nikogo. Dobrze już było ciemno, więc choć światło coraz bliżej nadpływa, ja nic nie widzę, chwytam za krawędź tratwy, jednym rzutem na nią wskakuję i leżę cicho, jak ryba. Aż tu widzę, na środku, tam gdzie latarnia, ruszają się ludzie. Ale nic to, rzeka przybiera, prąd coraz bystrzejszy, wyliczyłem więc sobie, że do czwartej rano ze dwadzieścia pięć mil upłynę. O świcie będę mógł zsunąć się w wodę, popłynąć na brzeg Illinois i ukryć się w lesie w największej gęstwinie.

Ale nie miałem szczęścia. Równaliśmy się już prawie z wyspą, gdy człowiek jakiś z latarnią zmierza ku przodowi tratwy, tam właśnie, gdzie leżałem w cieniu. Widząc, że nie mam po co dłużej czekać, chlust w wodę i popłynąłem prosto na wyspę. Poszedłszy w las, dałem sobie słowo, że nigdy już nie zbliżę się do tratwy, która płynie z latarnią pośrodku! Wziąłem z sobą fajkę, tytoń i zapałki, które, schowane w czapce, nie zamokły; miałem więc wszystko, co trzeba.

– Czy słyszałeś, jak strzelali z armaty?

– Słyszałem i byłem pewny, że to ciebie szukają. Mogłem ich nawet widzieć przez krzewy.

Jakieś ptaki, młode zupełnie, zjawiły się nie wiadomo skąd i nagle przed nami upadły: podlecą na łokieć lub dwa, przysiądą i znów się zrywają. Jim mówił, że to wróżba deszczu, przed którym kurczęta tak samo podrywają się w górę. Chciałem złapać chociaż jednego, lecz Jim odradzał w obawie, żebym śmierci nie schwytał. Raz, gdy ojciec jego był bardzo chory, a ktoś w domu złowił ptaka, babka staruszka zaraz przepowiedziała śmierć w domu. I cóż państwo powiecie? Umarł ojciec Jima!

Według Jima, nie trzeba też liczyć rzeczy, które się bierze do gotowania, bo to sprowadza nieszczęście, i nie można również strząsać z obrusa okruchów po zachodzie słońca. Jeżeli zaś umrze właściciel ula, a pszczoły nie będą zawiadomione o jego śmierci przed wschodem słońca, to wszystkie wyzdychają. Twierdził też, że pszczoła nigdy nie ukole głuptasa, ale ja w to nie wierzę, bo mnie przecież kąsać nie chciały.

O tym wszystkim i dawniej już słyszałem od Jima, który znał różne prognostyki.

– Skoro tyle znaków wróży nieszczęście, to chciałbym wiedzieć, czy nie ma takich, które by szczęście zapowiadały? – rzekłem do niego.

– Bardzo mało, a i te niepożyteczne – odparł Jim. – Cóż ci z tego przyjdzie, jeżeli się dowiesz, że cię spotka coś dobrego? Szczęścia nie będziesz unikał. Istnieją jednak takie znaki i mogę ci je zaraz wymienić. Jeżeli ci rosną włosy na ramionach i na piersiach, to znak, że będziesz bogaty. No, nie ma co mówić, taki znak przyda się człowiekowi; przyjemnie wiedzieć, że choć nieprędko, ale zawsze kiedyś będą pieniądze. Bo widzisz, mógłbyś pod wpływem nędzy zniechęcić się do życia, może je nawet sobie odebrać, gdybyś z tego znaku nie wnosił, że będziesz kiedyś bogaty.

– A ty, Jim, czy masz także włosy na ramionach i na piersi?

– Po co to się pytać o takie rzeczy? Widzisz przecie, że mam.

– I cóż? Jesteś bogaty?

– Nie, ale byłem już raz bogaty i znów będę. Miałem raz czternaście dolarów, ale na spekulacji wszystko straciłem.

– Na jakiej spekulacji?

– Na handlu.

– Ale na jakim? Czym handlowałeś?

– Towarem. Żywym towarem: bydłem. Dziesięć dolarów włożyłem w krowę, która mi zdechła.

– I straciłeś dziesięć dolarów.

– Nie całe dziesięć, bo wziąłem za skórę dolara i dziesięć centów.

– A zatem miałeś jeszcze pięć dolarów i dziesięć centów.

– Właśnie. Znasz tego kulawego Murzyna, który należy do starego pana Bradesha? Otóż ten Murzyn, założywszy bank, obwieścił, że każdy, kto w nim złoży dolara, dostanie w końcu roku cztery a może i więcej. Rzucili się więc do banku wszyscy Murzyni, choć każdy miał bardzo niewiele. I ja umieściłem w tym banku pięć dolarów, za które po roku miałem odebrać trzydzieści pięć. Tymczasem Murzyn ogłosił bankructwo i pieniądze moje przepadły.

– A z dziesięcioma centami cos zrobił?

– Chciałem sobie coś za nie kupić, ale we śnie otrzymałem rozkaz oddania ich Murzynowi Balaamowi, zwanemu dla krótkości Balaamową oślicą, bo był trochę głupowaty. We śnie słyszę: „Daj Balaamowi dziesięć centów, a on je tak umieści, że będą ci rosły i rosły". Dobrze! Wziąwszy pieniądze, Balaam udał się do kościoła i słyszy, jak ksiądz mówi z ambony, że kto daje ubogiemu, ten Panu daje, a Pan zwróci mu to stokrotnie. Cóż miał robić Balaam? Oddał ubogiemu dziesięć centów... no i czekaliśmy, co z tego będzie.

– I cóż było?

– Nic nie było. Ani mnie, ani Balaamowi nikt nie dał centa. Nigdy już nie oddam pieniędzy bez dostatecznej pewności. Za grosz – sto odbierzesz, mówił ksiądz. Od kogo? U kogo się będę upominał? Żebym choć odzyskał te dziesięć centów!

– E, mniejsza o to. Przecież znów będziesz bogaty.

– No, prawdę rzekłszy, już jestem, jako właściciel siebie samego; a wartość moja to osiemset dolarów. Chciałbym posiadać te pieniądze!

IX

Grota. – Pływający dom. – Dobra zdobycz.

Zachciało mi się pójść w głąb wyspy, aby obejrzeć pewne miejsce, które widziałem przy pierwszym jej zwiedzaniu. Dotarliśmy tam wkrótce, bo wyspa miała co najwyżej trzy mile długości, a zaledwie ćwierć mili szerokości. Miejsce, które sobie zapamiętałem, był to pagórek dość długi i bardzo stromy, rodzaj wału wysokiego na czterdzieści stóp. Niełatwo nam przyszło wdrapać się na przełęcz, tak boki były spadziste i tak gęsto zarosłe różną krzewiną. Obejrzeliśmy jednak dokładnie sam grzbiet i boki, a na stoku od strony Illinois, pod samym prawie wierzchołkiem, znaleźliśmy przestronną grotę. Obszerna jak trzy pokoje razem wzięte, a tak wysoka, że Jim, chłop dobrego wzrostu, mógł w niej stanąć wyprostowany. Chłodno tam było, ale sucho. Jim radził, ażeby tu poznosić nasze rzeczy, abyśmy mieli schronisko przed deszczem i przed ludźmi.

Jakoż niezadługo nastąpiły nasze przenosiny. Na haczykach wędek, wczoraj założonych, znalazły się ryby, zdjąłem je, nastawiłem znów wędki, a zdobycz ugotowałem na obiad. Wejście do groty zakrywały zarośla, lecz ponad nimi znajdował się otwór niewielki, a tuż pod nim płaskie, równe wzniesienie, jakby umyślnie do rozpalania ognia przeznaczone. Tam też rozpaliliśmy ognisko, żeby ugotować obiad.

Kołdry rozłożyliśmy na ziemi, jak dywany, prześcieradło służyło za obrus i obiad odbył się z paradą. Niebawem zaczęło grzmieć i błyskać; ptaszki więc prawdę powiedziały. Po chwili spadł ulewny deszcz.

Przez dziesięć dni przeszło przybierała woda, aż nareszcie wyszła z łożyska. Niższa część wyspy, a głównie cały brzeg, leżący naprzeciw Illinois, stał pod wodą, na kilka stóp głęboką. Z tej strony, jak okiem sięgnąć, wszędzie woda, ale na brzegu przeciwległym, naprzeciw Missouri, rzeka miała zwykłą szerokość, pół mili najwięcej, bo brzeg wysoki z tej strony sterczał nad wodą spadzistym urwiskiem. Całymi dniami pływaliśmy łódką po wyspie. Słońce paliło żarem, a my wśród drzew zażywaliśmy cienia i chłodu. Łódka prześlizgiwała się pomiędzy licznymi pniami, niby żywe, zwinne stworzonko. Na drzewach siedziały króliki, węże i inne zwierzęta, które z głodu takie były łaskawe, że pozwalały brać się do ręki. Tylko węże i żółwie, nie dowierzające nam, śpiesznie uciekały do wody. W grocie naszej aż roiło się od nich.

Pewnej nocy schwytaliśmy część bardzo porządnej tratwy: dziewięć, jeden w drugi dobieranych, bali sosnowych. Kiedy indziej, o samym świcie, ujrzeliśmy płynący dom cały, duży, dwupiętrowy, z pochyłym dachem. Podpłynąwszy pod ścianę, weszliśmy przez okno do środka. Że jednak ciemno było jeszcze, więc trzymając łódź na linie, płynęliśmy pod dachem wzdłuż wyspy.

Gdy dobrze dnieć już zaczęło, dojrzeliśmy łóżko, stół, dwa stare krzesła, jakieś graty, leżące na podłodze, i odzież na wieszadle. W najdalszym od światła kącie leżało coś ciemnego, niby człowiek śpiący. Więc Jim woła:

– Hej! Wstawajcie!

Ale to coś leży nieruchomo. Krzyczę, nie rusza się.

– Tak, to człowiek z pewnością – rzekł Jim – ale nieżywy, bo gdyby żył, już by się obudził. Potrzymaj łódź, a ja pójdę i zobaczę.

Poszedł, schylił się, popatrzył i mówi:

– Nie żyje naprawdę, wstanie dopiero na dzień sądu. Dostał kulą w plecy i obdarty do naga. Już chyba ze dwa dni leży. Nie podchodź, Huck, i nie patrz. Okropnie wygląda.

Nie spojrzałem nawet w tamtą stronę. Jim przykrył go jakimiś starymi gałganami, chociaż wcale nie byłem ciekawy tego widoku. Na podłodze leżały rozrzucone stare, zatłuszczone karty, wypróżnione po wódce butelki, kilka masek z czarnego sukna, a na ścianach pełno było nieprzyzwoitych słów i rysunków, węglem kreślonych. Wisiały tam także dwie stare, brudne suknie perkalowe, kapelusz, kilka zabłoconych spódnic kobiecych i trochę męskiej odzieży.

Wrzuciliśmy te gałgany do naszej łodzi, bo i to może się przydać. Zabrałem też stary męski kapelusz słomiany, poplamiony i połamany. Była i pęknięta butelka z odrobiną mleka na dnie, zakorkowana gałganami, widocznie dziecko z niej ssało. Była i stara skrzynia i kufer nowy z oderwanymi zawiasami i bez zamka. Jedno i drugie stało otwarte, ale nic tam nie było wartościowego. Nieład straszliwy wskazywał, że mieszkańcy uciekali w popłochu przed rabusiami.

Wzięliśmy stamtąd porządną blaszaną latarnię, nóż rzeźnicki, ostry, ale bez rękojeści, nowiusieńki nóż stołowy, dopiero co kupiony, paczkę świec łojowych, mosiężny lichtarz, blaszaną flaszkę, kubek do wody, zbrukaną i gdzieniegdzie podziurawioną kapę na łóżko, pudełeczko damskie z igłami, nićmi, szpilkami i tym podobnymi drobiazgami, młotek, garść gwoździ, wędkę tak grubą, jak mój mały palec, z ogromnymi do niej haczykami; wzięliśmy zwiniętą w wałek skórę jelenią, obrożę skórzaną, podkowę końską i kilka flaszek z lekarstwami bez napisu. Przed samym wyjściem znalazłem jeszcze wcale niezły grzebień, a Jim stary smyczek.

X
Niespodzianka. – W przebraniu.

Po śniadaniu byłbym chętnie porozmawiał o tym nieboszczyku, żeby odgadnąć, kto go zabił i dlaczego, ale Jim nie miał ochoty do rozmowy. Przewidując jakieś nieszczęście, utrzymywał, że umarły gotów do nas przychodzić, bo człowiekowi nie pogrzebanemu zawsze łatwiej włóczyć się po świecie i straszyć żywych, niżeli takiemu, co spokojnie i wygodnie leży pod ziemią. Wydało mi się to bardzo rozsądne, więc już rozmowy nie wszczynałem, chociaż zastanawiałem się ciągle, co to był za człowiek, kto go zabił i dlaczego.

Przeszukawszy kieszenie zabranego odzienia, znaleźliśmy siedem dolarów srebrem, zaszytych w starym palcie pomiędzy podszewką a wierzchem. Jim był zdania, że ludzie, przebywający w owym domu, ukradli palto, nie wiedząc o tych pieniądzach. Ja zaś przypuszczałem, że nie tylko ukradli palto, lecz i zabili właściciela, ale gdy Jim nie chciał mówić o tym, powiedziałem:

– Obawiasz się nieszczęścia? A pamiętasz, coś mówił przedwczoraj, gdy przyniosłem skórę wężową? Utrzymywałeś, że nas spotka nieszczęście. I cóż się stało?... Zdobyliśmy tyle różnego kramu i jeszcze siedem dolarów. Chciałbym, żeby nas to co dzień spotykało.

– Nie ciesz się przedwcześnie, mój kotku, przyjdzie jeszcze bieda. Zapamiętaj sobie!

I przyszła! Mówiliśmy o tym we wtorek. W piątek po obiedzie leżymy na trawie, rozmawiając. Spostrzegłszy brak tytoniu, idę do groty i znajduję tam grzechotnika. Zabiłem go i zwiniętego w kółko położyłem w nogach kołdry Jima, żeby go nastraszyć, dla żartu. Tymczasem do wieczora zapomniałem o wężu. Gdy po powrocie na nocleg zapaliłem światło, a Jim legł na posłaniu, okazało się, że do zabitego węża przyszedł jego towarzysz i ukąsił Jima.

Jim krzyknął, zerwał się i oto, co ujrzeliśmy: na pościeli Jima leżał wąż żywy, gotów do skoku. W jednej chwili zabiłem go kijem, a Jim chwyciwszy butelkę z wódką, lał ją sobie w gardło.

Bosy był i gadzina ukąsiła go w piętę – wszystko przez moją lekkomyślność! Na śmierć zapomniałem, że tam, gdzie leży wąż zabity, zawsze przyjdzie jego towarzysz i owinie się wkoło niego. Jim kazał mi w tej chwili odciąć wężowi głowę, odrzucić ją, jak można najdalej, a z niego samego skórę ściągnąć i upiec kawałek mięsa. Zrobiłem to, a Jim zjadł mięso, bo to pomaga. Potem kazał wyjąć z ogona grzechotki i owiązać nimi rękę w samej kostce. Powiedział, że i to pomaga. Gdy to wszystko zrobiłem, wysunąłem się niepostrzeżenie, zabierając z sobą oba węże, i cisnąłem je daleko, w najgęstsze zarośla, gdyż pragnąłem ukryć przed Jimem, że z mojej winy przyszło na niego nieszczęście.

Cztery dni i cztery noce leżał Jim ciężko chory. Piątego puchlina zeszła, wstał więc i wyzdrowiał. Dałem sobie słowo, że nigdy w życiu nie wezmę do ręki skóry węża, Jim zaś mówił, że tysiąc razy wolałby zobaczyć nów przez lewe ramię, niż wziąć do ręki skórę węża.

Dzień mijał za dniem i rzeka, powróciwszy do łożyska, płynęła spokojnie, jak zawsze. Na jeden z wielkich haczyków, któreśmy zabrali z pustego domu, zasadziłem odartego ze skóry królika i na tę przynętę złapała mi się ogromna ryba, ważąca przeszło dwieście funtów. Nie mogliśmy dać jej rady we dwóch: o mało nas w wodę nie wciągnęła. Lat-fish nazywa się taka ryba, największa ze wszystkich, jakie się poławia w Missisipi. Mięso ma smaczne i jak śnieg białe.

Nazajutrz rano oświadczyłem Jimowi, że się nudzę i że chciałbym przeprawić się do Illinois. Chwaląc mój pomysł, radził mi przebrać się dla bezpieczeństwa za dziewczynę, co było łatwe przy znalezionej w owym domu odzieży. Rada była dobra i postanowiłem zastosować się do niej. Ponieważ jedna z perkalowych sukien była za długa, zrobiliśmy w niej zakładkę, spodnie zaś podwinąłem do kolan i ukryłem zupełnie pod spódnicą. Jim pozapinał haftki na plecach i okazało się, że suknia leży doskonale, a gdy włożyłem na głowę perkalowy kapelusz od słońca, zawiązany mocno pod brodą, Jim utrzymywał, że w biały dzień nawet nikt by mnie nie poznał w tym przebraniu. Chodziłem w nim przez cały dzień, żeby się oswoić z babskim strojem. Tylko chód mój nie zadowalał Jima, przestrzegał również, żebym nie podciągał w górę spódnicy, kładąc rękę do kieszeni w spodniach.

O zmroku wsiadłem do łodzi i popłynąłem na brzeg Illinois. Przybywszy szczęśliwie, wysiadłem nie opodal miasteczka i ruszyłem wybrzeżem ku miastu. Stała tam mizerna chałupina, w której od dawna nikt nie mieszkał. Ściemniło się w oknie. Zaciekawiony, kto tam jest, zajrzałem w okno ostrożnie. Patrzę: siedzi kobieta, może czterdziestoletnia, i robi pończochę, a przed nią na prostym stole sosnowym pali się świeca w lichtarzyku. Nieznana mi była twarz tej kobiety, zapewne obcej, bo wszystkich mieszkańców miasteczka doskonale znałem z widzenia. Ucieszyłem się też, ujrzawszy twarz obcą, bo myśl, że mnie ludzie poznają po głosie, przejmowała mnie strachem. A taka kobiecina, choćby dopiero od dwóch dni tu przebywała, już mi wszystko może rozpowiedzieć. Zastukałem więc do drzwi, z mocnym postanowieniem nie zapominania ani na chwilę, żem panienka, nie chłopiec.

XI

Huck i nieznajoma. – Co słychać? – Huck w matni. –
Szukają nas!

Zapukałem.

– Proszę wejść – odpowiedziano.

Gdy wszedłem i przywitałem niewiastę, obejrzała mnie od stóp do głów
małymi świdrującymi oczkami i spytała:

– Jak ci na imię?

– Sara Williams.

– A gdzie mieszkasz? W tych stronach?

– O nie, proszę pani; w Hookerville, o siedem mil stąd w dół rzeki. Całą
drogę szłam pieszo i okropnie jestem zmęczona.

– I głodna pewno także? Poczekaj, znajdzie się coś dla ciebie.

– Dziękuję pani, nie jestem głodna. Jeść mi się bardzo chciało i wstąpi-
łam po drodze na folwark, o dwie mile stąd. Tam mnie nakarmili i wcale mi
się jeść nie chce. Dlatego nawet tak się spóźniłam. Matka moja leży chora,
nie mamy już ani pieniędzy, ani żadnych zapasów, przyszłam więc tu, do
wuja mojego, Abnera Moore'a. Nigdy tam jeszcze nie byłam, podobno dom
wuja znajduje się na końcu miasta. Prawda, proszę pani? A może pani zna
mojego wuja?

– Nie, nie wszystkich znam jeszcze. Nie ma dwóch tygodni, jak tu mieszkam. Kawał drogi masz przed sobą, jeżeli idziesz na drugi koniec miasta.
Zanocuj tu lepiej, a tymczasem zdejmij kapelusz.

Nie, dziękuję pani   powiadam. – Odpocznę tylko i dalej pójdę. Ciemno wprawdzie, ale ja się nie boję.

Ona mi na to, że mnie nie puści samej, że mnie odprowadzi mąż jej,
który za godzinę powróci. Zaczyna mi potem rozpowiadać o swoim mężu,
o swoich krewnych, mieszkających w górze rzeki, i o krewnych, mieszkających w dole rzeki, i jak im się dobrze powodziło dawniej, i jak nieroztropnie
uczynili, przenosząc się do naszego miasteczka, gdzie im się wcale nie powodzi, i tak dalej i dalej. Lecz gdy mówić zaczęła o tatusiu i o zamordowaniu
Hucka, chętnie słuchałem jej paplaniny. Pytam więc:

– Któż go zamordował? Dużo o tym mówiono u nas, w Hookerville, ale
dotychczas nie wiemy, kto był zabójcą Hucka Finna.

– E, ja myślę, że tu są tacy, którzy wiedzą, kto zabił Hucka. Podejrzewają
starego Finna.

– Doprawdy? Nie może być!

– Wszyscy prawie tak myśleli z początku. Mało brakowało, żeby nie ukarano starego po naszemu: prawem linczu. Potem jednak zaczęto przypuszczać, że zbrodnię mógł popełnić zbiegły stąd Murzyn, niejaki Jim.

– Cóż znowu? Jim...

I urwałem nagle, bo przyszło mi na myśl, że lepiej uczynię, milcząc. Kobieta mówiła dalej, nie zwróciwszy nawet uwagi na moje słowa:

– Trzeba ci wiedzieć, że Murzyn zbiegł tej samej nocy, w której zamordowano biednego chłopca. Wyznaczono więc nagrodę za schwytanie go: trzysta dolarów. A i ten dostanie nagrodę – dwieście dolarów – kto znajdzie starego Finna. Bo to widzisz, tak było: przychodzi on do miasta rano i opowiada, że syna mu zabito w nocy, czy może przed samą nocą. Zaraz też wyprawiono łódź na poszukiwanie zwłok, a stary zabrał się także z nimi i szukał, ale potem, gdy nic nie znalazłszy, wrócili wszyscy do miasta, stary gdzieś zniknął. Przed nocą jeszcze chciano się wziąć za niego, niechby pokosztował linczu, ale już go nie było – przepadł gdzieś, uważasz? Na drugi dzień okazuje się, że Murzyna nie ma, a nawet, że od dziesiątej wieczorem tej nocy, w której popełniono zbrodnię, nikt go nie widział na oczy. Na niego więc wszystko zwalili i już o niczym innym nie mówią. Wtem powraca stary Finn, idzie prosto do sędziego Thatchera, i płacząc głośno, że Murzyn zabił mu dziecko, prosi, błaga, żeby mu sędzia dal pieniędzy na szukanie Murzyna. Sędzia dał mu trochę grosza, a stary, dobrze opity, aż do północy wałęsał się po mieście z jakimiś nieznajomymi, którym niedobrze patrzyło z oczu. Znikli razem i już odtąd nikt Finna nie widział. Strasznie podobno człek chytry! Gdy wróci po upływie roku, wszystko pójdzie jak z płatka. Niczego mu nikt nie dowiedzie i pieniądze syna wpadną mu w ręce.

– Czy przestali już podejrzewać o zbrodnię Murzyna?

– Nie, są jeszcze tacy, którzy myślą, że nikt inny nie mógł być zabójcą, tylko Murzyn. Zapewne go wkrótce schwytają i zmuszą do wyznania prawdy.

– Więc go szukają?

– Ma się rozumieć, gąsko jedna, że go szukają. Czy to co dzień zdarza się ludziom sposobność dostania trzystu dolarów? Niektórzy myślą nawet, że Murzyn ukrywa się gdzieś niedaleko. I ja tak myślę, nie lubię jednak pleść bez potrzeby. Podobno na tę wysepkę, co tu leży na środku rzeki – Jackson's Island, prawda? – nigdy nikt nie zagląda. Nikt tam nie mieszka, a prawie pewna jestem, że dwa dni temu widziałam dym na wyspie, od Missouri. Na pewno Murzyn tam się ukrywa; warto by zadać sobie trochę trudu i przetrząsnąć wysepkę, jak należy. Od tego czasu nie widziałam już dymu, więc jeżeli to on był, to skrył się gdzie indziej. Ale to nic nie szkodzi: pojedzie tam mąż mój i to nie sam, ale z drugim. Nie było go w domu, ale gdy dziś powrócił, zaraz mu powiedziałam, żeby przeszukał wyspę.

Taki mnie ogarniał niepokój, że nie mogłem usiedzieć na miejscu. Musiałem mieć coś w ręku, coś w palcach przynajmniej trzymać, wziąłem więc ze stołu igłę i zaczynam ją nawlekać. Ale drżały mi ręce i czułem, że niezręcznie to robię. Gdy kobieta przestała mówić, widzę, że patrzy na mnie ciekawie i z uśmiechem. Odłożyłem więc igłę i nitkę i udając, że mnie bardzo zajęła jej opowieść, rzekłem:

– Trzysta dolarów to niemały pieniądz. Ja bym chciała, żeby mama mogła je dostać! Czy mąż pani dziś jeszcze popłynie na wyspę?

– Tak, dzisiaj. Poszedł do miasta z tym człowiekiem, który ma mu towarzyszyć, po łódź i drugą strzelbę. Po północy wyruszą.

– Czy nie łatwiej by im było szukać w dzień?

– Tak? A Murzynowi nie łatwiej będzie ich spostrzec? Tymczasem po północy on zaśnie twardo, nasi w ciemności łatwiej dostrzegą blask ogniska, jeżeli je Murzyn rozpalił.

– Nie zdaje mi się.

Kobieta spojrzała na mnie ciekawie, a ja nie mogłem ukryć zmieszania. Po chwili znów zaczęła:

– Jak mówiłaś, że ci na imię, kochaneczko?

– Ma-Mania Williams.

Powiedziałem „Mania", ale ciągle mi się zdawało, że się omyliłem. Nie śmiałem więc spojrzeć w oczy kobiecie, czując, że się złapałem i że znać to po mnie.

– Zdaje mi się, kochaneczko, że gdy cię pierwszy raz o imię spytałam, odpowiedziałaś mi: Sara?

– Tak, proszę pani, nazywam się Sara-Maria Williams. Na pierwsze imię mam Sara. Jedni nazywają mnie Sara, drudzy Mania.

– Tak? Więc masz dwa imiona?

Jakkolwiek trochę uspokojony, oczu nie śmiałem jednak podnieść. Skoro wszakże kobieta zaczęła narzekać na ciężkie czasy i na szczury, odzyskałem dawną swobodę. O szczurach mówiła świętą prawdę. Co chwila to z tej, to z owej dziury wyglądały na izbę. Mówiąc, że gdy jest sama, zawsze ma pod ręką coś do rzucania na szczury, które jej spokoju nie dawały, pokazała mi sztabkę ołowianą, skręconą w węzeł.

– Tym na nie rzucam – rzekła – i zwykle trafiam, ale dziś mam zmęczone ramię i nie mogę trafić.

Gdy szczur wyszedł, cisnęła w niego ciężarkiem, ale chybiła i syknęła z bólu. – A może byś ty spróbowała – rzekła do mnie.

Choć pilno mi było uciec przed powrotem jej męża, wziąłem jednak ołów i cisnąłem nim w pierwszego szczura, który wystawił nos z dziury. Gdyby czekał, to z pewnością nie poszłoby mu to na zdrowie. Gospodyni moja oświadczyła, że rzucam wybornie i że drugiego szczura zabiję z pewnością. Po czym, wstawszy z krzesła, przyniosła z głębi pokoju motek przędzy, prosząc, żebym jej pomógł w robocie. Rozstawiłem wtedy obie ręce, a ona, włożywszy na nie motek, wciąż opowiadała o swoich interesach i o mężu. Nagle, przerywając sobie, mówi:

– Żeby zabić szczura, trzeba mieć ołów w pogotowiu, na kolanach.

I to mówiąc, rzuciła mi ciężarek na kolana, które ścisnąłem szybko, żeby mu nie dać upaść na ziemię. Po chwili kobieta, zabrawszy motek, pytała żartobliwie, patrząc mi w oczy:

– Powiedz mi teraz, jak się nazywasz... naprawdę?

– C... co? Co, pro-oszę pa...?

– Jak ci naprawdę na imię? – przerwała. – Bill, Tom, Bob czy inaczej?

Zdaje mi się, że drżałem cały, jak liść na wietrze; nie wiedziałem, co odpowiedzieć, co robić. Mówię jednak:

– Proszę pani, niech pani nie żartuje sobie z biednej dziewczyny. Jeżeli pani zawadzam, to... to...

– Nie pójdziesz nigdzie. Siadaj i siedź tam, gdzie siedziałeś. Nie zrobię ci nic złego. Zwierz mi się tylko ze swojej tajemnicy i zaufaj mi. Ja ci sekretu dochowam: więcej nawet uczynię, bo dopomogę ci, wraz z mężem, gdybyś tego potrzebował. Ja wiem. uciekłeś od majstra. Jesteś zbiegłym terminatorem, ale to nic nie szkodzi, nic w tym złego i nie potrzebujesz się obawiać. Mów tylko prawdę.

– Widzę – rzekłem – że komedii dłużej grać nie można, wyznam więc prawdę, prosząc o dotrzymanie danego mi słowa. Rodzice moi już nie żyją, a opiekun oddał mnie na naukę do właściciela folwarku, o trzydzieści mil stąd w głąb kraju, starego skąpca, który tak źle się ze mną obchodził, że nie mogąc dłużej wytrzymać, ściągnąłem córce trochę ubrania i uciekłem w przekonaniu, że wuj mój, Abner Moore, zechce się mną zaopiekować. Toteż pilno mi było dojść do tego miasteczka – do Goshen.

– Co ty mówisz, Goshen? Któż ci powiedział, że to Goshen?

– Kto? Jakiś człowiek, którego spotkałem dziś rano, o samym świcie. Kazał mi z gościńca zejść na prawo.

– Chyba był pijany. Na lewo właśnie do Goshen iść trzeba.

– Ha, co prawda, wyglądał na pijanego, ale teraz mniejsza już o to. Stało się! Trzeba ruszać w drogę, bo powinienem być w Goshen o wschodzie słońca.

– Poczekaj no chwilę. Dam ci przekąskę, przyda się w drodze.

Krzątając się koło przekąski, pyta mnie:

– Powiedz no, gdy krowa chce się podnieść, na które nogi wstaje?

– Na tylne, proszę pani.

– Dobrze, a koń?

– Na przednie.

– Z której strony drzewo mchem porasta?

– Od północy.

– Jeżeli piętnaście krów pasie się na wzgórzu, ile obróconych jest głowami w tym samym kierunku?

– Wszystkie piętnaście, proszę pani.

– Dobrze, dobrze! Widzę teraz, żeś naprawdę na wsi wychowany, a podejrzewałam, że mnie chcesz znów naciągnąć. Powiedzże mi teraz, jak się naprawdę nazywasz?

– Jerzy Peters, proszę pani.

– Starajże się nie zapomnieć już tego nazwiska, Jerzy. Pamiętaj, żebyś mi znów nie powiedział, że ci Aleksander na imię i nie wykręcał się, że masz dwa imiona: Jerzy i Aleksander. Nie wchodź też między kobiety w tej perkalowej sukienczynie, bo licho udajesz dziewczynę; tylko mężczyzn oszukać możesz. Bóg z tobą, dzieciaku! A kiedy się zabierasz do nawlekania, to nie naprowadzaj igły na nitkę, lecz odwrotnie: zamiast trzymać nieruchomo nitkę, nią właśnie szukaj uszka igły. Tak zawsze nawlekają kobiety, mężczyźni zaś wszystko na odwrót czynią. A kiedy rzucasz czymś ciężkim, to stań na palcach, podnieś rękę nad głową najwyżej i najniezgrabniej, jak możesz, i staraj się chybić celu co najmniej o jakie łakieć piórą. Rzucaj zaś całym ramieniem i z rozmachem, jakbyś miał ramię na trzpieniu osadzone, bo tak zawsze rzucają dziewczęta. I to sobie pamiętaj: gdy dziewczyna chce, żeby jej coś upadło na kolana i nie stoczyło się na ziemię, to kolana rozsuwa, robiąc ze spódnicy niby fartuszek, do przyjęcia czegoś nastawiony. Dziewczyna ci nigdy nie ściśnie kolan, jak ty uczyniłeś, łapiąc ciężarek ołowiany. Skoro tylko zobaczyłam, jak nawlekasz igłę, domyśliłam się, żeś chłopiec, a ze szczurami i z ołowiem, to już tylko naumyślnie próbowałam, żeby być pewną swego. A teraz ruszaj do swego wuja, Saro-Mario Williams, Jerzy-Aleksandrze Peters, a jeśli ci się co przytrafi, to daj znać pani Judycie Loftus, to znaczy mnie, ja zaś uczynię wszystko, co będę mogła, aby cię wybawić z kłopotu. Trzymaj się drogi nad rzeką, a idąc na taką wędrówkę, bierz z sobą trzewiki i skarpetki. Droga do Goshen usiana jest ostrymi kamieniami i zanim tam dojdziesz, nogi twe będą porządnie pokaleczone.

Uszedłszy brzegiem z pięćdziesiąt łokci, zawróciłem na miejscu i co tchu pobiegłem do łódki. Wiosłowałem ile sił, aż wylądowałem z tej strony, gdzie brzeg wysoki i spadzisty; wdrapałem się na urwisko i na tym samym miejscu, gdzie po raz pierwszy rozpaliłem ogień, rozłożyłem teraz wielkie ognisko, z suchych gałęzi.

Uczyniwszy to, wszedłem do łodzi i z tym samym gorączkowym pośpiechem, opłynąwszy połowę wyspy, wysiadłem na brzeg, i w susach przebywając spadzistość wału, wpadłem do groty. Jim spał w najlepsze. Obudziłem go, wołając:

– Wstawaj, Jim... Prędzej! Chwili nie mamy do stracenia... Szukają nas!

Jim nie pytał o nic, ale ze sposobu, w jaki się uwijał, widać było, że go przeraziły moje słowa. W przeciągu pół godziny zdążyliśmy złożyć na tratwie całe nasze mienie i wyprowadzić się z zatoczki, nie zapomniawszy, ma się rozumieć, do szczętu wygasić ognia.

XII

Powolna żegluga. – Na pokładzie tonącego parowca. –
Zbrodniarze. – To się sprzeciwia moralności. –
Nie ma tratwy!

Musiało już być koło pierwszej, gdy wyspa znikła nam z oczu, a jednak gotów byłem przysiąc, że tratwa stoi w miejscu, tak się nam czas dłużył.

Gdyby nas kto naprawdę szukał na wyspie, to byłby najpierw pośpieszył do ognia, który roznieciłem naprzeciw Missouri, i przez to samo przeoczyłby nas, płynących odnogą od strony Illinois. Jeżeli nikt nas nie szukał i mój ogień nikogo nie wywiódł w pole, to już nie moja wina. Zrobiłem, co mogłem, żeby spłatać figla amatorom trzystu dolarów.

Gdy już na niebie zaczynało świtać, zatrzymaliśmy się w pobliżu piaszczystej ławicy, leżącej nie opodal brzegu Illinois, na zakręcie rzeki. Ławica była gęsto porosła krzakami bawełny, narąbawszy więc gałęzi, pokryliśmy nimi całą tratwę.

Było tu zupełnie bezpiecznie. Łożysko rzeki zwężało się w tym miejscu; po stronie Missouri piętrzyły się wysokie góry; po stronie Illinois stał mur wysokopiennego boru; całą powierzchnię rzeki od brzegu do brzegu można było ogarnąć wzrokiem bez obawy niespodziewanego spotkania z łodzią lub parowcem. Leżeliśmy w czółnie, schowanym pomiędzy tratwą a zagajnikiem krzewu bawełnianego i przez nikogo nie widziani, mogliśmy patrzeć, jak lekko suną z biegiem wody parowce, jak borykają się z prądem łodzie i statki, płynące pod wodę. Opowiedziałem teraz Jimowi całą swoją rozmowę z mistress Judytą Loftus, a Jim, wysłuchawszy opowiadania, oświadczył, że to sprytna kobieta i że gdyby ona wybrała się na wyspę szukać nas, to nie dałaby się wyprowadzić w pole i nie leciała, jak ćma, na ogień.

– Nie, Huck, zapewniam cię, że ona wzięłaby psa.

– Dlaczegoż więc – zapytałem – nie mogła powiedzieć mężowi, żeby wziął psa.

A Jim na to:

– Założyłbym się, że jej to przyszło na myśl dopiero w ostatniej chwili, wtedy, gdy mężczyźni wyszli już w drogę. Gdyby nie to, nie siedzielibyśmy teraz pod zagajnikiem. Oho, od dawna byliby już nas do miasta odprowadzili!

– Mało mnie to obchodzi, dlaczego nas nie znaleźli – odpowiedziałem – dość, że nie znaleźli.

Zmierzch słał się na wodę, gdyśmy wysadzili głowy z roślin. Jim zdjął z tratwy kilka desek, tworzących wierzchni pomost, i sklecił na jej pokładzie porządną budę, żebyśmy mieli schronisko dla siebie i rzeczy na wypadek ulewy.

Tej nocy płynęliśmy siedem do ośmiu godzin, nie wiosłując wcale; prąd unosił nas z szybkością czterech mil na godzinę. Łowiliśmy ryby, rozmawiali od czasu do czasu, gdy sen bardzo nas zmorzył, skakaliśmy na przemian w wodę, żeby się trochę orzeźwić.

Co noc mijaliśmy różne miasta, mniejsze i większe, jedne tuż nad brzegiem rozesłane, inne na ciemnych, wysokich wzgórzach, skąd tylko promieniały ku nam sznury świateł, a domów nie było widać. Każdej nocy, po przybyciu do brzegu, wysiadałem na ląd, żeby w nadbrzeżnych wioseczkach kupić za kilka centów mąki albo słoniny, lub wreszcie cokolwiek do jedzenia. Od czasu do czasu zastrzeliliśmy kurkę wodną lub cyrankę. W ogóle żyliśmy sobie aż miło.

Pewnej nocy zaskoczyła nas straszliwa burza z piorunami, błyskawicami i taką ulewą, że nie strumieniem, lecz płachtą całą spadała z nieba. Siedzieliśmy schowani w naszej budzie, zdawszy opiekę nad tratwą jej samej. Wreszcie powiadam do Jima:

– Patrz no, Jim, spójrz tam, w bok trochę.

Był to parowiec, który się rozbił, wpadłszy na skałę podwodną. Płynęliśmy prościutko na niego i w świetle błyskawic widzieliśmy go jak najwyraźniej. Pochylił się naprzód i więcej niż do połowy zatonął, ale pokład był jeszcze nad wodą i wszystko stało na swoim miejscu, jak być powinno. Przy świetle błyskawicy zauważyłem nawet, że tuż obok sznura od dzwonu stoi krzesło, a na poręcz jego położył ktoś kapelusz z wielkimi skrzydłami.

A choć to była noc i burza i wszystko tak tajemniczo wyglądało, uczułem jednak ochotę dostania się na pokład parowca, żeby obejrzeć tam wszystko i pomyszkować troszeczkę.

Ale Jim ani słyszeć chciał o tym.

– Nie mam ochoty robić głupstw – powiada. – Bardzo nam tu dobrze, a kiedy nam dobrze, to po co mamy kłaść głowę pod miecz, jak mówi Pismo Święte. A zresztą jest tam pewno wartownik i pilnuje.

– Czego tam wartownik ma pilnować? Kajut chyba i budki sternika. Kto by tam zresztą chciał narażać się dla głupich kajut i dla budki w taką noc jak dzisiejsza, kiedy statek może lada chwila pójść na dno?

Temu Jim nie mógł i nie próbował nawet zaprzeczyć. Pomruczał trochę, ale ustąpił. Mówił tylko, że powinniśmy rozmawiać z sobą jak najmniej, i to po cichu. Błysnęło w tej chwili, właśnie w sam czas, bośmy już stali pod parowcem. Wdrapawszy się na pokład, dość wysoko sterczący jeszcze nad wodą, szliśmy ostrożnie ku przodowi okrętu, po omacku, próbując nogą, gdzie trzeba stąpnąć, aby nie wpaść w jaki otwór, którego widać nie było. Natrafiliśmy jakoś na schodki, wiodące do kajut; pierwsza z brzegu była otwarta, zaglądamy do niej, ciemno, ale gdzieś dalej błyska jakieś światełko i w tejże samej chwili dochodzą nas głosy.

Jim, szepcząc, że mu się niedobrze robi ze strachu, radzi uciekać. Już więc zamierzamy wracać na tratwę, gdy słyszę jakiś głos jęczący błagalnie:

– Zmiłujcie się nade mną. Przysięgam, że nie powiem ani słowa.

– Kłamiesz, Turner. Nie pierwszy raz tak robisz. Zawsze wymagasz, żeby ci dano więcej niż innym, i zawsze dostajesz więcej, niż ci się należy, bo się odgrażasz, że wszystko wyśpiewasz, jeżeli ci nie dadzą tyle, co chcesz. Tym razem jednak przebrałeś już miarę. Podły jesteś, nikczemny i zdrajca, jakiego nie ma na świecie.

Jim poszedł zobaczyć, co się dzieje z tratwą, a ja aż drżę cały z ciekawości i powiadam sam sobie, że Tomek Sawyer nie odszedłby teraz za nic w świecie, a więc i ja nie odejdę, póki nie zobaczę, co się tu będzie działo. Przykucnąłem tedy i, czołgając się w wąskim przejściu na czworakach, dopełzłem do kajuty, gdzie na podłodze leżał rozciągnięty jakiś człowiek! Ręce i nogi miał związane, a przy nim stało dwóch ludzi: jeden z latarnią w ręku, drugi z pistoletem. Ten ostatni, mierząc do człowieka leżącego na ziemi, mówił:

– Och! Zabiłbym cię! I powinien bym... Takiego, jak ty, łotra!

A ten na podłodze dzwoni zębami ze strachu i błaga:

– Nie czyń tego, Bill, nie czyń... Nie powiem... nic już nie powiem.

Po ostatnim słowie człowiek z latarnią wybuchnął śmiechem i mówi:

– A prawda, że już nigdy nic nie powiesz! Nigdy w życiu nie wyrzekłeś większej prawdy.

I dodał jeszcze:

– Słyszycie, jak błaga? A gdybyśmy go nie związali, toby nas był zabił obydwu. I za co? Za nic! Tylko za to, że chcemy swojego. No, ale teraz nikomu już się odgrażać nie będziesz. Spuść pistolet, Bill.

A Bill na to:

– Żebym tak zdrów był, jeśli spuszczę. Trzeba go zabić. Czy on nie uśmiercił w taki sam sposób starego Hatfelda? Czy nie zasłużył na śmierć?

– Ale ja nie chcę, żebyś go zabił, mam swoje powody.

– Niech cię Bóg błogosławi za te słowa, Jakubie Packard! Nie zapomnę ci tego, póki żyję! – rzekł na wpół z płaczem człowiek, leżący na podłodze.

Packard, nie zważając na jego słowa, powiesił latarnię na gwoździu, postąpił parę kroków ku miejscu, gdzie ja siedziałem skulony w ciemności, i skinieniem przyzwał ku sobie Billa. Statek tak się kołysał, że bojąc się, abym na nich nie wpadł, powędrowałem na czworakach trochę dalej i wsunąłem się do kajuty kapitana. W ciemności słyszę, że tuż za mną idzie Packard i także wchodzi do kajuty, a wychylając się przez drzwi, woła:

– Tutaj, Bill, w kajucie jestem. Chodź tutaj...

Nim obaj weszli do kajuty, wskoczyłem na pryczę, która zastępuje łóżko w kajutach, przycisnąłem się do ściany, wstrzymując oddech, pełen rozpaczy, że tu przyszedłem. Oni, stojąc tuż obok mnie, położyli ręce na krawędzi pryczy i rozmawiają. Nie mogłem ich widzieć, ale wiedziałem, gdzie są, tak czuć było od nich wódkę. Przez cały czas ich rozmowy prawie nie oddychałem, trochę ze strachu, a głównie dlatego, że to, co słyszałem, aż mi dech w piersiach zapierało. Mówili cicho i z przejęciem. Bill chciał zabić Turnera.

– Odgrażał się, że wszystko powie, i dotrzyma! Chociażbyśmy mu teraz oddali swoje części, to już by nic nie pomogło, bo on nam nie daruje tego, cośmy zrobili. Zemści się na nas i wszystko wyśpiewa, zobaczysz. Najlepiej będzie odprawić go na wieczne odpoczywanie.

– I ja tak myślę – najspokojniej w świecie odpowiada Packard.

– A niech cię licho porwie! Myślałem, żeś ty temu przeciwny. No, kiedy tak, to dobrze. Chodźmy, niech się to skończy.

– Poczekaj chwilkę, nie powiedziałem jeszcze wszystkiego. Posłuchaj. Dobrze jest komu w łeb strzelić, lepiej wszakże pozbyć się wroga bez hałasu, bo nie ma sensu umizgać się do szubienicy, jeżeli można postawić na swoim, bez narażenia własnej głowy. Czy nie tak?

– Pewno, że tak. Ale jakże to zrobić?

– Widzisz, ja myślę tak: zabrawszy z kajut, co się da, schowamy dobrze nasz łup na lądzie. A potem będziemy czekać. Za dwie godziny statek pójdzie na dno... Rozumiesz? Wtedy on ze statkiem razem utonie i niczyjej nie będzie w tym winy, że utonął. Przecież lepiej pozbyć się go takim sposobem, niż zabijać człowieka. Co do mnie, zawsze jestem przeciwny morderstwu, jeżeli można się bez niego obejść; to się i rozsądkowi sprzeciwia, i moralności. Czy nie mam racji?

– Pewno, że masz. A jeżeli okręt nie zatonie?

– Jeżeli chcesz, to możemy poczekać dwie godziny. Dlaczego by nie?

– Dobrze. Poczekamy.

Wyszli, a ja, zszedłszy z pryczy, tonąc w zimnym pocie, co tchu na pokład. Ciemno było jak w studni, więc grubym szeptem wołam: „Jim!", a on mi się odzywa z prawej strony, z bliska, ale tak, jakby jęknął.

– Prędzej, Jim – mówię – nie pora stękać, ani plądrować po parowcu. Jest tu na okręcie dwóch zbrodniarzy i jeżeli nie odczepimy ich łódki, żeby nie mogli dosięgnąć lądu, to jeden z nich będzie się miał z pyszna. Ale jeżeli im zabierzemy łódź, to wszyscy trzej pójdą w ręce szeryfa. Śpieszmy się, Jim! Ja z prawej, ty z lewej strony, szukajmy. A potem na tratwę i...

– O Boże mój! Boże! Nie ma tratwy, nie ma! Odwiązała się i popłynęła z wodą! A my tutaj... bez tratwy!

XIII

Uciekamy! – Stróż nocny. – Parowiec idzie na dno. – Śpimy jak zabici!

Tak mi dech zaparło, że byłem bliski omdlenia. Zostać na parowcu, który lada chwila zatonie, i to jeszcze z takimi ludźmi! Ale nie było czasu na rozmyślania. Należało odszukać łódź ratunkową, która nam samym koniecznie była potrzebna. Szukamy więc z obu stron okrętu, ale łodzi ani śladu. Nikt z nas nie wiedział na pewno, gdzie być powinna, wiedzieliśmy tylko, że jest, bo tamci o niej mówili, wciąż więc szukamy po omacku. Znalazłem ją wreszcie obok drzwi prowadzących do bawialni; w ciemności ją palcami namacałem. Jest niewątpliwie! Uradowany, biorę ją, przerzucam przez burtę i jedną ręką trzymając się jeszcze galeryjki pokładu, gotów już byłem wejść do łodzi, gdy wtem wysuwa się ze schodków głowa, słyszę kroki, zmierzające ku poręczy, postać ludzka przechyla się przez nią, czuję ją prawie tuż przy sobie, a wreszcie jeden ze znanych mi głosów powiada:

– A nie zapomnij zgasić latarni, Bill!

Potem rzuca w łódź jakiś worek dość ciężki, przełazi przez galeryjkę i wchodzi do łódki. To był Packard. Nie upłynęła minuta, Bill nadchodzi i także wsiada do łodzi. Packard mówi do niego:

– Wszystko gotowe, ruszamy.

Ja zaś słucham, trzymając się jedną ręką poręczy, i czuję, że tracę siły. Wtem Bill rzecze:

– Poczekaj. A obszukałeś mu kieszenie?

– Nie. A ty?

– I ja nie. On przecie ma swoją część łupu. Czy to warto zabierać graty, a zostawiać pieniądze?

– No, a jeżeli on się domyśli, co zamierzamy?

– To się domyśli... Cóż z tego? A pieniądze zabrać mu trzeba. Chodźmy.

Wyskoczyli więc z łodzi i poszli. Skoro tylko drzwi zamknęły się za nimi, już byłem w łodzi. Jim wskoczył także, przeciąłem linę, która się jeszcze ciągnęła za łodzią – i w drogę!

Nie tknęliśmy wioseł, nie wymówiliśmy ani słowa, baliśmy się nawet odetchnąć pełną piersią. Woda niesie nas sama pod ścianę okrętu, mijamy go wreszcie i zostawiamy szybko poza sobą. Gdy się już oddaliliśmy o pareset łokci, gdy tonący parowiec wsiąknął w ciemności i zupełnie znikł nam z oczu, byliśmy bezpieczni i przekonani, że tak jest.

Z odległości może czterysta łokci widzieliśmy bledziutkie światełko w tej stronie, gdzie był parowiec, i przyszło nam na myśl, że ci łotrzy teraz dopiero spostrzegli utratę łodzi i już zapewne rozumieją swe położenie.

Jim wziął się do wioseł i rozpoczęliśmy pogoń za niewidzialną jeszcze tratwą. Teraz dopiero zacząłem żałować tych ludzi, bo przedtem nie było na to czasu. Zacząłem też rozmyślać, jak to musi być okropnie, zbrodniarzom nawet, znajdować się w takim położeniu. Kto to wie? Nuż i ja kiedy zbrodni dokonam? Czy byłoby mi przyjemnie widzieć, że muszę zatonąć razem ze statkiem?

Mówię więc do Jima:

– Gdy tylko gdzie na brzegu ujrzymy światła, trzeba zaraz przybić do lądu. Znajdziesz miejsce dla ukrycia siebie i łodzi. Ja pójdę do wsi, a wymyśliwszy jaką bajkę, znajdę przecież kogoś, kto im popłynie na ratunek i ocali od śmierci.

Zamiar mój wszakże spełzł na niczym, gdyż wkrótce zerwała się burza, daleko sroższa od poprzedniej. Ulewa straszna, a tu na obu brzegach nigdzie światełka, wszyscy śpią. My zaś płyniemy ciągle, upatrując światła i naszej tratwy. Po paru godzinach deszcz ustał, ale chmury nie ustąpiły, błyskawice latały po niebie, a gdy od czasu do czasu silniej błysnęło, zobaczyliśmy przed sobą na wodzie coś czarnego.

Była to, ma się rozumieć, tratwa i bardzo byliśmy radzi, przeniósłszy się na nią. Teraz także ujrzeliśmy niewielkie światełko na prawym brzegu, do którego postanowiłem przybić. Tymczasem zaś, wyjąwszy z łódki worek pełen rzeczy skradzionych na tonącym parowcu, przerzuciliśmy go na tratwę, nie wiedząc nawet, co w nim jest. Prosiłem Jima, aby płynął dalej, a przepłynąwszy mil parę, żeby zapalił światło na tratwie i nie gasił go, dopóki ja nie powrócę. Przyrzekł to uczynić, ja zaś, wziąwszy się do wioseł, popłynąłem prosto na światło. Gdy już byłem bliżej, ujrzałem więcej świateł, rozsianych po wzgórzu, była to bowiem wioseczka wcale porządna. Podpływam do światła najbliższego i widzę, że pochodzi od latarni, zawieszonej na głównym maszcie łodzi żaglowej. Zacząłem szukać stróża, zastanawiając się, gdzie by mógł być śród nocy, aż w końcu znalazłem go, drzemał żaglem okryty, z głową spuszczoną na kolana. Wstrząsnąwszy go parę razy za ramię, zaczynam płakać.

Zbudził się nagle, przestraszony, ale zobaczywszy przed sobą niedorostka, przeciągnął się, ziewnął i powiada:

– No, cóż się tam stało? Nie płacz, bębnie. Co masz za zmartwienie?

– Tatko, mama i siostra, i...

Tu płacz niby przerywa mi mowę, więc on zniecierpliwiony:

– Tam do licha, po cóż tak beczysz? Wszyscy mamy swoje zmartwienia i każdy znajdzie swój koniec. No, gadaj, cóż się z nimi stało?

– Nieszczęście ich spotkało... okropne nieszczęście...

– Kogo?

– Tatkę i mamę, i siostrę, i pannę Hooker także i jeżeli nie popłyniecie tam zaraz...

– Gdzie, tam? Gdzież oni są?

– Na pokładzie tonącego parowca.

– Jakiego parowca?

– Jeden jest tylko.

– Co? Przecie nie „Walter Scott".

– Ten sam.

– Panie, zmiłuj się! Co oni tam robią? Po co tam leźli?

– Że nie naumyślnie, to pewne!

– Panie, zlituj się, nie ma dla nich ratunku, jeżeli nie uciekną stamtąd czym prędzej. Jakimże sposobem dostali się w taką pułapkę?

– Bardzo prostym. Miss Hooker pojechała z wizytami do miasta...

– Tak, do Booth-Lauding. Cóż dalej?

– Pojechała z wizytami do Booth-Lauding i przed samym wieczorem wsiadła ze swoją Murzynką na prom, który miał ją zawieźć z miasta do panny, Bóg ją wie, jak się nazywa, bo zapomniałem. Ta panna to wielka jej przyjaciółka i miss Hooker chciała u niej nocować. Na samym środku rzeki przewoźnik zgubił wiosło, prom okręcił się parę razy wokoło, a potem popłynął z wodą, kilometr, dwa, wreszcie natknął się na parowiec i zatonął. Przewoźnik utonął także i Murzynka, i powóz z końmi, i wszystko, tylko jedna miss Hooker dostała się na pokład parowca. A potem, na godzinę przed zachodem słońca, tatko, mama, siostra i ja płynęliśmy sobie w naszej łodzi, w tej, w której jarzyny na targ wozimy, ale że ciemno było, więc nie widząc parowca, uderzyliśmy także o niego. Z nas nikt nie utonął, ale za to utonął Bill Whphjile, taki dobry, taki dobry! Najlepszy w świecie chłopiec! Tak mi go strasznie żal, że wolałbym był sam utonąć... słowo daję, wolałbym.

– Co ja słyszę! Co ja słyszę! Jak żyję, nie słyszałem takich awantur! No, a wtedy, cóżcście robili?

– Zaczęliśmy krzyczeć i wołać o pomoc, ale rzeka taka w tym miejscu szeroka, a wicher tak huczał i gwizdał, że nikt nas nie mógł usłyszeć. Tatko więc powiada, że trzeba, aby ktoś z nas dostał się na brzeg i powiedział ludziom, co się z nami stało. Ja tylko jeden umiem pływać, więc rzuciłem się w wodę. Dopłynąwszy do lądu, straciłem tylko czas na próżno, bo co kogo spotkam, to mi odpowiada: Co? Na taką noc i w taką falę? Nie ma głupich... Idź, poszukaj promu parowego. Ale teraz, kiedy pana spotkałem, to może pan zechce...

– Ma się rozumieć, że zechcę, ale niechże wiem, kto mi za to zapłaci? Jak myślisz? Czy twój tatko...

– No, to już wszystko dobrze. Miss Hooker powiedziała wyraźnie, że jej wuj, Hornback...

– Wielki Boże! Więc on jest jej wujem! On? Słuchaj, malcze, idź prosto na to światło, które tam widzisz... Doszedłszy do niego, zawróć na lewo i idź jeszcze z ćwierć mili, dopóki nie zobaczysz szynku; wejdź tam i każ się zaprowadzić do Hornbacka, który z pewnością weźmie wszystko na swój rachunek. A nie truć czasu, bo staremu pilno będzie dowiedzieć się o siostrzenicy. Powiedz mu, że zanim przyjdzie do miasta, będę ją miał żywą i zdrową... Zbieraj nogi, chłopcze, ja śpieszę obudzić pomocnika.

Poszedłem w kierunku światła, ale gdy stary zniknął we drzwiach stojącego nad brzegiem domostwa, dobiegłem do swojej łodzi, wyciągnąłem ją na brzeg między sterty drzewa i ukryty w ich cieniu, z niepokojem oczekiwałem chwili wyruszenia łodzi na pomoc uwięzionym.

Po kilkunastu minutach ujrzałem parowiec, który woda niosła w dół. Spostrzegłem go dlatego tylko, że był jeszcze ciemniejszy od ciemnej nocy... Aż dreszcz po mnie przeszedł, gdy go zobaczyłem, bo wyglądał jak widmo okrętu, po samą prawie galeryjkę zatopiony już w wodzie. Zepchnąwszy łódź na wodę, podpłynąłem do niego, ale na krzyk mój nikt się nie odezwał. Woda zalewała już pokład, tonący parowiec zanurzał się coraz głębiej z każdą chwilą.

O kilka sążni za parowcem płynęła łódź żaglowa; zacząłem więc z całej siły pracować wiosłami, żeby się dobrze odsadzić, a gdy już byłem pewny, że mnie nikt nie dojrzy, obejrzałem się, aby zobaczyć, jak też ona będzie uwijać się koło parowca i jak właściciel będzie szukał sposobu wydobycia zwłok miss Hooker w nadziei sutej nagrody od Hornbacka. Widząc jednak, że nic nie wskóra, łódź dała za wygraną i powróciła do przystani, ja zaś, nie mając na co czekać, puściłem się w pogoń za tratwą.

Zdawało mi się, że płynę niezmiernie długo, nim ujrzałem nareszcie światełko płonące na tratwie Jima, a gdy je ujrzałem, to i tak wydało mi się przynajmniej o tysiąc mil oddalone. Przez ten czas niebo zaczęło rozjaśniać się trochę na wschodzie, przybiliśmy więc do jakiejś wysepki, ukryli tratwę, czółno na brzeg wyciągnęli, a sami, rzuciwszy się na tratwę, zasnęliśmy jak zabici.

XIV
Wywczasy. – Harem. – Francuz i język francuski.

Wyspawszy się należycie, przetrząsnęliśmy worek, który Packard rzucił do łodzi. Rabusie dobrze się obłowili; znalazły się w worku buty, kołdry, ubranie, bielizna, książki, cygara. Nigdy w życiu nie byliśmy jeszcze tak bogaci. Całe popołudnie leżeliśmy w lesie rozmawiając, ja też sobie czytałem książki i w ogóle używaliśmy wypoczynku.

Czytywałem też często Jimowi o różnych królach, książętach, hrabiach i innych wielkich panach, jak mówili do siebie: Wasza Królewska Mość i Jaśnie Oświecony Książę i Wasza Wysokość, i Bóg wie jak jeszcze, zamiast sobie mówić po prostu „panie", a Jim wytrzeszczał oczy i słuchał z ogromnym przejęciem. Raz mówi do mnie:

– Nie wiedziałem, że ich tylu było. Nie słyszałem o nich i żadnego nie znałem, prócz starodawnego króla Salomona, bo nie liczę tych królów, co są w kartach. Ile król dostaje pieniędzy?

– Ile dostaje? Albo ja wiem! Pewno z tysiąc dolarów na miesiąc, jeżeli mu się tak podoba. Może mieć tyle, ile sam zechce; wszystko do niego należy.

– Takiemu to dobrze! A cóż oni mają do roboty?

– Co też tobie do głowy przychodzi, Jim? Król nic nie robi, tylko siedzi na tronie.

– Doprawdy?

– Naturalnie. Siedzi na tronie, z berłem w ręku i koroną na głowie. Jak wojna, to co innego; królowie zawsze idą na wojnę, ale w spokojnym czasie to sobie mają używanie: chodzi, przeciąga się, ziewa... Cyt! Słyszałeś szmer?

Wysadziliśmy spomiędzy drzew głowy i patrzymy, lecz nic nie widać i nie słychać, prócz plusku wody, którą rozbija koło parowca; wróciliśmy więc na swoje miejsca.

– Tak – powiadam – a jak go to znudzi, to się kłóci z parlamentem, a jeżeli mu się kto opiera, to ścina głowy nieposłusznym. Najczęściej jednak przesiaduje w haremie.

– Gdzie?

– W haremie.

– Co to jest harem?

– Miejsce, gdzie trzyma swoje żony. Nie słyszałeś o haremie? Salomon miał harem, a w nim około miliona żon.

– A prawda, prawda, zapomniałem! Harem to dom dla żon. To dopiero hałas tam być musi w dziecinnym pokoju! Pewno też i żony kłócą się ciągle między sobą, to harmider! I mówią, że Salomon był najmędrszym z ludzi; ja temu nie daję wiary. Słyszałeś o tym dziecku, co je kazał rozciąć na dwoje?

– Słyszałem; opowiadała mi wdowa.

– A widzisz! Jak można wymyślić coś podobnego! Bo proszę cię, zastanów się tylko. Tu stoi jedna kobieta: pierwsza matka, uważasz. A tu stoi druga. Ja jestem Salomon, a ten dolar to dziecko. Obie matki upominają się o dziecko. Cóż ja tedy robię? Czy pójdę pomiędzy sąsiadów, i dowiem się, do której z matek dziecko sprawiedliwie należy, i tej oddam, zdrowe i całe, jakby to uczynił każdy, co ma choć trochę oleju w głowie? Właśnie że nie! Ja biorę siekierę i rozrąbuję dolar na dwie części i daję jedną połowę jednej matce, a drugą drugiej. Przecie Salomon tak postąpił z dzieckiem! A teraz pytam się ciebie, na co komu zda się dolar przecięty? Co za to kupisz? Nic! A jeżeli dolar przecięty na nic się nie przyda, to cóż dopiero dziecko?! Za milion takich nie dałbym centa!

– A bodaj cię, Jimie, nie trafiłeś w sedno!

– Kto! Ja? Nie gadałbyś! Proszę cię, daj mi pokój ze swoim sednem, wiem przecie, co to znaczy zdrowy rozsądek, ale tu nie widzę go ani krzty. Sprzeczka nie szła o połowę dziecka, lecz o całe dziecko, a człowiek, któremu się zdaje, że sprzeczkę o całe dziecko załagodzi połową dziecka, nie ma rozsądku za grosz. Już ty mi nie gadaj o Salomonie, Huck, znam go na wylot!... Trzeba wiedzieć, kto to był Salomon. Weź człowieka, który ma tylko jedno albo dwoje dzieci, czy taki człowiek będzie szafował dziećmi? Nie, nie będzie, nie stać go na to. Zna wartość dziecka. A weź drugiego, co ma hałasujących w domu z pięć milionów dzieci, albo i więcej, to zupełnie co innego. Taki ci na poczekaniu przetnie dziecko, jak kota. Tak też było i z Salomonem, jedno dziecko więcej czy mniej, dla niego to wszystko jedno!

Nigdy nie widziałem Murzyna, który by tak napadał na Salomona. Zaczęliśmy więc mówić o innych rzeczach. Opowiadałem mu o Ludwiku XVI, któremu dawno temu Francuzi ścięli głowę, i o jego synku, delfinie, co byłby także został królem, ale go zamknęli w więzieniu, gdzie, jak mówią niektórzy, umarł podobno.

– Nieboraczek!

– Ale inni twierdzą, że uciekł stamtąd i schronił się w Ameryce.

– Dobrze zrobił! Ale nudzić się tu będzie sam jeden, przecież tu nie ma królów, prawda, Huck?

– Nie, nie ma.

– To i nie ma dla niego posady. Cóż on tu robi?

– Nie wiem. Czasem taki król zaciągnie się do policji, a są i tacy, którzy uczą, jak mówić po francusku.

– Co, Huck? Alboż to we Francji ludzie nie mówią tak, jak my?

– Nie, Jim, inaczej mówią, zupełnie inaczej. Nie zrozumiałbyś ich ani słowa.

– Co ty mówisz? Jakże to być może?

– Ja sam nie wiem jak, ale tak jest, wiem to z pewnością. Widziałem nawet ich gadanie w jednej książce. Przypuść tylko, że przyjdzie ktoś do ciebie i powie: Parle-wu-franse, cóż ty na to?

– A nic! Dałbym mu kułakiem w głowę. To jest, dałbym, gdyby to nie był człowiek biały. Murzynowi nie pozwoliłbym na takie wymyślanie.

– Kiedy to wcale nie wymyślanie. Pytałby cię tylko, czy umiesz mówić po francusku.

– Więc dlaczego nie może powiedzieć wyraźnie?

– Kiedy on mówi to wyraźnie, ale mówi po francusku.

– No to głupio mówi i ja nie mam ochoty słuchać takiego gadania, w którym nie ma żadnego sensu.

– Posłuchaj, Jim, czy kot mówi tak, jak my mówimy?

– Nie, nie tak mówi.

– A krowa?

– Nie, i krowa nie tak mówi.

– No, a teraz mi powiedz, czy krowa mówi tak, jak król, albo kot tak, jak krowa?

– Nie. Każde mówi po swojemu.

– Uważasz więc za rzecz słuszną, żeby kot i krowa mówiły każde po swojemu?

– Ma się rozumieć.

– I za rzecz słuszną, żeby ani kot, ani krowa nie mówiły tak, jak mówią ludzie?

– Naturalnie!

– Powiedzże mi, dlaczego nie ma być rzeczą naturalną i słuszną, żeby Francuzi inaczej od nas mówili? Cóż na to odpowiesz?

– Huck, czy kot jest człowiekiem?

– Nie.

– Więc, cóż za racja, żeby kot mówił po ludzku? Czy krowa jest człowiekiem, albo czy krowa jest kotem?

– Nie, krowa nie jest człowiekiem ani nie jest kotem.

– A kiedy tak, to nie ma obowiązku mówić jak kot albo jak człowiek.

– A Francuz, czy jest człowiekiem?

– Jest.

– A widzisz! Kiedy jest, to dlaczego nie mówi, jak człowiek? Odpowiedzże na to.

Widziałem, że na próżno tracimy słowa, nikt Murzyna nie nauczy rozumować po naszemu. Dałem więc pokój.

XV

Huck traci tratwę. – Mgła. – Dobrze spał. – Huck odnajduje tratwę. – Śmiecie.

Obliczyliśmy, że po trzech nocach żeglugi staniemy w Kairze, u przeciwległej granicy Illinois, tam gdzie wpada rzeka Ohio, i czekaliśmy tej chwili z upragnieniem, zdecydowani sprzedać tratwę, wsiąść na parostatek, popłynąć rzeką Ohio w górę, bo w tamtych stanach niewolnictwo było zniesione.

Ponieważ następnej nocy mgła się nad rzeką rozesłała, skierowaliśmy więc tratwę ku najbliższej, zaroślami pokrytej ławicy, aby tam przywiązać ją do drzewa i przeczekać mgłę. Wziąwszy więc z sobą linę, wsiadłem w łódkę i popłynąłem do ławicy. Widzę same cienkie drzewiny; wybrałem jedno drzewo, które mi się wydawało grubsze od innych, rosnące tuż nad wodą, na kanciastym występie ławicy, i około niego linę okręciłem. Że jednak prąd był silny, więc i bystro rwał z sobą tratwę w dół rzeki; drzewko, nie wytrzymawszy naporu, wyrwane z korzeniami, popłynęło wraz z tratwą. A tu mgła mnie otoczyła, że nie tylko nic nie widzę, ale chwilowo ruszyć się nawet nie mogę. Tratwa zniknęła mi z oczu. Co żywo więc do łodzi, chwytam wiosło, odpycham się od brzegu.

Płynę, trzymając się zawsze brzegu ławicy; ale że miała ona zaledwie jakieś sześćdziesiąt łokci długości, więc gdy ją minąłem, znów otoczony mgłą gęstą i białą, nie wiedziałem ani gdzie jestem, ani gdzie się podziała moja tratwa.

Myślę więc sobie: wiosłować nie trzeba, a nuż natknę się na ławicę albo na coś podobnego? A tak woda mnie sama poniesie! Siedzę więc spokojnie, choć mnie ręce swędzą, bo co to jest siedzieć nieruchomo i czekać, kiedy w tobie aż wre wszystko z niepokoju.

Niesie mnie fala, gdzie sama chce; raz o brzeg łódź uderzyła i zamajaczyły mi nad głową rozpostarte gałęzie drzew, jakby zza dymu przeglądające. Potem gwałtownie rzuca na lewo i wartko rwie naprzód, a ja siedzę z rękami założonymi, cały w mgłę białą spowity, i słucham uderzeń serca, które bije, bije jak młotem, silnie, prędko, że mi odetchnąć trudno.

Szumiało mi w uszach i drżałem cały, ale nie było rady, musiałem siedzieć spokojnie. Wiedziałem, że się posuwam naprzód, że robię cztery do pięciu mil na godzinę, ale każdy, kto się już znajdował w takiej przygodzie, powie to samo co ja; płyniesz, a zdaje ci się, że stoisz w miejscu.

Upłynęło tak z pół godziny...

Kilka razy musiałem szybko odpychać się wiosłem od brzegu, bo łódź z taką siłą pędziła i tak na brzegi nacierała, że się bałem, aby przypadkiem nie wysadziła wyspy z morza, jak oka z głowy.

Sam nie wiem, jak to długo trwało, ale w końcu znalazłem się znów na szerokim korycie rzeki i nie tracąc czasu, huknąłem, by dać znać o sobie. Nikt mi jednak nie odpowiedział. Przyszło mi do głowy, że Jim uderzył gdzie może o jaką rafę i rozbił się. Zmęczony straszliwie, wyciągnąłem się w łodzi jak długi, o nic już nie dbając, niech się tam dzieje, co chce. Ma się rozumieć, że nie miałem zamiaru spać, ale że byłem straszliwie senny, postanowiłem zdrzemnąć się chwilkę, jak kot, gdy zasypia nad mysią norą.

Musiałem jednak spać dłużej niż kot przy norze, bo gdy się przebudziłem, gwiazdy świeciły jasno, mgła znikła bez śladu, a ja płynąłem środkiem rzeki, która tworzyła w tym miejscu szeroki zakręt półkolisty.

Rzeka nadzwyczajnie była w tym miejscu szeroka, a po obu jej brzegach rosła taka gęstwina wysokich drzew ciemnych, że podobna była nie do boru, lecz do ściany ogromnej, pod samo niebo sięgającej.

Przy świetle gwiazd niewiele można widzieć, dojrzałem jednak w znacznej od siebie odległości coś, co się wyraźną czerniło plamą na ciemnym tle wody. Podpływam i cóż się ukazuje: kilka bali razem związanych. Dalej jeszcze znów coś się czerni: pędzę, ile mam siły, i teraz dobrze już trafiłem, bo była to właśnie nasza tratwa.

Z zadowoleniem prawdziwym przedostałem się z łódki na tratwę, a z jeszcze większym ujrzałem Jima. Spał sobie poczciwiec, z głową między kolana wsuniętą i ręką przyciskał wiosło. Drugie leżało na pomoście strzaskane, a cała tratwa usłana była połamanymi gałęziami, liściem i mokrą ziemią.

Nie tracąc czasu, położyłem się na pomoście pod samym nosem Jima i zaczynam ziewać, przeciągać się, niby to niechcący trącając Jima, aż wreszcie mówię:

– Jim, czy ja spałem? Czemuś mnie nie obudził?

– Święty Boże, to ty, Huck? Nie umarłeś? Nie utonąłeś? Powróciłeś? To dopiero szczęście! I to prawda, kochanie? Prawda, że ja cię mam przed sobą?

Niechże się na ciebie napatrzę, dzieciaku, niech cię dotknę... To ty, złotko moje, powróciłeś? I zdrów, i cały? Ten sam Huck co dawniej, ten sam zupełnie? O dzięki ci, Boże!

– Co się tobie stało, Jim? Czyś ty pijany?

– Ja pijany? Czyż miałem się czym upić?

– A dlaczegóż mówisz od rzeczy?

– Cóż ja powiedziałem?

– Jak to? Nie wykrzykiwałeś, żem powrócił, że nie utonąłem i różne takie facecje? Przecież się stąd nie ruszałem!

– Huck, spojrzyj mi w oczy. Patrz mi prosto w oczy, Huck. Powiadasz, żeś się stąd nie ruszał?

– Ja? Wytłumaczże mi, co to ma znaczyć? Nie ruszałem się stąd, to pewne. Gdzieżbym ja mógł być.

– No, patrzcież, moi ludzie, coś się tu stało, coś się tu stało niedobrego!... Czy ja jestem ja, czy kto inny jest ja? Czy tu jest tu, czy gdzie indziej?

– Zdaje mi się, że ty jesteś ty, i że tu jest tu, ale zdaje mi się, że ci się trochę pomieszało w głowie, stary wariacie!

– No, to kiedy ja jestem ja, to mi odpowiedz na pytanie: wziąłeś z sobą linę czy nie wziąłeś, wsiadłeś z liną w łódkę czy nie wsiadłeś, żeby uwiązać tratwę?

– Nie brałem liny i nie wsiadłem w łódkę. Gdzie miałem uwiązywać tratwę? Do czego?

– Nie miałeś uwiązywać tratwy? Słuchaj: nie wyrwała lina drzewka i nie popłynęła tratwa razem z drzewkiem, a ty nie zostałeś z łódką wśród mgły?

– Jakiej mgły?

– Mgły! Tej, co była prawie przez całą noc. Czy nie przepadliśmy obaj wśród wysepek, tak, że jeden nie wiedział, gdzie szukać drugiego. I czy nie uderzyłem o jedną z tych przeklętych wysepek, że mało mi się tratwa nie rozbiła, a ja sam o mało nie utonąłem? Nie było tego wszystkiego, powiedz? Nie było?

– Nie rozumiem cię, Jim. Nie widziałem ani mgły, ani wysp i nie gubiłem ani drogi, ani ciebie. Siedziałem tu przez całą noc i rozmawiałem ciągle. Dopiero teraz, najwyżej przed dziesięcioma minutami, usnąłeś i zdaje mi się, że ja usnąłem także. Nie mogłeś przecie upić się w tak krótkim przeciągu czasu, więc śniło ci się.

– Jakże mogło mi się śnić tyle rzeczy przez tak krótki przeciąg czasu?

– Widocznie musiało ci się śnić, skoro mówisz o tym, co nigdy nie miało miejsca.

– Kiedy ja to wszystko widziałem. Na własne oczy widziałem... jak najwyraźniej.

– Zdaje ci się, żeś widział, ale tego wszystkiego nie było. Zaręczam ci, że się stąd wcale nie ruszałem.

Przez kilka minut Jim milczał, rozmyślając widocznie nad tym, cośmy mówili. W końcu rzekł:

– No, może być, że mi się to wszystko śniło, ale niech mnie kaczki zdepczą, jeśli miałem kiedy sen tak wyraźny i męczący.

– Czasem sen zmęczy gorzej od prawdy. Ale to sen zabawny, opowiedz mi go, Jim.

Jim opowiedział mi wszystko, szczegół po szczególe, wszystko tak, jak było, tylko, ma się rozumieć, znacznie ubarwione. A potem zaczął znów od początku i każdy szczegół „tłumaczył" po swojemu, bo sen podobny uważał za zesłaną z góry przestrogę. Najpierw spotkana ławica oznaczać miała człowieka, który będzie chciał uczynić nam dobrze, ale przeszkodzi mu w tym „prąd", czyli inny człowiek, który nas oddali od pierwszego. „Wysepki" oznaczają przykrości, które spotkać nas mają od różnych osób kłótliwych, niskiego charakteru i nieżyczliwie do nas usposobionych, ale jeżeli będziemy się pilnować, nie wchodzić im w drogę i niczym ich nie drażnić, to ze spotkania z nimi wyjdziemy bez szwanku i zza „mgły gęstej" wypłyniemy szczęśliwie na wodę jasną, czystą, to znaczy: dostaniemy się bez przeszkody do stanów, gdzie nie istnieje niewolnictwo i gdzie skończą się wszystkie nasze kłopoty.

– Tak, doskonale wytłumaczyłeś wszystko, co było snem – powiadam – ale wytłumaczże mi, jakie ma znaczenie to, co snem przecież nie jest. Patrz...

I wskazałem mu na różne patyki i liście, zaścielające cały pomost tratwy, na wiosło, które poszło w drzazgi w chwili, gdy się nim odpychałem od brzegu, w ciasnych odnogach wśród wysepek.

Jim patrzył to na grubą warstwę gałęzi, to na mnie, ale tak już widać sen mocno wbił mu się w głowę, że go z niej nie mógł usunąć. Dopiero po długiej chwili rzekł:

– Jakie to ma znaczenie? Zaraz ci powiem. Gdy zmordowany sterowaniem szedłem spać, to czułem, że mi ledwo serce nie pęknie z żalu za tobą. Gdy zaś, obudziwszy się, zobaczyłem obok siebie Hucka zdrowego i całego, to się mało nie rozpłakałem z radości i gotów byłem przed tobą paść na kolana i nogi twoje całować. Ty zaś przez cały ten czas o tym tylko myślałeś, jakby starego Jima okłamać i wystrychnąć na dudka. Otóż to wszystko, co pokład zaśmieca, jest obrazem twego myślenia, bo śmieciem są ludzie, którzy obrzucają błotem swoich przyjaciół i zabawę znajdują w ich zawstydzaniu.

To rzekłszy, podniósł się z miejsca i powolnym krokiem idąc ku budzie, wszedł do jej wnętrza. Nic więcej nie rzekł, ale i tego dosyć było. Uczułem się tak poniżony, że mogłem był nieledwie całować nogi Murzyna.

Z kwadrans upłynął, nim się przemogłem, żeby pójść upokorzyć się i przyznać do winy przed Murzynem, ale uczyniłem to i, co więcej, nigdy tego nie żałowałem. Nigdy też później nie bawiłem się jego kosztem, a i wówczas nie byłbym się bawił, gdybym był przewidział, że Jim tak weźmie żart ten do serca.

XVI

Oczekiwanie. – Do Kairu! – Grube kłamstwo. – Mijamy Kair. – Na lądzie.

Przespawszy prawie dzień cały, ruszyliśmy z miejsca dopiero nocą. Rzeka była w tym miejscu tak szeroka, że brzegów prawie nie widzieliśmy, tylko dwie wysokie ściany drzew, bez najmniejszej przerwy ani światełka. Rozmawialiśmy o Kairze, niepewni, czy płynąc mimo, odgadniemy, że to ów Kair upragniony, a nie inne miasto. Ja mówiłem, że zapewne nie odgadniemy, bo słyszałem, że jest tam zaledwie kilkanaście domów, których, zwłaszcza wśród nocy, możemy nie dostrzec wcale. Jim zaś utrzymywał, że poznamy Kair, bo pod samym miastem druga rzeka wpada do Missisipi. Stanęło na tym, że jak tylko zobaczymy światło na brzegu, podpłynę łodzią i zasięgnę języka.

Chwilowo trzeba było tylko pilnie uważać na brzegi, aby czasem nie przeoczyć miasta. Jim był pewien, że je zobaczy, ponieważ na jego widok od razu stanie się wolny; gdyby zaś miasto przeoczył, znalazłby się znów w stanach, gdzie istnieje niewolnictwo, i straciłby wszelką nadzieję zostania wolnym. Co chwila więc zrywał się z miejsca i wołał·

– Kair! O, Kair!

Ale Kairu nie było. Światełka, które Jim widział, były to błędne ogniki lub świecące robaczki, znów więc siadał i wytężał wzrok, oczekując chwili, w której nareszcie zobaczy miasto. Drżał ze wzruszenia na myśl o bliskiej wolności. Prawdę mówiąc i ja drżałem, patrząc na niego, bo zaczynało mi świtać w głowie, że Jim jest już wolny. A za czyją sprawą? Moją! Owa pewność tak mnie dręczyła, że spokoju znaleźć nie mogłem. Przedtem nigdy mnie ta kwestia nie zajmowała, ale teraz coś mnie wewnątrz gryzło i dręczyło. Przekonywałem siebie, że to nie moja wina, że to nie ja skłoniłem Jima do porzucenia swej właścicielki, ale to wszystko nie skutkowało.

Wiedziałeś przecie – mówiło mi moje sumienie – że Jim po to uciekł, żeby się schronić do stanów wolnych? Trzeba ci było przybić do brzegu i powiedzieć o tym pierwszemu, kogo spotkasz.

Jednocześnie, gdy ja w myśli rozmawiałem z sobą, Jim ciągle rozprawiał głośno:

– Niech tylko dostanę się – mówił – do stanu wolnego, to przede wszystkim zacznę oszczędzać i nie wydam na nic ani centa; gdy zaś uzbieram, ile potrzeba, wykupię swą żonę, której właściciel mieszka na folwarku, sąsiadującym z posiadłością miss Watson, i wtedy oboje już razem zaczniemy pracować i oszczędzać na wykupienie swych dwojga dzieci. Gdyby zaś pan nie chciał ich sprzedać, to Jim wyszuka sobie jakiego abolicjonistę*, który mu dzieci wykradnie.

Aż mi się zimno robiło, gdy słuchałem tej mowy. Nigdy Jim nie ośmielił się mówić głośno w ten sposób! Sumienie dopiekało mi ciągle, coraz gorzej, tak, że wreszcie wytrzymać dłużej nie mogąc, powiadam mu z cicha:

– Dajże ty mi spokój! Nie za późno jeszcze... niech tylko mignie na brzegu jakie światło, zaraz tam popłynę i powiem komukolwiek o Jimie.

Od razu mi jakoś ulżyło, szczęśliwy się czułem i lekki jak piórko, pierzchły wszystkie moje zgryzoty. Siadłem spokojnie i upatruję światła, przyśpiewując coś sobie pod nosem. Po chwili zabłysło gdzieś światełko, a Jim woła na całe gardło:

– Bezpieczni jesteśmy, Huck, bezpieczni! Podskocz raz i drugi, uderz piętami! Kair! Poczciwy, stary Kair! Zaraz go poznałem!

A ja na to.

– Popłynę łódką i przekonam się, czy to Kair. Może to tylko jakaś wioseczka?

Zerwał się Jim i w mgnieniu oka przygotował łódkę, stare swoje palto położył na dnie, abym miał na czym siedzieć, dał mi wiosło do ręki, a gdy się już nieco oddaliłem, zawołał za mną na pożegnanie:

– Za chwilę będę krzyczał z radości: Wolny jestem, wolny! A jeżelim wolny, to z łaski Hucka; gdyby nie Huck, nigdy bym wolności nie odzyskał: Jim nigdy ci tego nie zapomni, kochanku; Jim nigdy nie miał lepszego przyjaciela na całym świecie!

Szybko robiłem wiosłami, bo pilno mi było uciszyć sumienie, ale gdy to usłyszałem, jakby mi kto ręce przetrącił! Zwolniłem więc i rozmyślam, bo nie byłem już pewien, czy mam być rad z powziętego postanowienia. Z daleka słyszałem jeszcze głos Jima:

– Z Bogiem, z Bogiem, kochany i wierny chłopcze. Dobry Huck! Jedyny biały, który staremu Jimowi słowa dotrzymał.

---

* Akcja tej powieści toczy się w czasach, gdy w wielu stanach Ameryki Północnej panowało niewolnictwo. Abolicjonistami nazywano zwolenników wyzwolenia Murzynów (przyp. tłum.).

Teraz już mi się naprawdę zrobiło bardzo niedobrze, lecz mówię sobie: powinienem tak postąpić, nie mogę zrobić inaczej. Wtem prosto na mnie płynie łódź, a w niej dwóch ludzi ze strzelbami. Zatrzymali się i ja także. Jeden z nich mówi:

– Co to takiego, tam na rzece?

– Ano... tratwa...

– Ty stamtąd?

– Stamtąd.

– Ilu na niej mężczyzn?

– Jeden tylko.

– Słuchaj, dziś w nocy zbiegło pięciu Murzynów. Czy ten jeden na tratwie biały, czy czarny?

Nie zaraz odpowiedziałem. Chciałem odpowiedzieć, a nie mogłem, słowa nie wychodziły mi z gardła. Widząc, że mi sił nie starczy, dałem za wygraną i rąbię prosto z mostu:

– Biały.

– Ja sądzę, że my jednak zajrzymy na tratwę, żeby przekonać się o tym na własne oczy.

– Ja bym też chciał, i bardzo, żeby panowie zajrzeli, bo tam na tratwie jest tatuś, to może by nam panowie pomogli przyholować tratwę do brzegu. Tatuś jest chory i mama chora, i Maria-Anna...

– Tam do licha! Pilno nam bardzo, chłopcze... No, ale sądzę, że pomożemy twemu ojcu. Bywaj tymczasem zdrów.

Wzięli się do wioseł i ja także. Oddaliliśmy się od siebie na kilka łokci, gdy znów powiadam:

– Tatuś strasznie panom będzie wdzięczny, słowo daję. Jak tylko kogo poproszę, żeby nam dopomógł tratwę przyciągnąć do brzegu, zaraz ode mnie ucieka. Ja przecie sam nie mogę temu poradzić!

– To dziwne! A powiedz no prawdę, chłopcze, na co chory twój ojciec?

– Ojciec chory na... na... to nic wielkiego, tylko chory...

Przestali robić wiosłami, a drugi, który dotąd milczał, odzywa się:

– Kłamiesz, chłopcze. Gadaj mi zaraz, co twemu ojcu? Radzę ci, mów prawdę. Lepiej na tym wyjdziesz.

– Powiem, proszę pana, słowo uczciwe daję, że powiem. Tatuś ma... ma... proszę panów, niech panowie nie oddalają się od tratwy i dopuszczą mnie do siebie. Rzucę linę... proszę panów...

– Cofaj się, Janie, cofaj! – woła pierwszy. – A ty, chłopcze, trzymaj się z daleka, pod wiatr. Diabli nadali! Właśnie stamtąd wiatr... Chłopcze, twój ojciec chory na ospę i ty wiesz o tym doskonale! Czemuś nie powiedział prawdy od razu? Czy chcesz roznieść zarazę po całym kraju?

– Kiedy ja... ja... – rzekłem, szlochając – mówiłem przedtem prawdę każdemu, lecz wszyscy ode mnie uciekali.

– Biednyś ty chłopiec! Żal nam ciebie z całego serca, ale... widzisz... my także nie mamy ochoty dostać ospy. Słuchaj, ja ci powiem, co zrobić. Nie próbuj holować tratwy sam, nie dasz rady, albo ją rozbijesz na drzazgi. Popłyńcie jeszcze ze dwadzieścia mil w dół rzeki, zobaczycie po lewej stronie miasto. Będzie już wtedy po zachodzie słońca... ciemnawo... powiedz, że wszyscy twoi chorzy na febrę. Nie bądź głupi, nie pozwól się nikomu domyślić, że to nie febra, lecz ospa. Za grzeczność, którą ci świadczymy, zróbże i ty nam grzeczność; niech między tobą a nami rozciągnie się dwadzieścia mil! Nie przybijaj do brzegu tam, gdzie widać światło, nic ci z tego nie przyjdzie, bo to tylko składy drzewa. Słuchaj, jeszcze twój ojciec pewno ubogi? Jakbym widział, że kuso u was. Patrz, tu na tej desce kładę dwudziestodolarową sztukę złota... deskę do ciebie woda niesie, weź sobie pieniądze. Mnie samemu wstyd, że tak od ciebie uciekamy, ale dalibóg, z ospą żartów nie ma. Sam przecie wiesz.

– Poczekaj, Parker – odezwał się drugi. – Masz tu drugą sztukę złota, połóż ją także na desce: to ode mnie. Bóg z tobą, chłopaczku, Bóg z tobą; zrób, jak ci radzi pan Parker, a dobrze wyjdziesz na tym.

– Tak, tak, chłopcze. Bądź zdrów, bądź zdrów! A jeżeli gdzie zobaczysz Murzynów zbiegłych, to wezwij pomocy i złap ich. Zarobisz przy tym.

– Bywajcie, panowie, zdrowi – odpowiedziałem – postaram się nie przepuścić koło siebie Murzynów.

Oddalili się, a ja powróciłem na tratwę, upokorzony i nieswój, wiedząc, że źle postąpiłem; przekonałem się przy tym, że już się nie nauczę być dobry. Po chwili zastanowienia powiedziałem sobie jednak: Słuchaj, Huck, przypuśćmy, żeś postąpił, jak należało i wydał Jima, czy czułbyś się bardziej zadowolony, spokojniejszy, niż się teraz czujesz? – Nie – odpowiedziałem sobie – wcale nie lepiej.

Przeszedłem do naszej budki: nie ma tam Jima. Oglądam się naokoło: nigdzie go nie ma. Wołam więc:

– Jim!

– Tu jestem, Huck. Czy już ich nie widać? Nie mów tak głośno...

Stał w wodzie po samą szyję, nos tylko widać mu było zza krawędzi tratwy.

– Słyszałem wszystko, coście mówili – powiada – zsunąłem się więc do rzeki i gotów już byłem płynąć na brzeg, gdyby tu zajrzeli, a potem znów bym powrócił. Ależ udało ci się z nimi, Huck! Wyprowadziłeś ich w pole aż miło! Złotko ty moje, ocaliłeś starego Jima i stary Jim nigdy ci tego nie zapomni, nigdy...

Potem zaczęliśmy rozmawiać o pieniądzach. Dobrze nam się dostało, po dwadzieścia dolarów na każdego. Jim był zdania, że możemy teraz kupić sobie miejsce na pokładzie parowca i że tych pieniędzy wystarczy na najdłuższą podróż po wolnych stanach. Dodał wreszcie, że płynąć jeszcze mil dwadzieścia to nic, ale chciałby już mieć je poza sobą.

Nad ranem zatrzymaliśmy się, a Jim usiłował ukryć tratwę jak najdalej i przez dzień cały zajęty był wiązaniem rzeczy.

Następnej nocy, około dziesiątej, ujrzeliśmy światła dużego, jak się zdawało, miasta, na lewym wybrzeżu rzeki, tworzącej w tym miejscu zatokę.

Popłynąłem łódką dowiedzieć się od ludzi, jakie to miasto. Okazało się jednak, że to nie Kair.

Przed świtem, gdy ukryliśmy się pomiędzy lewym brzegiem a wysepką gęsto zadrzewioną, żeby dzień tam przepędzić, domyślając się czegoś, rzekłem do Jima:

– A może minęliśmy Kair podczas owej mgły nocnej?

– E! Nie warto już mówić o tym, Huck – odparł Jim – czyż biedny Murzyn może być szczęśliwy? Wiedziałem, że to nie koniec zgryzot, które nam przyniosła skóra grzechotnika.

– Bodajbym nigdy nie był widział tej skóry!

To nie twoja wina, Huck, złotko moje, nie twoja. Tyś nie wiedział, że ona nieszczęście sprowadza. Niepotrzebnie czynisz sobie wyrzuty.

Gdy się rozwidniło, patrzymy: po lewej ręce czyste, jasne wody Ohio, po prawej stara nasza Missisipi. A zatem Kair za nami.

Trzeba coś było obmyślić: tratwą płynąć pod wodę nie można, wysiąść na brzeg nie ma po co. Nie było innej rady, tylko doczekać nocy i wtedy dopiero łódką próbować szczęścia. Przespaliśmy więc cały dzień w zaroślach bawełnianych, aby sił nabrać do czekającej nas pracy, ale gdy o zmroku wróciliśmy do naszej tratwy, okazało się, że łódź znikła.

Przez dość długą chwilę milczeliśmy obaj. Cóż było mówić? Wiedzieliśmy doskonale, że to jeszcze dalszy ciąg skutku skóry wężowej, więc na cóż by się zdało gadanie?

Należało coś postanowić. Nie było innego sposobu, tylko płynąć tratwą, dopóki nie zdarzy się sposobność kupienia łodzi, aby powrócić do Kairu.

Z nadejściem nocy siedliśmy znów na tratwę.

Każdy, kto do tej pory jeszcze nie uwierzył w przekleństwo skóry węża, uwierzy i przekona się, gdy usłyszy, co dalej zaszło.

Płynęliśmy już ze trzy godziny. Noc z czarnej stawała się szara i jakby gęstniała, co jest zawsze bardzo złą rzeczą, równie prawie niebezpieczną jak mgła. Nie widać brzegów rzeki, szaro wszędzie i chmurno.

Wtem słyszymy: płynie parowiec. Zapaliwszy latarnię, słuchamy, jak dyszy, jak rozbija wodę, choć nie widzimy go wcale. Dopiero gdy był już bliziutko, patrzymy: płynie wprost na nas. Był to parowiec ogromny i śpieszył się bardzo; wyglądał jak wielka, czarna chmura, wysadzana rzędami świecących robaczków świętojańskich. Zanim się opatrzyliśmy, wisiał już prawie nad nami, wyszczerzając na nas szeroko otwarte drzwi pieców, jakby szereg zębów rozpalonych do czerwoności. Nagle dał się słyszeć krzyk, wołanie mnóstwa naraz głosów, dzwonienie dzwonków sygnałowych, komenda zatrzymania maszyny, syk, szum, gwizd raptownie wypuszczanej pary – i podczas gdy Jim, niespodzianie w górę podrzucony, wpadał do wody z jednej strony a ja z drugiej, parowiec, zdruzgotawszy tratwę, przepływał środkiem jej szczątków.

Dawszy nurka, umyślnie poszedłem na dno, wiedząc, że trzydziestostopowe koło przejdzie nade mną, chciałem więc, aby mu miejsca nie zabrakło. Zawsze wytrzymać mogę pod wodą minutę, ale tym razem zdaje mi się, że chyba dłużej wysiedziałem. Śpieszno mi jednak było wydostać się na powierzchnię, bo myślałem, że się uduszę. A tymczasem parowiec, zatrzymawszy maszynę na jakieś dziesięć sekund, znów ją w ruch puścił, bo niewiele sobie robią parowce z tratew i z ludzi. Płynąc dalej, znikał mi z oczu w szarym i gęstym powietrzu, choć jeszcze słyszeć go mogłem.

Ze dwanaście razy przynajmniej wołałem Jima, ale na próżno; nie było odpowiedzi. Schwyciłem się deski i wypłynąwszy na powierzchnię, zacząłem dążyć do brzegu.

Wdrapawszy się na dość wysokie wybrzeże, niewiele widzieć mogłem, ale idąc po omacku z ćwierć mili, trafiłem niespodzianie na staroświecki dom drewniany, który chciałem wyminąć i pójść dalej. Gdy jednakże wyskoczyła na mnie cała psiarnia i zawzięcie ujadać zaczęła, nie byłem tak głupi, żeby przed psami uciekać.

XVII

Późna wizyta. – Folwark w Arkansas.

W chwilę potem ktoś wychylił się z okna i zawołał:
– Prędzej, chłopcy! Kto tam?
– Ja – powiadam.
– Co za ja?
– Jerzy Jackson, proszę pana.
– Czego chcesz?

– Ja nic nie chcę, proszę pana... Ja chciałem tylko przejść sobie tędy, ale psy mnie puścić nie chciały.

– A czego się włóczysz o tej porze? Co?

– Ja się nie włóczę, proszę pana, ja tylko spadłem z pokładu parowca.

– Co? Naprawdę spadłeś? Zapalcie tu światło. Więc jak się nazywasz?

– Jerzy Jackson, proszę pana. Nieduży jeszcze jestem.

– Słuchaj, jeżeli prawdę mówisz, nie potrzebujesz się bać; nikt ci nic złego nie zrobi. Nie próbuj jednak ruszać się z miejsca, stój tam, gdzie stoisz. Ruszcie no się, Bob i Tom, i przynieście fuzje. Jerzy Jackson, czy jest jeszcze kto z tobą?

– Nie, proszę pana, sam jestem.

Słyszę ruch w domu i koło domu, widzę światło. Ten sam głos krzyczy:

– Zabierz stąd świecę, głupia stara! Czyś już do reszty rozum straciła? Postaw ją na podłodze. Bob, jeżeliście obaj z Tomem gotowi, to na miejsca!

– Gotowiśmy.

– Odpowiadaj, Jerzy Jackson. Czy znasz Shepherdsonów?

– Nie znam, proszę pana. Nigdy nawet o nich nie słyszałem.

– Hm! Może to prawda, a może i nieprawda... Gotowiście? Idź naprzód, Jerzy Jackson. Pamiętaj, nie śpiesz się; idź powolutku. Jeżeli ktokolwiek jest z tobą, niech się nie pokazuje, jeżeli się pokaże, zastrzelę go. Chodź tu ku nam. Wolno idź, otwórz sobie drzwi... sam... na tyle tylko, żebyś się nimi mógł wcisnąć... słyszysz?

Nie śpieszyłem się; nie mogłem, choćbym nawet chciał. Powolusieńku, krok za krokiem, postępowałem, słysząc prawie bicie swego serca. Psy zachowywały się równie cicho jak ludzie, szły tylko tuż za mną. Gdy doszedłem do trzech schodów drewnianych, wiodących do drzwi, usłyszałem, że ktoś je odmyka, odsuwa rygle i zasuwy. Położyłem rękę na drzwiach i lekkim pchnięciem otwierałem je po trochu, dopóki ktoś nie rzekł:

– Dosyć już; wsadź teraz głowę.

Wsadziłem, ale nie byłem pewny, czy mi jej natychmiast nie zdejmą!

Na podłodze stała świeca, którą wszyscy otaczali, patrząc na mnie z widocznym zaciekawieniem. Było tam trzech mężczyzn dorosłych z wymierzonymi ku mnie strzelbami, co wcale nie jest przyjemne! Najstarszy, siwy, mógł mieć lat ze sześćdziesiąt, dwaj inni po trzydzieści albo i więcej – wszyscy trzej przystojni i okazali – a za nimi siwa, milutka staruszka z dwiema pannami, których nie mogłem widzieć dokładnie. Stary jegomość powiada:

– No, wszystko dobrze. Wejdź.

Zaledwie wszedłem, natychmiast stary jegomość zamknął drzwi na klucz, pozasuwał rygle, sztabą żelazną założył drzwi, polecając młodym ludziom iść za nim ze strzelbami. Gdy weszliśmy wszyscy do dużego pokoju bawialnego, którego podłoga zasłana była nowiutkim dywanem, pozszywanym z gałganków, mężczyźni zaraz skupili się w rogu najbardziej oddalonym od okien, które były tylko w ścianie frontowej. Jeden z nich trzymał w ręku świecę, a wszyscy trzej przyglądali mi się bacznie, mówiąc do siebie nawzajem:

– Nie, to nie żaden Shepherdson... Niepodobny do nich wcale...

Potem stary jegomość w przekonaniu, że mi to zapewne nie zaszkodzi, postanowił zbadać, czy nie mam przy sobie broni. Nie szukając nawet po kieszeniach, obmacał mnie rękami po wierzchu i powiedział, że teraz jest już spokojny. Oświadczył mi też, że mam się rozgościć i być jak u siebie w domu, chciał nawet, żebym zaraz wszystko o sobie opowiedział. Na to milutka staruszka:

– Bóg z tobą, Saulu, biedny chłopak mokry przecież, a ty mu każesz opowiadać! Głodny chyba być musi? Tobie to ani w głowie!

– Masz słuszność, Rachelo, zapomniałem!

– Betsy – rzecze wtedy staruszka do Murzynki – biegnij no do spiżarni i przynieś temu biedactwu coś do zjedzenia. A wy, dziewczęta, niech jedna obudzi Bucka i powie mu... A! Otóż i Buck... Buck, weź z sobą tego chłopaczka, zdejmij z niego mokrą odzież i ubierz w swoją. Przeziębić się gotów, nieborak.

Buck wyglądał na mego rówieśnika, mógł mieć lat ze trzynaście albo czternaście, chociaż był nieco wyższy ode mnie. Na sobie nie miał nic prócz koszuli i czupryny okropnie rozczochranej. Wszedł, ziewając i przecierając sobie oczy kułakiem jednej ręki, w drugiej zaś trzymał strzelbę, którą ciągnął za sobą.

– Więc nie ma Shepherdsonów? – pyta Buck.

– Nie ma – powiadają mu – to tylko alarm fałszywy.

– To dobrze. Gdyby się choć jeden z nich pokazał, miałby do czynienia ze mną!

Zaśmieli się wszyscy, a wielki Bob mówi:

– A tymczasem mogli oskalpować nas wszystkich, tak się guzdrałeś długo.

– Bo nikt po mnie nie przyszedł, a to niesprawiedliwość. Zawsze mnie wysyłają spać... dla mnie nigdy nie ma roboty.

– Nie martw się, nie martw, chłopcze – rzekł stary jegomość – będzie jeszcze i dla ciebie robota. A teraz ruszaj stąd i zrób tak, jak ci matka kazała.

Gdy poszliśmy na górę do jego pokoju, Buck wyjął grubą koszulę, kurtkę i spodnie, ja zaś włożyłem to wszystko na siebie. Gdy wciągałem ubranie, zapytał mnie, jak się nazywam, lecz zanim zdołałem odpowiedzieć, już on sam mówić mi zaczął o jakimś dzięciole osobliwym i o małym króliku, którego onegdaj w lesie złowił, a potem spytał, gdzie był Mojżesz, gdy świeca zgasła. Odpowiedziałem, że nie wiem, i nie wiedziałem naprawdę. Nikt mi nigdy o tym nie mówił.

– Zgaduj – mówi Buck.

– Jakże mogę zgadnąć, kiedy nigdy o tym nie słyszałem?

– Zawsze przecie zgadywać możesz. Bardzo łatwo zgadnąć.

– Jakaż to świeca zgasła?

– No, świeca. Taka sobie zwyczajna.

– Skądże ja mogę wiedzieć, gdzie się Mojżesz wtedy znajdował?

– Ach, jakiżeś ty! W ciemności!

– No, to kiedy wiesz, gdzie się znajdował, dlaczego pytasz?

– Nie rozumiesz, że to zagadka? Słuchaj, długo ty będziesz u nas? Wiesz, co ci powiem: zostań na zawsze. Będziemy używać, lekcji teraz nie ma, wakacje. Masz ty psa? Ja mam własnego, wskakuje do wody i aportuje kawałki drzewa, które mu rzucam... Czy lubisz czesać się w niedzielę i różne świąteczne ceremonie? Ja ich nie lubię, ale się czeszę: mama każe... Niech licho porwie te spodnie; muszę je kłaść, a tu okropnie gorąco... Jużeś gotów? No, to dobrze... Chodźże teraz za mną, stara szkapo.

Zimne podpłomyki, zimna pieczeń wołowa, masło i maślanka, wszystko to zastawili dla mnie jednego, a wszystko było wyborne i tak mi smakowało, jak nigdy w życiu.

Wszyscy zadawali mi pytania, a ja opowiadałem, że tatuś mój posiadał mały folwarczek w głębi Arkansów, w tym właśnie kącie, który leży najdalej od rzeki, gdzie żyliśmy spokojnie i wygodnie. Siostra moja, Maria-Anna, wykradła się z domu, poszła za mąż i od tej pory nic już o niej nie słyszeliśmy. Starszy brat, Bill, wyprawił się na poszukiwanie zbiegłej i także bez wieści gdzieś przepadł; mali braciszkowie, Tom i Mort, pomarli, a po ich śmierci zostaliśmy we dwóch: tatuś i ja. Tatusia jakby nie było, bo udręczony zgryzotą niezadługo umarł, ja zaś po jego śmierci zabrałem wszystko, co było, i zakupiłem sobie miejsce na parostatku, płynącym w górę rzeki. Gdy jednak przechyliłem się nieostrożnie, wpadłem w wodę i w ten sposób tu się dostałem. Odpowiedzieli mi na to, że mogę siedzieć u nich, dopóki zechcę, jak we własnym domu.

Tymczasem rozedniało już na dobre, wszyscy poszli spać, a i ja, położywszy się razem z Buckiem, zasnąłem jak kamień. Gdy się obudziłem przed południem, przeszło mnie mrowie, bo diabli nadali, że zapomniałem, jak się nazywam. Leżę tedy z godzinę i przypominam sobie, a gdy Buck się obudził, pytam go:

– Umiesz czytać?

– Umiem – odpowiada.

– Założyłbym się, że nie potrafisz przeliterować mego nazwiska?

– A ja się założę, o co chcesz, że potrafię!

– No, kiedy tak, to zaczynaj.

– J-e-r-z-y J-a-c-k-s-o-n. A co?

– Prawda – powiadam – przeliterowałeś. Myślałem, że nie potrafisz. No, ale nazwisko moje łatwe i bez uczenia się dokazać można takiej sztuki.

Dobrze jednak zakarbowałem sobie w pamięci każdą literę, bo nuż kto zażąda ode mnie, abym przeliterował własne nazwisko? Trzeba się mieć na baczności i wyrecytować literę po literze, jakbym to już czynił po raz setny.

Była to rodzina bardzo porządna i dom zamożny, co się zowie. Nigdy nawet w życiu nie widziałem wiejskiego domu tak wytwornego.

Dom składał się właściwie z dwóch budynków, zupełnie do siebie podobnych. Odstęp między nimi pokryty był dachem, wyłożony podłogą, a służył podczas upałów za jadalnię. A co to było za jedzenie! I obfite, i dobre!

XVIII

Imci pan Grangeford. – Arystokracja. – Stara waśń. –
Testament. – Cyranki. – Znalazła się tratwa. – Składy drzewa. –
Siekanina. – Ucieczka.

Imci pan Grangeford był szlachcicem, jak mówią, dobrze urodzonym, a to się ceni i w człowieku, i w koniu. Tak mawiała wdowa Douglas, należąca do najpierwszej w naszym miasteczku arystokracji. Imci pan Grangeford, wysokiego wzrostu, szczupły, miał śniadą cerę, twarz bez rumieńca, chude policzki, co rano jak najstaranniej ogolone, bardzo cienkie usta, jeszcze cieńsze nozdrza, nos orli, brwi gęste i najczarniejsze w świecie oczy, tak głębokie, że jakby z jaskini przezierały. W niedzielę przywdziewał zawsze frak szafirowy z mosiężnymi guzikami i do niego nosił laskę mahoniową o dużej gałce srebrnej. Niełatwo z nim było żartować, wcale nawet żartów nie znosił, ale za to nigdy nie wybuchał gniewem. Dobry był niesłychanie i każdy musiał go lubić.

Gdy oboje z siwiutką staruszką schodzili rano na dół, do pokoju, w którym znajdowała się już cała rodzina, wszyscy wstawali, mówiąc rodzicom dzień dobry i nie siadali dopóty, dopóki rodzice nie usiedli. Wtedy Tom i Bob szli do kredensu, gdzie stały przygotowane butelki, przyrządzali kieliszek wódki z gorzkimi kroplami i podawali go ojcu, a imci pan Grangeford trzymał go w ręku, dopóki Tom i Bob nie przyrządzili sobie po kieliszku.

Składając rodzicom ukłon, mówili: „Nasze uszanowanie panu ojcu i pani matce", rodzice zaś skłoniwszy się z lekka, powiadali: „Dziękujemy wam".

Gdy mężczyźni wypili, Bob i Tom, nalawszy na dno swych kieliszków po kropli wybornej, z jabłek pędzonej wódki i po łyżeczce wody, osładzali tę mieszaninę szczyptą cukru, wołając mnie i Bucka żebyśmy przyszli wypić za zdrowie starych państwa.

Bob był najstarszy, Tom po nim. Obaj wysocy, piękni, ogorzali, barczyści, obaj o czarnych włosach i oczach. Od stóp do głów zawsze się odziewali w białe płótno, tak, jak stary jegomość, i nosili ogromne kapelusze panama.

Po nich szła miss Karolina, dwudziestopięcioletnia panna, wysokiego wzrostu, wyniosła, okazała i najlepsza w świecie, dopóki jej co nie rozgniewało. Śliczna to była panna!

Nie mniej urodziwa była i siostra jej Zofia, ale zupełnie do niej niepodobna. Łagodna i cichutka jak gołąbka, miała dopiero lat dwadzieścia.

Każdy z członków rodziny miał własnego Murzyna do usług; miał go i Buck, miałem i ja.

Dawniej rodzina owa była liczniejsza: brakło bowiem trzech synów, którzy zostali zabici, i córki Emeliny, która umarła.

Stary jegomość był właścicielem mnóstwa folwarków i stu przeszło Murzynów. Od czasu do czasu zjeżdżało się tu po kilkanaście osób, wszyscy konno, i siedzieli po pięć, po sześć dni. To dopiero szła zabawa!

Po całych dniach pływanie po rzece, pikniki, tańce w lesie na trawie, a i w domu po całych nocach.

W sąsiedztwie był jeszcze drugi dom, równie pański, jak rodziców Bucka. Składał się z kilku rodzin, a wszyscy prawie mieli to samo nazwisko Shepherdson. Tak samo wysoko byli urodzeni, tak samo bogaci i tacyż wielcy panowie, jak rodzina Grangefordów. Oba domy używały tej samej przystani, znajdującej się o niespełna dwie mile od domu, tak że gdy czasami odprowadzałem tam naszych, wybierających się na jakąś wycieczkę parowcem, to zawsze spotykaliśmy kilku przynajmniej Shepherdsonów na pięknych i rosłych koniach.

Pewnego dnia Buck i ja polujemy sobie w lesie, gdy wtem słyszymy, nadjeżdża ktoś konno. Przechodziliśmy właśnie w poprzek drogi. Buck woła:

– Umykaj! W las, co żywo!

Jednym susem byliśmy już w lesie i ukryci między pniami, patrzymy spoza gałęzi na drogę. Po chwili nadlatuje w pełnym galopie piękny, wyniosły młodzian, koniem toczy jak żołnierz, a siedzi na nim jakby do siodła przyrosły i strzelbę przed sobą trzyma w pogotowiu. Był to jeden z młodych Shepherdsonów, Harney Shepherdson. Raptem tuż nad moim uchem rozlega się wystrzał; to Buck dał ognia i strącił Harneyowi kapelusz z głowy. Ten zaś porwał za strzelbę i prosto ku nam, choć zza liści widzieć nas nie mógł. Ale my nie czekaliśmy na niego: nogi za pas i w las! Obejrzawszy się przez ramię, widziałem, że po dwakroć mierzył Hamey, jakby chciał dać do nas ognia, ale nie dał, aż wreszcie konia zawrócił i pojechał. Biegliśmy tak aż do domu. Staremu jegomości zaiskrzyły się oczy, gdy Buck opowiedział, co zaszło, ale po chwili twarz mu spoważniała i rzekł do syna łagodnie, ale serio:

– Nie podoba mi się to strzelanie zza krzaka. Dlaczego nie wystąpiłeś na drogę?

– Shepherdsonowie nie czynią tak, ojcze. Zawsze skorzystają ze sposobności i napadają znienacka.

Miss Karolina słuchała opowiadania, podnosząc dumnie głowę, jak królowa, a z oczu jej leciały iskry. Starsi bracia spochmurnieli, nie mówiąc ani słowa; miss Zofia zbladła okropnie, ale rumieniec wrócił na jej twarz, gdy się dowiedziała, że młody człowiek był zdrów i cały.

Skoro tylko znaleźliśmy się sami i nie opodal spichlerza, pytam Bucka:

– Czyś ty chciał go zabić?

– Naturalnie!

– Cóż on ci zrobił?

– On? Nic mi nigdy nie zrobił.

– No... więc dlaczego chciałeś go zabić?

– Dla niczego... Tylko widzisz, między nami jest waśń rodowa.

– Co to jest waśń rodowa?

– Gdzieżeś ty się wychowywał, że nie wiesz, co to waśń rodowa?

– Nigdy o tym nie słyszałem – opowiedz no, co to takiego?

– Widzisz – rzekł Buck – waśń rodowa to jest taka rzecz: jeden człowiek pokłóci się z drugim i zabije go, a potem brat drugiego zabije pierwszego, a potem bracia obu pozabijają się nawzajem, a potem zaczną się zabijać bracia stryjeczni, aż wszyscy będą pozabijani i waśń się skończy! Ale to idzie powoli i dużo czasu zabiera!

– A wasza waśń długo się już ciągnie?

– Spodziewam się, że długo! Zaczęła się trzydzieści lat temu, a może i dawniej. Zaszedł jakiś spór, nie wiem już o co, i z niego wynikł proces. Jeden z tych dwóch, co spór wszczęli, proces wygrał, więc ów drugi zastrzelił tego, co zresztą było bardzo naturalne. Na jego miejscu każdy by zrobił to samo.

– O co to poszedł spór? O grunta?

– Pewno, że o grunta... nie wiem zresztą.

– A kto kogo zastrzelił pierwszy? Grangeford Shepherdsona, czy na odwrót?

– Skądże ja mam takie rzeczy wiedzieć? To już dawno!

– I nikt tego nie wie?

– E, nie! Ojciec musi wiedzieć, a może i kto ze starszych, ale i oni zapewne nie wiedzą już, o co poszło.

– A dużo też pozabijanych?

– Sporo, ale nie wszyscy. Do ojca strzelali raz grubym śrutem i nic mu nie zrobili, choć śrut dotąd w nim siedzi. Boba napoczęli trochę nożem i Tomowi dostało się też parę razy.

– A tego roku jest kto zabity?

– Jest; u nas jeden i u nich także jeden. Będzie temu ze trzy miesiące, cioteczny mój brat, Bud, czternastoletni chłopiec, jechał sobie przez las, po tamtej stronie rzeki. Nie miał z sobą żadnej broni, co było wielkim głupstwem z jego strony, kiedy nagle w miejscu najsamotniejszym słyszy za sobą tętent konia. Ogląda się: to jedzie stary Baldy Shepherdson; wiatr mu rozrzuca długie, siwe włosy, a on podnosi strzelbę i bierze chłopca na cel. Zamiast zeskoczyć z konia i zaszyć się w krzaki, Bud myślał, że mu potrafi uciec. Zaczęli się więc ścigać: Bud ucieka, ten goni, aż wreszcie Bud, widząc, że to się na nic nie zda, wstrzymał konia, i obrócił się do starego twarzą, tak żeby kula... rozumiesz?, trafiła go w samo czoło. Stary podjechał, dał ognia i zabił go na miejscu. Ale niedługo cieszył się swoim zwycięstwem, bo w przeciągu tygodnia miał do czynienia z naszymi.

– Ja myślę, że stary nieszlachetnie postąpił.

– Przeciwnie. Nie było w tym nic nieszlachetnego. Tchórzów i nieszlachetnych nie ma pomiędzy Shepherdsonami. I pomiędzy Grangefordami nie ma ich także. Ten sam stary stawił czoło przez pół godziny trzem Grangefordom i nie dał im się. Oni wszyscy byli konno, on zaś, zszedłszy z rumaka, stanął między sągiem drew a swoim koniem, żeby się od kul zasłonić, tak że Grangefordowie z boku do niego strzelali, a on się bronił. Ledwo doszedł do domu wraz z koniem, ale doszedł, gdy Grangefordów trzeba było nieść; jeden z nich już był nieżywy, a drugi umarł nazajutrz. Nie, mój przyjacielu, kto chce znaleźć podłych albo tchórzów, niech czasu nie traci na szukanie ich pomiędzy Shepherdsonami, bo tam nie rodzi się ten gatunek.

Następnej niedzieli pojechaliśmy wszyscy konno do kościoła, odległego o trzy mile. Mężczyźni wzięli z sobą fuzje – i Buck wziął także. Przez cały ciąg nabożeństwa trzymali je pomiędzy kolanami, a jeżeli który rozstał się na chwilę ze swoją, to po to jedynie, aby ją tuż za sobą o ścianę oprzeć. Toż samo czynili i Shepherdsonowie, a tak jedni, jak i drudzy uważnie słuchali nabożeństwa.

Po obiedzie miss Zofia, stojąc we drzwiach swojej izdebki, skinęła na mnie i zapytała:

– Czy podjąłbyś się oddać mi drobną, ale bardzo ważną przysługę i nikomu o tym nie mówić?

– Wszystko zrobię dla miss Zofii.

– Zapomniałam w kościele swojej Biblii, która została w naszej ławce i leży między dwiema innymi książkami. Otóż wymknij się niepostrzeżenie, pobiegnij do kościoła, przynieś książkę i nie mów o tym nikomu ani słowa...

– Z największą ochotą, zaraz pójdę!

W mig byłem w kościele, gdzie nie zastałem nikogo.

Idąc po książkę, myślałem sobie, że coś się tu święci, bo nie jest rzeczą naturalną, żeby młoda panienka nie mogła się obejść bez swojej Biblii. Potrząsnąłem więc książką, aż tu spomiędzy kart wypada malutka karteczka, na której napisano ołówkiem: „Pół do trzeciej". Nie mogąc niczego dojść z tej karteczki, włożyłem ją na powrót do książki. Zaledwie wszedłem na schody, patrzę: stoi miss Zofia w drzwiach swego pokoju i czeka na mnie. Wciągnęła mnie do środka, drzwi zamknęła i szuka w Biblii. Przeczytawszy kartkę, tak była uradowana, że nim się opatrzyłem, wyściskała mnie mocno, mówiąc, żem najlepszy chłopiec pod słońcem. Zadziwiony tym wszystkim, spytałem, co tam napisano.

– Czytałeś? – pyta.

– Nie – odpowiadam.

– A umiesz czytać pisane?

– Umiem, ale tylko bardzo duże litery.

Wtedy powiedziała mi, że na tym papierze nie ma nic, że to tylko znaczek do zakładania stronic i że mogę już odejść.

Idę więc nad rzekę, a rozmyślając o tym wszystkim, widzę, że mój Murzyn wciąż za mną idzie. Gdy dom znikł nam z oczu, on się obejrzał raz i drugi, a potem przybiega do mnie i mówi:

– Paniczu, niech panicz pójdzie ze mną na błota: pokażę całe stado cyranek.

Zaciekawiło mnie to, bo się od razu domyśliłem, że coś innego ma na myśli. Cyranki nie są przecie taką osobliwością, żeby zbaczać z drogi i umyślnie chodzić na błota dla ich zobaczenia. Czego on chce ode mnie? Powiadam więc:

– Dobrze, pójdę. Pokaż drogę.

Szedłem za nim z pół mili, a gdy przyszliśmy na brzeg błota, Murzyn wszedł w nie powyżej kostek, z pół mili jeszcze prowadząc mnie za sobą. Doszliśmy wreszcie do miejsca, gdzie na suchym już gruncie gęsto rosły drzewa i krzaki. Tu powiada Murzyn:

– Niech no panicz wejdzie w gąszcz na kilka kroków, one tam są. Sam widziałem na własne oczy.

Zwrócił się na prawo i znikł za drzewami. Ja zaś, idąc wśród gąszczu coraz dalej, znalazłem się jakby w altance maleńkiej, która była zupełnie pokryta dzikim winem i innymi pnącymi się roślinami. Na murawie, patrzę, śpi ktoś sobie... Co państwo na to powiecie? Tym śpiącym był mój stary, mój poczciwy Jim!

Obudziłem go, myśląc, że widok mój będzie dla niego niespodzianką. Ale nie! O mało nie płakał z radości, ale zdziwiony nie był. Opowiedział mi też, że owej pamiętnej nocy ciągle za mną płynął i słyszał moje nawoływanie, ale bał się odpowiadać, aby krzykiem nie zwabić ludzi, którzy by go jako Murzyna ujęli i znów niewolnikiem uczynili.

– Uderzyłem się mocno – opowiadał Jim – nie mogłem więc płynąć tak prędko, jak ty, i ciągle pozostawałem z tyłu. Gdy dopłynąłeś do brzegu, myślałem, że cię dopędzę, nie potrzebując wołać na ciebie, ale zobaczywszy przed sobą ten dom, do którego zmierzałeś, zwolniłem kroku. Za daleko byłem, aby słyszeć, co do ciebie mówiono, a bałem się zbliżyć z obawy przed psami. Skoro wszedłeś do środka, ja poszedłem w las, żeby tam dnia doczekać. Co rano przechodzą tamtędy Murzyni na robotę, wzięli mnie więc w opiekę i pokazali to miejsce, gdzie psy wyśledzić mnie nie mogą, bo woda wokoło. Co noc przybiegał tu któryś, przynosił mi trochę strawy i od nich wiedziałem wszystko, co się z tobą dzieje.

– Czemu nie powiedziałeś wcześniej mojemu Murzynowi, żeby mnie tu przyprowadził?

– Po cóż cię miałem sprowadzać, nie wiedząc, co z nami będzie? Ale teraz wszystko już dobrze... Nakupiłem garnków, patelnie, strawy wszelkiej, i nocami poprzenosiłem to wszystko na tratwę...

– Na jaką tratwę?

– Na naszą, na starą tratwę.

– Jak to! Czyż nie zdruzgotał jej parowiec?

– Nie. Uszkodził ją porządnie z jednego końca, ale nie zrobił jej wielkiej krzywdy. Potraciliśmy tylko prawie wszystkie rzeczy. Gdybyśmy nie byli musieli dać tak głęboko nurka i płynąć pod wodą, gdyby noc nie była taka czarna, a my głów nie potracili jak zmokłe kury, gdyby...

– Zostawże już te „gdyby". Cóż by się było stało, gdyby nie gdyby?...

– Bylibyśmy zobaczyli naszą tratwę. Ale dobrze się stało, że jej nie zobaczyliśmy, bo ją teraz wyreperowałem i na miejsce tego, co straciliśmy, mamy teraz wszyściutko nowe.

– Jakimże sposobem odzyskałeś tratwę, Jim?

– Nie ja ją odzyskałem, lecz Murzyni, którzy ją znaleźli wciśniętą między dwie rafy, stojące nie opodal od brzegu. Wydobyli ją, ukryli w leśnej zatoczce i tak wiele rozprawiali o tym, do kogo należeć będzie, że usłyszałem, o co chodzi. Podnoszę się tedy i powiadam: dajcie pokój, nie kłóćcie się o tratwę, bo ona ani wasza, ani niczyja, tylko Hucka i moja. Nie macie przecie zamiaru zagrabić własności białego panicza, bo wiecie, że nie uszłoby to wam na sucho. Dałem im po dziesięć centów na każdego, uradowali się okropnie, mówiąc, że chcieliby co dzień znajdować taką tratwę. Strasznie poczciwi dla mnie ci tutejsi Murzyni, zawsze zrobią wszystko, o co ich poproszę. Twój Jack także bardzo dobry i sprytny chłopiec.

– Tak, sprytny. Nie powiedział mi nawet, że tu jesteś, lecz sprowadził mnie tylko dla cyranek.

Nie będę się rozwodził nad tym, co nazajutrz nastąpiło. Krótko tylko powiem, że się obudziłem przed świtem, a chcąc przewrócić się jeszcze na drugi bok, żeby zasnąć trochę, zauważyłem niezwykłą ciszę, jakby w domu nie było żywej duszy. Co się stało? Potem spostrzegłem nieobecność Bucka. Wstałem więc zaciekawiony i schodzę na dół, nigdzie nikogo nie ma! Wychodzę przed dom, to samo! Co to ma znaczyć? W głębi podwórza dopiero spotykam swego Murzyna, ukrytego za sągami drzew, i pytam:

– Co się tu dzieje?

– To panicz o niczym nie wie?

– Nie, nie wiem o niczym.

– A to, widzi panicz, panienka Zosia wykradła się. Żebym wieczora nie dożył, jeżeli kłamię, wykradła się w nocy, nikt nie wie, o której godzinie, żeby wziąć ślub z tym młodym Shepherdsonem; tak przynajmniej państwo mówią. Spostrzegli się, że jej nie ma, teraz dopiero, przed półgodziną, a może więcej... No! Nie tracili czasu! W mig strzelby pobrali, na koń wsiedli i nie ma ich! Pani i panienka pojechały zawiadomić całą familię, a stary pan z młodymi panami, broń wziąwszy, udali się nad rzekę, czatować na tamtego i zabić go, nim zdąży przepłynąć z panienką na drugi brzeg. No! Ja myślę, że nie ujdzie mu to na sucho, bo nie darują swego.

– Buck nie obudził mnie, wyjeżdżając?

– A ma się rozumieć, że nie. Nie chcieli mieszać w tę sprawę obcego. Pan, kiedy strzelbę nabijał, zaklinał się na wszystkie świętości, że nie wróci do domu bez Shepherdsona, albo nawet i bez dwóch. A pan słowa dotrzyma i na swoim postawi, to ja wiem.

Po tym opowiadaniu pobiegłem co tchu nad rzekę, tam gdzie wiodła droga, którą Shepherdson miał przejeżdżać. Już z daleka usłyszałem strzały. Pędzę więc z całych sił, a widząc już szychty, leżące nad przystanią, włażę na jakieś drzewo, nad samym brzegiem rosnące, i stamtąd przypatruję się wszystkiemu. Tuż obok mojego drzewa leżał na cztery stopy wysoki stos tarcic, wśród których początkowo chciałem się ukryć; szczęście, że tego nie uczyniłem.

Na niewielkim placyku czterech lub pięciu jeźdźców z głośnym krzykiem i przekleństwami usiłowało schwytać dwóch młodych chłopców, ukrytych za szychtą od strony rzeki. Nie mogli jednak dokazać tego. Co się który wysunął nieco nad rzekę, natychmiast strzelano do niego zza szychty, po czym chłopcy kryli się za swój szaniec, skąd mogli śledzić każde poruszenie przeciwników.

Po upływie pewnego czasu jeźdźcy zaprzestali przekleństw i krzyków, lecz wprost natarli końmi na szychtę. Wtedy jeden z chłopców, wychyliwszy głowę sponad górnej krawędzi szychty, zmierzył do napastnika i wystrzałem z siodła go zrzucił. Jeźdźcy zeskoczyli z koni wszyscy razem, jak na komendę, porwali ranionego i unieśli go nieco dalej, a obaj chłopcy zaczęli uciekać. Byli już na pół drogi od drzewa, na którym ja siedziałem, gdy zauważyli ich przeciwnicy i natychmiast, siadłszy na koń, puścili się w pogoń za zbiegami. Doścignąć ich jednak nie mogli, bo tamci dobrze się już byli przedtem odsadzili, a teraz, dopadłszy stosu tarcic, w pobliżu mego drzewa leżących, skryli się za nim, całą jego objętością odgradzając się od ścigających. Jednym z tych chłopców był Buck, drugim młodzieniec najwyżej dziewiętnastoletni.

Jeźdźcy pokręcili się trochę koło kryjówki chłopców i odjechali. Gdy tylko znikli mi z oczu, natychmiast oznajmiłem to Buckowi. Na razie nie mógł pojąć, skąd głos mój dochodzi, i strasznie się zadziwił, gdy mnie zobaczył na drzewie. Prosił, aby pilnie uważać i dać mu znać natychmiast, gdy ich zobaczę wracających, bo nie wątpił, że powrócą, i to niezadługo. Miałem ochotę zleźć już z drzewa, ale trudno było odmówić Buckowi, który trząsł się cały ze wzruszenia i przysięgał, że on i Joe, jego brat stryjeczny, powetują sobie jeszcze dzień dzisiejszy. Dowiedziałem się, że zabito jego ojca i obu braci, że Shepherdsonowie urządzili na nich zasadzkę, ale sami też dwóch ludzi stracili. Buck był zdania, że ojciec jego i bracia powinni byli poczekać na swoich krewnych, bo samotrzeć stawiając czoło liczniejszym od siebie Shepherdsonom, narażali się na pewną śmierć. Spytałem, co się stało z młodym Harneyem i miss Zofią.

– Przeprawili się przez rzekę i są w bezpiecznym miejscu.

Bardzo mnie to ucieszyło, tym bardziej, że pamiętając, jak się wyraził Buck o Harneyu – owego dnia, kiedy to strzelał do niego, a nie trafił – nie przypuszczałem, żeby przyjął tak pobłażliwie małżeństwo siostry.

Aż tu nagle słyszymy: pif! paf! puf! z kilku strzelb od razu... To tamci zakradli się pieszo i znienacka lasem podeszli! Chłopcy, obaj lekko ranieni, rzucili się do rzeki, a gdy razem z prądem płynęli, Shepherdsonowie, biegnąc wybrzeżem, jeszcze do nich strzelali, krzycząc jeden do drugiego: „Bij! Zabijaj!" O mało z drzewa nie spadłem, widząc to... Dziś jeszcze nie mogę opowiedzieć wszystkiego, co wówczas miało miejsce... na samo wspomnienie słabo mi się robi. Wolałbym był nie przychodzić wówczas na ten brzeg przeklęty i nie widzieć tego, co widziałem... Biedny, biedny Buck!

Siedziałem na drzewie, dopóki się nie ściemniło. Od czasu do czasu rozlegały się w lesie wystrzały, wiedziałem więc, że to jeszcze nie koniec. Strasznie znękany, dałem sobie słowo, że za nic w świecie nie wrócę do tego domu nieszczęsnego, tym bardziej, że wyrzucałem sobie przyczynienie się do jego nieszczęść. Teraz dopiero przyszło mi na myśl, co znaczyła owa karteczka: zapewne „o wpół do trzeciej" miała się zejść miss Zofia z Harneyem, żeby opuścić dom rodzicielski. Czy nie powinienem był powiedzieć ojcu i o tej karteczce, i o całym postępowaniu, które tak mi się dziwne wydawało? Kto wie? Może gdyby ją ojciec był zamknął, nie byłoby tego nieszczęścia.

Po zejściu z drzewa biegłem ku zakrętowi, gdzie zatrzymywać się zwykło to wszystko, co woda z sobą unosi. Znalazłem tam zwłoki obu młodych chłopców zaplątane wśród wodorośli. Wyciągnąwszy zwłoki i zakrywszy im twarze, odszedłem najśpieszniej, jak mogłem. Popłakałem nawet trochę, zakrywając twarz Bucka, gdyż okropnie był dla mnie dobry.

Ściemniło się tymczasem zupełnie. Nie zbliżałem się już wcale do domu, tylko lasem obchodząc, dotarłem do błota.

Gdy się wreszcie dostałem na tratwę, Jim wyściskał mnie i wycałował z wielkiej radości, po czym rzekł:

– Bóg z tobą, dziecko! Ja myślałem, że cię znów zabili!

– Nie trać czasu, Jim, ale odpłyńmy stąd szybko i jak najdalej...

Nie miałem spokoju, dopóki nie zobaczyłem, że tratwa znajduje się na środku rzeki. Wywiesiwszy latarnię sygnałową, poczuliśmy się znów swobodni i bezpieczni. Doszliśmy do przekonania, że wszędzie dobrze, ale na tratwie najlepiej. U ludzi ciasno jakoś i duszno, a na tratwie przestronno i swobodnie.

XIX

Ucieczka przed pościgiem. – Festyn wstrzemięźliwości. – Książę Bridgewateru. – Troski majestatu.

Minęło kilka dni i kilka nocy, mógłbym śmiało powiedzieć: upłynęło, tak niepostrzeżenie zeszły i przyjemnie. Rzeka była niesłychanie w tym miejscu szeroka, na półtorej mili przynajmniej, i gładka jak zwierciadło. Płynęliśmy nocami, a dnie spędzaliśmy w ukryciu.

Pewnego dnia, przed świtem, pojmałem czółno bez wioślarza i wsiadłszy w nie, zmierzałem w stronę brzegu, w nadziei, że w iglastym lesie znajdę jagody. Mijałem właśnie miejsce, gdzie wychodziła do rzeki wydeptana przez bydło ścieżyna, gdy widzę, że krętą i nierówną ścieżką pędzi dwóch ludzi. Zląkłem się jakoś w pierwszej chwili, bo ile razy kto kogo ścigał, zawsze myślałem, że to mnie lub Jima. Już więc podniosłem wiosło, aby się odbić od brzegu, gdy nieznajomi, o kilkanaście zaledwie kroków ode mnie oddaleni, krzycząc rozpaczliwie, błagają o ocalenie im życia.

– Nic złego nie uczyniliśmy, a ścigają nas...

To mówiąc, chcieli skoczyć do łodzi.

– Nie czyńcie tego – zawołałem – nie słychać pogoni; macie czas wszyć się pomiędzy krzaki i dobiec do strumyka, który tu niedaleko wpada do rzeki. Wejdźcie w wodę i idźcie łożyskiem strumyka... ja was tam wezmę do łodzi. W przeciwnym razie psy was zwęszą.

Tak też uczynili. Gdy już z nimi byłem niedaleko od tratwy, usłyszeliśmy krzyki i szczekanie psów. Odgadłem, że jadą brzegiem strumyka, bo z ukrycia naszego nie mogłem ich widzieć. Słychać też było, że się zatrzymali nad strumieniem; widocznie ślad straciwszy, nie wiedzieli już, co dalej czynić. Po niejakim czasie wszystko ucichło – pogoń ustała.

Jeden ze zbiegów był to siedemdziesięcioletni już z górą człowiek, z łysą głową i bielutkimi bokobrodami. Ubrany był w zniszczony kapelusz filcowy, o kresach wielkich, w niebieską koszulę wełnianą, mocno zatłuszczoną, spodnie miał granatowe, podarte, włożone w buty, z kamaszami na drutach robionymi – a raczej z jednym tylko, bo drugi gdzieś zniknął. Frak ciemnogranatowy, z błyszczącymi guzikami metalowymi, niósł przerzucony przez ramię tak, że długie jego poły o mało ziemi nie dotykały.

Obaj mieli z sobą duże torby dywanowe, porządnie już wytarte i nie wiadomo czym wypchane. Ten drugi znacznie był młodszy, mógł mieć najwyżej lat trzydzieści, i również elegancko ubrany, a nawet wytworniej może, bo mniej poplamioną miał odzież.

Po śniadaniu, gdy leżąc na pomoście, rozpoczęliśmy pogawędkę, okazało się, że nasi goście niespodziewani wcale się nie znają.

– Co ci się przytrafiło? – pyta ten łysy młodszego.

– Ano, sprzedawałem środek niezawodny przeciwko tworzącemu się na zębach osadowi. Środek był bardzo skuteczny: nie tylko osad schodził, ale prawie zawsze emalia z nim razem. Ale cóż! Zasiedziałem się na miejscu dłużej, niż było potrzeba, a kiedy cichaczem wymykałem się z miasta, spotkałem ciebie. Powiedziałeś mi, że jesteś ścigany, i prosiłeś, żeby ci dopomóc w ucieczce. Wtedy i ja ci wyznałem, że mnie także mają na oku, i przystałem na wspólną podróż. Taka jest moja historia – a ty co mi powiesz?

– Ze mną inaczej było. Urządziłem festyn wstrzemięźliwości, który ciągnął się przez tydzień prawie. Kobiety przepadały za mną, starsze i młodsze, bo wymyślałem na trunki i na pijaków, ile się tylko zmieściło. Dochodzik przynosiło to niezły: pięć do sześciu dolarów co wieczór, licząc po dziesięć centów od osoby – dzieci i Murzyni bezpłatnie. Nagle, nie wiem już skąd i jakim sposobem, rozeszła się wczoraj wieczorem plotka, najniegodziwsza z plotek, że lubię sobie cichaczem pociągać z butelki. Dziś przede dniem zbudził mnie znienacka Murzyn, ostrzegając, że ściągają przeciwko mnie mężczyźni, konno i z psami, że niebawem nadjadą i każą mi uciekać natychmiast, dając do ucieczki pół godziny, a po jej upływie będą mnie gonić. Jeżeli dopędzą, zemszczą się na mnie tutejszym obyczajem, to jest unurzają w smole i w pierzu. Ładna rzecz mieć do czynienia z takimi barbarzyńcami. Nie czekałem już nawet na śniadanie... straciłem apetyt.

– Słuchaj – odrzekł ten drugi – ja myślę, że z nas dwóch może być para. A tobie jak się zdaje?

– Nie mam nic przeciwko temu. Czym się zajmujesz?

– Z zawodu jestem drukarzem; zajmuję się przy tym sprzedażą nowo wynalezionych środków leczniczych; jestem aktorem – tragikiem; gdy się zdarzy sposobność uprawiam mesmeryzm* i frenologię**, czasem dla odmiany nauczam w szkołach geografii i śpiewu, miewam też odczyty publiczne. Wszystkiego podjąć się mogę, byle tylko nie roboty ciężkiej, a sumiennie ｍｏｚｅ ｐｏｗｉｅｄｚｉｅｃ, ｉ̇ ｎｉｅ ｍｉ ｎｉｅ ｊｅｓｔ ｏｂｃｅ. Ａ ｔｗｏｊｕ ｕｐｏｏｊｕｌｎｏｕｃ, ｓｔａｒｕｓｚｋｕ!

– O! Ja swego czasu niemało pracowałem w medycynie. Umiem leczyć przez nakładanie rąk – leczę raka, paraliż i tym podobne choroby; umiem też przepowiadać przyszłość i zawsze trafnie przepowiem, jeżeli tylko znajdę kogoś, co mi podszepnie jakiś faktik. Kaznodziejstwem także się trudnię i urządzam pobożne zgromadzenia, pełniąc pracę misjonarską.

Przez jakiś czas milczeliśmy wszyscy, wreszcie młody wzdycha ciężko i powiada:

– Niestety!

– Czegóż tak biadasz? – pyta łysy.

– Bo mi się serce kraje na myśl, że dożyłem tego, co znosić muszę, wpadając w tak niestosowne dla mnie towarzystwo! – i łachmankiem jakimś oczy ocierać zaczął.

---

* mesmeryzm (F.A. Mesmer, lekarz niem., 1734-1815) – dawna metoda leczenia, oparta na rzekomo istniejącym w świecie „fluidzie uniwersalnym", który w postaci „magnetyzmu zwierzęcego", emanowanego przez człowieka, może działać regulująco na układ nerwowy, a przez to leczyć różne choroby.

** frenologia (z gr.) – popularna kiedyś teoria, głosząca, że na podstawie ukształtowania czaszki człowieka można sądzić o jego zdolnościach umysłowych i właściwościach psychicznych.

– A cóż ty sobie myślisz? Dlaczegóż towarzystwo nasze jest dla ciebie niestosowne? – szorstko i pogardliwie pyta łysy.

– I owszem... stosowne... Ja nie zasługuję na lepsze. Któż bowiem pchnął mnie tak nisko? Sam siebie z wyżyn strąciłem, sam! Nie przymawiam panom, broń Boże, żadnego do was nie mam żalu... do nikogo. Zasłużone wszystko, co mnie spotyka... Niech świat zimny i obojętny znęca się, jak chce, nade mną... jednej rzeczy jestem pewien: znajdzie się w nim miejsce na grób dla mnie. Świat może sobie kroczyć dalej zwykłą koleją, wszystko odebrać mi może: majątek, serca najbliższych, wszystko... To jedno moim zostanie. Przyjdzie chwila, gdy do grobu się położę, o wszystkim zapomnę, biedne moje serce znękane zazna wreszcie spokoju...

Mówiąc to, ciągle ocierał oczy.

– Niech czarci porwą twoje biedne serce znękane! – opryskliwie odpowiada łysy. – Cóż nam wykłuwasz oczy swoim sercem? Nie ma w tym przecie naszej winy.

– Wiem, że nie wasza to wina. Nie mam też do was pretensji, panowie. Sam swój upadek zgotowałem. Tak, sobie go tylko zawdzięczam. Słuszne jest, abym dziś karę ponosił... zupełnie słuszne.

– Gdzieżeś to stał przed upadkiem? Rad bym wiedzieć, skąd spadłeś?

– O! Nie dacie mi wiary... Świat nigdy wiary nie daje... ale mniejsza o to, mniejsza... Tajemnica mego urodzenia...

– Tajemnica twego urodzenia? Czy chcesz powiedzieć...

– Panowie – rzekł uroczyście młody człowiek – odkryję tę tajemnicę przed wami, gdyż czuję, że można wam zaufać. Z prawa należy mi się tytuł...

Jimowi aż oczy na wierzch wyszły, gdy to posłyszał, a zdaje mi się, że i moje uczyniły to samo. A łysy na to.

– Jak to? Prawdę mówisz?

– Tak. Mój pradziad, starszy syn księcia na Bridgewater, w ostatnich latach zeszłego stulecia przybył do tej części świata, gnany potrzebą wolności. Tu się ożenił, tu umarł, w tym samym czasie, co i jego ojciec. Po ojcu jemu należy się tytuł i majątek, a po nim synowi, którego po sobie zostawił, lecz młodszy brat jego wszystko zagarnął, a malutki dziedzic z praw swoich został wyzuty. Jam w prostej linii potomek osieroconego dziedzica, jam prawy książę na Bridgewater i oto staję tu przed wami, opuszczony, strącony z wysokiego stanowiska, ścigany przez ludzi, przez obojętny świat nie uznany, obdarty, zgnębiony, z sercem rozbitym, upadły tak nisko, że muszę przebywać na tratwie w towarzystwie nędzarzy!

Jim litował się nad nim z całego serca, a i ja także. Staraliśmy się pocieszyć go, ale nam odpowiadał, że to wszystko na próżno, że pocieszonym być nie może, że jedno chyba tylko zdoła mu przynieść choć odrobinę pociechy, mianowicie, jeżeli wysokie jego stanowisko zostanie przez nas uznane. Przyrzekliśmy je uznać, nie wiedząc, jak to uczynić. Nauczył nas więc, że nie powinniśmy przystępować do niego inaczej, jak z ukłonem, a mówiąc z nim, dodawać zawsze: „Wasza miłość" albo „Mości książę", albo „Jaśnie oświecony". Przyrzekł jednak, że nie weźmie nam za złe, jeżeli go nazywać będziemy po prostu „Bridgewater", które to miano było podług niego tytułem, nie nazwiskiem. Żądał także, ażeby jeden z nas usługiwał mu do obiadu i w ogóle oddawał mu różne drobne usługi.

Łatwo było zadośćuczynić tym wymaganiom, przystaliśmy więc na nie z ochotą. Przez cały czas obiadu Jim stał za nim i usługiwał mu, przemawiając w taki na przykład sposób: „Co wasza miłość każe sobie podać? Mości książę, spróbujesz może tej potrawy?", a widać było, że obydwom sprawia to przyjemność niezmierną.

Tymczasem stary milczał: czy to, że nie miał nic do powiedzenia, czy też nie w smak mu szło to całe nadskakiwanie księciu. Zdawało się, że coś waży w myśli. Nareszcie w parę godzin po obiedzie tak mówi:

– Powiem ci coś, Bridgewater. Współczuję twojej niedoli, lecz nie ty jeden znosisz podobne utrapienia.

Nie ja jeden?

– Nie ty jeden, powiedziałem i powtarzam. Nie ciebie jednego pokrzywdzono, wyzuwając ze wszystkich zaszczytów, należnych twemu wysokiemu stanowisku.

– Co? Co to ma znaczyć?

– Bridgewater! Czy mogę ci zaufać? – mówi stary.

– Aż do chwili, w której stanę się zimnym trupem! – a wziąwszy dłoń starego, ściska ją silnie i powtarza: – Wyjaw mi tajemnicę swego istnienia! Odkryj ją! Mów!

– Bridgewater! Widzisz we mnie nieboszczyka delfina!

Wyobraźcie sobie, jakeśmy oczy wytrzeszczyli, Jim i ja. A książę tylko:

– Kogo? Kogo widzę?

– Tak, przyjacielu mój, delfina! Przed oczyma twymi stoi w tej chwili nieszczęsny, bez wieści zaginiony następca tronu francuskiego, małoletni delfin, Ludwik siedemnasty, syn Ludwika szesnastego i Marii Antoniny.

– Ty? Ty masz być delfinem? W twoich latach? Nie! To niepodobna! Chcesz chyba powiedzieć, że jesteś nieboszczykiem Karolem Wielkim, bo musisz mieć niezawodnie lat jakie siedemset lub sześćset?

– Cierpienia temu winne, Bridgewater! W łzach tak postarzałem i w cierpieniu, łzy i cierpienia są przyczyną mojej siwizny i przedwczesnej utraty bujnych niegdyś kędziorów. Tak, panowie, widzicie przed sobą w nędzy i w spodniach granatowych tułacza, wygnańca, ściganego przez ludzi, przez los prześladowanego, a prawowitego króla Francji.

Tu, ciągle płacząc, tak się własnym płaczem rozrzewnił, że i ja, i Jim nie wiedzieliśmy, co czynić, żal nam go było, czuliśmy się jednak szczęśliwi i dumni, że go mamy pomiędzy sobą. Na słowa pociechy odpowiedział, że wszystko na nic, że najgorętszym jego pragnieniem jest umrzeć. Dodał jednak, iż nieraz przynosiło mu to ulgę chwilową, gdy widział, że ludzie traktują go tak, jak mu się to słusznie należy, to jest zbliżają się do niego z przyklękaniem, mówiąc doń „Najjaśniejszy panie", jemu pierwszemu podają potrawy i nie siadają w jego obecności, dopóki on nie pozwoli.

Jim więc i ja zaczęliśmy tytułować go „najjaśniejszym", nadskakiwać mu, usługiwać i stać, dopóki nam nie powiedział, że pozwala usiąść. Ogromną mu to pociechę przynosiło i zaraz też znacznie poweselał. Ale za to książę kwasić się zaczął i minę miał mocno niezadowoloną, chociaż król traktował go po przyjacielsku, bo jego ojciec w wielkim miał poważaniu pradziada księcia i całą rodzinę książąt na Bridgewater. Książę pomimo to wciąż siedział posępny, aż wreszcie król powiada:

– Ze wszystkiego widzę, Bridgewater, że nam tu przyjdzie długo posiedzieć na tej tratwie. Po cóż więc kwasy? Czy nie lepiej żyć w zgodzie? Tak jak nie moją jest winą, że się urodziłem królem, tak nie twoją, żeś się nim nie urodził. Wszak to jasne. Nie martw się więc i idź za moim przykładem: korzystaj z tego, co los nadarzył. Tej zasady zawsze się trzymałem w postępowaniu. Nieźleśmy tu trafili: jest co jeść i wygoda wszelka. Rozchmurz więc czoło, książę, podaj mi rękę i bądźmy odtąd przyjaciółmi.

Uczynił tak książę, a my z Jimem, patrząc na ich pojednanie, czuliśmy się bardzo szczęśliwi. Zaraz więc było weselej i swobodniej i nas też radość opanowała, bo jak tu na tratwie żyć razem bez zgody i przyjaźni?

Niewiele potrzebowałem czasu, aby się domyślić, że żaden z tych dwóch ludzi nie jest księciem, ani królem, lecz obaj są kłamcami i oszustami, którzy zasypują piaskiem oczy. Nigdy się jednak z tym nie zdradziłem, zachowując tę wiadomość dla siebie tylko. Jedyny to i najlepszy sposób uniknięcia wszelkich nieprzyjemności. Oni sobie tego życzyli, aby jednego nazywać księciem, drugiego królem, ja zaś nic przeciwko temu nie miałem, pragnąc tylko, żeby spokój był w domu. Jimowi niepotrzebna była ta wiadomość, nic mu też nie powiedziałem.

XX

Huck opowiada o sobie. – Trzeba się wziąć do pracy. –
Pobożne zebranie. – Rozbójnik morski. –
Książę drukarzem.

Goście nasi zadawali nam mnóstwo pytań. Koniecznie chcieli wiedzieć,
dlaczego przykrywamy pomost tratwy liśćmi i gałęziami, dlaczego zamiast
płynąć we dnie, stoimy cały dzień w zatoce.

– Jim musi być zbiegłym Murzynem? – zapytali.

– Na miłość boską – powiadam – czyżby zbiegły Murzyn uciekał na
południe?

Trafiło im to do przekonania. Zmuszony jednak do wyjaśnień, opowiedziałem im taką historię:

– Rodzina moja pochodzi z Pike-Country, w stanie Missouri, gdzie ja się
urodziłem i gdzie mieszkaliśmy, dopóki wszyscy nie poumierali. Zostaliśmy
we trzech tylko: ojciec, ja i mój braciszek. Ojciec postanowił wynieść się
z tamtych stron i zamieszkać razem ze stryjem Benjaminem, który posiada
niewielki folwarczek nad rzeką o czterdzieści cztery mile poniżej Orleanu.
Ojciec był ubogi, a miał przy tym i trochę długów, więc kiedy się wyprzedał,
zostało mu tylko szesnaście dolarów i nasz Murzyn, Jim. Nie starczyłoby
tego na podróż tak odległą; nawet na pokładzie okrętowym przejazd drożej
kosztuje. Lecz gdy pewnego dnia, podczas wiosennej powodzi, poszczęściło
się ojcu niespodzianie schwytać tę oto tratwę, postanowiliśmy odbyć na niej
drogę do Orleanu. Ale szczęście na krótko uśmiechnęło się do ojca: pewnej
nocy uderzył w nas parostatek, oderwał przednią część pomostu i wszyscy
wpadliśmy w wodę, pod same koła. Jim i ja wypłynęliśmy, ale ojciec pijany
i braciszek zaledwie czteroletni poszli na dno i nie widziałem ich więcej.
Przez kilka dni miałem kłopot, bo różni ludzie chcieli zabrać Jima, biorąc go
za zbiega. Dlatego też płyniemy teraz nocą, żeby mieć spokój.

– Daj mi nieco czasu – rzekł na to książę – a wymyślę coś takiego, co
nam pozwoli płynąć i w dzień bezpiecznie.

Przed wieczorem zaczęło się raptownie ściemniać, widać było, że się
zanosi na niepogodę. Król i książę udali się więc do naszej budki, żeby zobaczyć, czy wygodne są łóżka. Moim posłaniem był wór wypchany słomą; Jim
zaś spał na plewach, w których zawsze coś kole i drapie. Książę raczył oznajmić, że spać będzie na moim posłaniu, ale król nie zgodził się na to:

– Sądziłem, iż poczucie różnicy naszego stanowiska pozwoli ci zrozumieć, że posłanie z plew nie jest dla mojej godności odpowiednie. Zechcesz,
książę, sam spać na plewach.

Na Jima i na mnie aż poty biły, gdyż baliśmy się, żeby nie doszło do sporu, ale wstąpiła w nas otucha, gdy książę odparł:

– Z dawna mi jest sądzone, że stopą ucisku zdeptany, w błocie pogrążać się muszę. Niedola ugięła hardy niegdyś mój umysł, ucząc mnie uległości i pokory... Ustępuję, taki los mój! Samotny jestem na świecie, więc umiem znieść wszystkie cierpienia.

Ruszyliśmy z miejsca, gdy zupełnie już było ciemno, a król kazał nam trzymać się środka rzeki i nie zapalać światła, dopóki nie upłyniemy choć kilka mil poza miasto. Płyniemy więc w zupełnej ciemności, mijamy garstkę rozrzuconych nad brzegiem świateł i dopiero, gdy miasto zostało o milę za nami, wywiesiliśmy latarnię sygnałową. Około dziesiątej spadł deszcz, zaczęło grzmieć i błyskać, król kazał nam uważać na tratwę i nie schodzić z pomostu, dopóki nie uspokoi się burza. Obaj zaś z księciem weszli do naszej budki i ułożyli się wygodnie na noc. Na mnie przyszła kolej stróżowania na pomoście do północy, że jednak sen mi dokuczał, Jim poczciwy obiecał zastąpić mnie przez pierwsze parę godzin. Wsunąłem się do naszej budki, ale książę i król tak powyciągali swoje nogi i ręce, że dla mnie nie było miejsca. Położyłem się tedy na pomoście, niewiele sobie robiąc z deszczu. Ciepły był, więc zaszkodzić mi nie mógł. Lecz gdy zasnąłem jak najsmaczniej, podniósł się nagle wał olbrzymi i cała masa wody, buchnąwszy na pomost, zmiotła mnie śpiącego, jak źdźbło słomy. Jim trząsł się od śmiechu, bo zawsze był wesół, ale skoczył po mnie do wody. Niepotrzebnie zresztą, bo dałem nurka raz, drugi, otrząsnąłem się i już byłem znów na tratwie.

Wytrzeźwiony kąpielą, objąłem wartę, a Jim w parę minut potem chrapał, jak należy. Minęło tak parę godzin, z nimi razem przeszła i burza, a gdy pierwsze światełko zajaśniało w jakimś domu nadbrzeżnym, zbudziłem Jima i posunęliśmy się ku brzegowi, aby w miejscu zacienionym ukryć tratwę.

Po śniadaniu król wydostał paczkę zatłuszczonych kart i przez czas jakiś grali obaj z księciem, stawiając po pięć centów od razu. Gdy zaś gra ich znudziła, oznajmili, że trzeba wziąć się do pracy. Jakoż książę, zanurzywszy ramię w podróżną torbę dywanową, wydobył z niej pakiet drukowanych świstków, które głośno zaczął odczytywać. Jeden z nich oznajmiał, że doktor Armand de Montalban z Paryża będzie miał odczyt o nauce frenologii w tym a w tym miejscu, tego a tego dnia, po dziesięć centów za wejście, przy czym każdy ze słuchaczów otrzyma kartkę z określeniem swego charakteru za dodaniem dwudziestu pięciu centów za sztukę. Tym doktorem Armandem był sam książę.

Na drugim znów ogłoszeniu mienił się być „głośnym na cały świat aktorem, specjalistą od ról szekspirowskich, Garrickiem Młodszym, z teatru Drury Lane w Londynie". Na innych ogłoszeniach pod innymi znów występował nazwiskami, a zawsze dokonywał rzeczy cudownych i nadzwyczajnych, „różdżką magiczną" wskazywać umiał miejsce, gdzie pod ziemią znajduje się woda lub złoto, „odczyniał uroki, rzucone przez czarownicę" i tym podobne. Chociaż niepomiernie się chełpił tak znaczną liczbą talentów, pierwszeństwo dawał jednak „muzie scenicznej", nazywając ją swoją „kochanką".

– Czy wstępowałeś kiedy na deski teatralne, monarcho? – pyta książę.

– Nigdy – odrzecze król z godnością.

– A zatem uczynisz to, zanim będziesz, upadła wielkości, o trzy dni starszy – mówi książę. – W pierwszym podrzędnym miasteczku, które spotkamy, najmiemy salę i odegramy pojedynek na miecze z „Ryszarda III" oraz scenę balkonową z „Romea i Julii". Jak uważasz?

– Uważam, że wspaniałe jest wszystko, co tylko może przynieść dochód. Ale wiesz, co ci powiem, Bridgewater: ja się zupełnie nie znam na aktorstwie, a nawet i niewiele bywałem w teatrze. Za młody byłem, gdy król-papa urządzał przedstawienia w swoim pałacu. Czy mnie zdołasz nauczyć?

– Z największą łatwością.

– Wybornie. Usycham z tęsknoty za czymś nowym. Zaczynajmy więc, nie tracąc czasu.

Rozpowiedział mu książę, kto był Romeo, a kto Julia, dodając, że gdy on sam przywykł grać rolę Romea, król zatem przedstawi Julię.

– Ależ, książę, jeżeli Julia jest taka młoda, to z moją łysiną i białymi faworytami może jej nie być do twarzy?

– Nie bój się, królu, niczego; tutejszym wieśniakom do głowy to nawet nie przyjdzie. A zresztą, będziesz przecie odpowiednio ukostiumowany, co dużo znaczy; Julia na balkonie, rozkoszująca się światłem księżyca przed pójściem na spoczynek, będzie miała na sobie długą koszulę nocną i nocny czepek. Tu oto są odpowiednie kostiumy.

Jakoż pokazał nam kilka ubrań z perkalu meblowego w ogromne kraty, a powiedziawszy, że to jest zbroja średniowieczna dla Ryszarda III i dla tamtego drugiego, wydobył także długą, z białego perkalu koszulę nocną oraz ogromny czepiec. Podobało się to królowi, a książę, wydobywszy swą książkę, rozpoczął deklamować rolę. Potem oddał książkę królowi, mówiąc mu, aby się uczył roli swojej na pamięć.

O mil parę od miejsca, gdzie się wówczas znajdowaliśmy, widać było leżące na wybrzeżu małe miasteczko. Wymyśliwszy sposób wejścia do niego w dzień biały bez krzywdy dla Jima, książę oświadczył, że uda się tam i poczyni pewne przygotowania. Król, słysząc to, okazał również gotowość pójścia do miasta, żeby zobaczyć, czy tam nie znajdzie czegoś dla siebie. Ponieważ zabrakło nam kawy, ułożyliśmy z Jimem, że i ja popłynę wraz z nimi, by kupić kawy... no i łódki także przypilnować, aby jej ich monarsze mości nie zaprzepaściły!

Przybywszy do miasta, zastaliśmy ulice zupełnie puste i cisza wszędzie była taka, jakby wszyscy wymarli, albo jak gdyby to była niedziela. Spotkaliśmy tylko chorego Murzyna, który się wygrzewał na słońcu i oświadczył nam, że całe miasto wyruszyło na pobożne zebranie, pośród lasu, o dwie mile stamtąd odległego, w domu zaś zostały tylko dzieci, chorzy i starcy. Król spytał o drogę i zaraz postanowił pójść na to zebranie, na którym spodziewał się znaleźć zajęcie; mnie także pozwolił iść z sobą.

Książę zaś zaczął szukać po całym miasteczku drukarni. Znaleźliśmy ją wreszcie, bardzo skromną, nad warsztatem cieśli. I cieśle, i drukarze, wszyscy poszli na owo zebranie, pozostawiwszy drzwi otwarte. Drukarenka była ciasna i brudna, pełna papierów niepotrzebnych, ze stołami poplamionymi atramentem, a na ścianach moc ogłoszeń, śród których rzucał się w oczy wielki czarny koń z uciekającym Murzynem. Książę zrzucił surdut, mówiąc, że ma już wszystko, czego mu trzeba, a zatem król i ja ruszyliśmy na owo zebranie.

Wśród lasu, na obszernej polance, zastaliśmy ogromne zgromadzenie, może z tysiąc osób, które tu ściągnęły z całej okolicy. Tu i ówdzie widać było szałasy naprędce sklecone z żerdzi i dachem z gałęzi pokryte; sprzedawano w nich lemoniadę, pierniki, melony i tym podobne przysmaki. Kazania odbywały się w podobnych szałasach, tylko znacznie większych, tak, aby mogły pomieścić jak największą liczbę osób. Zamiast ławek służyły bale lub kilka tarcic położonych jedna na drugiej, poręczy zaś nie było wcale. W jednym końcu szałasu znajdowała się wysoka platforma, z której przemawiał kaznodzieja.

W pierwszym szałasie, do którego weszliśmy, kaznodzieja rozpoczął właśnie naukę z wielkim przejęciem i powagą. Od czasu do czasu podnosił w górę Biblię, którą trzymał w ręku i potrząsał nią, albo roztwierał i roztwartą przesuwał przed oczyma publiczności, wołając: „Oto jest wąż miedziany na pustyni! Kto nań spojrzy, żyw będzie!" A tłum głośnym krzykiem chóralnie odpowiadał: „Chwała niech będzie Panu! A-a-a-men!" I dalej mówca prawił rzecz swoją, a tłum krzyczał, jęczał i odpowiadał: „A-a-men! A-a-men!"

Podnosząc się z ławek, z trudem przechodzili w tłoku, żeby się tylko dostać do „ławki pokutników" i zasiąść na niej, z twarzą zalaną łzami.

Najgłośniej pomiędzy pokutnikami krzyczał król, który natychmiast prawie po wejściu zaczął się przeciskać do ławki pokutników. Gdy podszedł ku platformie, szepnął słów parę kaznodziei, ten poprosił go, żeby miejsce jego zająwszy, przemówił do ludu. Król uczynił to. Wszedłszy na platformę, wyznał publicznie, że był rozbójnikiem morskim przez lat trzydzieści, że rozbijał na Oceanie Indyjskim, ale straciwszy podczas bitwy, na wiosnę, znaczną część załogi, musiał powrócić do kraju, aby sobie zwerbować ludzi. Dzięki Opatrzności Boskiej został okradziony zeszłej nocy i z parostatku wysadzony na ląd bez centa, co go niezmiernie raduje i co uważa za największe dobro, jakie go w życiu spotkało, gdyż stał się teraz zupełnie innym człowiekiem i po raz pierwszy w życiu czuje się zupełnie szczęśliwy; a jakkolwiek jest nędzarzem, to przecież prosto stąd uda się w drogę, zapracuje na powrót aż na Ocean Indyjski, aby resztę pozostałych dni życia obrócić na nawracanie rozbójników morskich na drogę cnoty. Potrafi zaś dokonać tego lepiej niż kto inny, zna bowiem wszystkich rozbójników na całym Oceanie Indyjskim; a chociaż nieprędko się tam dostanie, nie mając wcale pieniędzy, jednakże musi celu dopiąć.

Po każdym nawróceniu rozbójnika zawsze mu powie: „Nie mnie dziękuj, nie moja to wcale zasługa, cała wdzięczność należy się tym zacnym ludziom z Pokeville, braciom i dobroczyńcom ludzkości, oraz temu kaznodziei wymownemu, przyjacielowi najlepszemu, jakiego kiedykolwiek rozbójnicy morscy posiadali!"

I tu zalał się łzami, co też i wszyscy uczynili. Wtem zawołał ktoś z tłumu: „Składkę zróbmy na niego! Składkę!" Z pół tuzina ludzi zerwało się z ławek z zamiarem zbierania pieniędzy wśród tłumu, ale inny jakiś głos dał się słyszeć: „Niechaj sam pójdzie między tłum z kapeluszem!" Na co też zgodzili się wszyscy.

Zaczął więc król chodzić między ławkami z kapeluszem w ręku, ciągle oczy z łez ocierając, błogosławiąc ludzi, wychwalając ich i dziękując im za ich dobroć dla nieszczęśliwych rozbójników, tułających się gdzieś daleko na morzach. Jedna z kobiet zaprosiła go do siebie na cały tydzień, inne zapraszały go także, mówiąc, iż za zaszczyt uważałyby sobie, gdyby czas jakiś przebył pod ich dachem. Król pięknie wszystkim dziękował, odpowiadając, że na tyle wdzięczności nie zasłużył, a przy tym śpieszy się bardzo, bo chce prosto stąd jechać na Ocean Indyjski, żeby nawracać rozbójników.

Gdy powróciliśmy na tratwę i król przeliczył swoje pieniądze, okazało się, że zebrał osiemdziesiąt siedem dolarów i siedemdziesiąt pięć centów. Prócz tego przyniósł z sobą dużą butelkę wódki, którą znalazł pod jednym z wozów. Oznajmił więc, że nie ma nic lepszego, jak opowiadać chwałę Bożą i że z przyjemnością co dzień by to czynił.

Dopóki król nie powrócił, zdawało się księciu, że jemu wybornie poszły interesy, dlatego że w owej drukarni odbił dla kilku farmerów ogłoszenia i wziął za to cztery dolary. Pobrał też od nich zaliczki. Ogółem zebrał dziewięć i pół dolara i był z zarobku swego zadowolony.

Pokazał nam także jeszcze jedną rzecz, którą umyślnie dla nas wydrukował. Było to ogłoszenie z ryciną przedstawiającą Murzyna, widocznie zbiegłego, bo niósł przewieszony na kiju węzełek; pod ryciną zaś było napisane: „200 dolarów nagrody".

Następował opis powierzchowności zbiega: kubek w kubek Jim! Ogłoszenie jednak mówiło, iż uciekł zeszłej zimy i prawdopodobnie na północ; kończyło się zaś obietnicą, że ktokolwiek go pojmie i odeśle właścicielowi w okolice Nowego Orleanu, ten otrzyma zwrot kosztów oraz nagrodę.

– Teraz już – rzekł książę – możemy sobie płynąć w biały dzień, jeżeli nam się tak podoba. Gdy ujrzymy nadpływającą łódź czy tratwę, możemy związać Jima powrozami, położyć go na pomoście i pokazując to ogłoszenie, powiedzieć, żeśmy go ujęli, a ponieważ zbyt jesteśmy ubodzy, aby podróżować na parostatku, wzięliśmy więc tę tratwę na kredyt od znajomych i płyniemy nią po nagrodę.

Wszyscy winszowaliśmy księciu tak wybornego pomysłu, bo teraz już mogliśmy bezpiecznie płynąć i we dnie. Trzeba jednak było doczekać nocy, aby nie włazić w oczy tym, od których książę pobrał zaliczki na ogłoszenia, a i właścicielowi drukarni, jeżeli już powrócił z zebrania, bo moglibyśmy mieć nieprzyjemność!

Ukryci więc pod cieniem drzew przybrzeżnych aż do dziesiątej wieczorem, puściliśmy się w drogę dopiero nocą.

Gdy Jim zbudził mnie o czwartej, abym objął straż nad tratwą, powiada do mnie:

– Huck, jak ci się zdaje, czy spotkamy gdzie jeszcze takich królów po drodze?

– Nie – powiadam – myślę, że nie.

– No, kiedy tak, to dobrze. Mniejsza tam o jednego albo dwóch królów, ale tych nam wystarczy. Już i ten jeden pijany jak bela, a książę niewiele mniej. Okazało się, że Jim próbował skłonić króla, aby powiedział co po francusku, ale król odmówił, tłumacząc się, iż zupełnie zapomniał rodzinnego języka, tak skutkiem doznanych zmartwień, jak i długiego pobytu w naszym kraju.

Nie mógł więc Jim przekonać się, do czego podobny jest język francuski!

XXI

Robienie bronią. – Monolog Hamleta. – W miasteczku. –
Stary Boggs. – Śmierć Boggsa.

Słońce już wschodzi na dobre, a my płyniemy, płyniemy, ani myśląc szukać zatoczki, w której można by ukryć tratwę. Król i książę wstali późno, i to dość chmurni, ale gdy raz i drugi zanurzyli się w wodzie, przybyło im rzeźwości i humoru. Po śniadaniu król usiadł na krawędzi tratwy, zdjął buty, podwinął spodnie, nogi spuścił do wody, fajkę wziął do ust i czując się dobrze usposobionym, zaczął kuć na pamięć „Romea i Julię". Gdy już trochę umiał, wzięli się obaj z księciem do przepowiadania roli, do „próby", jak to nazywał książę. Król pamiętał już słowa, lecz mimo to książę ciągle musiał go uczyć, jak ma mówić, jak się ruszać; kazał mu chodzić, wzdychać, rękę kłaść na sercu, aż dopiero po niejakim czasie powiedział, że teraz dobrze.

– Tylko – mówi – nie powinieneś tak ryczeć: „Romeo! Romeo!" Trzeba to wymawiać miękko, słodko, łagodnie... Ro-o-o-me-o, tak, jak ja mówię. Julia, widzisz, jest to młode dziewczę, dziecko prawie... Grucha do kochanka, jak turkawka. Nie wypada, żeby się darła jak osioł.

Nazajutrz wziął do ręki długie miecze z dębowych deszczułek i zaczęli ćwiczyć się w robieniu bronią. Książę powiedział, że jest Ryszardem III i że bije się na miecze z rycerzem dzielnym i walecznym. W końcu królowi powinęła się noga i wpadł do wody, a gdy znów na pomost się dostał, usiedli obaj dla wytchnienia i rozmawiać zaczęli o różnych przygodach, które im się zdarzyły podczas wędrówek dawniejszych.

Po obiedzie rzekł książę:

– Wiesz co, Kapet, skoro chcemy, żeby przedstawienie było co się zowie, to trzeba jeszcze coś dodać do niego. Powinniśmy mieć coś w zapasie, żeby odpowiedzieć na bisowanie. Ja dam od siebie sztuki gimnastyczne górali szkockich albo piosenki marynarskie przy akompaniamencie kobzy, ty zaś, monarcho, powiesz... powiesz... aha, już wiem: powiesz monolog Hamleta.

– Hamleta... co?

– Monolog Hamleta, ustęp najwspanialszy w całym Szekspirze. Ach! Co to za kawał wspaniały i cudowny! Zawsze cały teatr porywa. Nie mam go w książce... bo posiadam tylko jeden tom Szekspira – ale liczę na to, że potrafię cały wyrecytować z pamięci.

Zaczął więc chodzić po tratwie tam i na powrót, myśląc i od czasu do czasu okropnie się marszcząc. W ten sposób powoli wszystko sobie przypomniał i zawołał na nas, żebyśmy pilnie uważali. Przybrawszy szlachetną postawę, jedną nogę naprzód wysunął, ręce przed siebie wyciągnął, głowę tak w tył przechylił, że prosto w niebo mógł patrzeć i dopieroż, jak nie zacznie krzyczeć, zgrzytać i od czasu do czasu wyrzucać jęki do wycia podobne, jak nie zacznie podskakiwać, zataczać się i piersi wydymać! Każde słowo wyrzucał z siebie jak z procy, a ciskał się przy tym jak w gorączce. Ach! Grał cudownie! Nigdy jeszcze takiej gry nie widziałem.

Królowi niezmiernie się podobała ta piękna przemowa i prędko się jej wyuczył. Zdawało się, doprawdy, że już przyszedł na świat z tym talentem, tak się unosił i zapalał, tak krzyczał, tak miotał słowami i tyle wykonywał ruchów.

Książę skorzystał z pierwszej sposobności, żeby wydrukować potrzebną ilość afiszów, w których mające nastąpić przedstawienie uznał jako cuda nigdy jeszcze nie oglądane. Przez parę dni płynęliśmy, nigdzie do brzegu nie przybijając, a przez cały ten czas na pomoście naszej tratwy panowało niezwykłe ożywienie, ciągle bowiem odbywały się próby to z dramatami, to z bronią. Pewnego dnia nareszcie, płynąc wzdłuż wybrzeży stanu Arkansas, ujrzeliśmy przed sobą małe miasteczko, zbudowane nad zatoką, wrzynającą się głęboko w ląd.

O pół mili od miasta, zostawiwszy Jima na tratwie, ukrytej wśród rozłożystych gałęzi modrzewiowych, siedliśmy we trzech do łódki i popłynęli do miasteczka, żeby zbadać, czy będzie tam możliwe przedstawienie.

Trafiliśmy bardzo dobrze, bo tego samego dnia po południu odbyć się miało przedstawienie w cyrku i z całej okolicy zjeżdżali się już ludzie wózkami lub konno, jak komu wypadło.

Miało to być przedstawienie pożegnalne, bo cyrk dziś jeszcze odjeżdżał, należało więc korzystać ze zjazdu i wystąpić w całej okazałości. Zrozumiał to książę i, nie tracąc czasu, najął tę samą salę, a potem rozlepiliśmy afisze po całym mieście. Nie upłynęło i paru godzin, gdy cała publiczność czytać mogła, co następuje:

!!!SZEKSPIROWSKA BIESIADA!!!

Niesłychanie interesująca.

JEDNO JEDYNE PRZEDSTAWIENIE.

Słynni na cały świat tragicy:

Dawid Garrick Młodszy, z teatru Drury Lane

w Londynie,

oraz Edmund Kean Starszy, z królewskich teatrów Haymarket, Whitechapel, Piccadilly w Londynie, tudzież wielu królewskich teatrów na stałym lądzie, zamierzają uraczyć publiczność wspaniałym przedstawieniem

sceny na balkonie
z „ROMEA I JULII"

Romeo .... p. Garrick
Julia .... p. Kean

z pomocą trupy nieporównanej!
Nowe kostiumy! Nowe dekoracje! Wszystko nowe!

Po czym nastąpi
Do głębi serca wzruszająca, krew ścinająca w żyłach, mistrzowsko prowadzona

WALKA NA MIECZE
z „RYSZARDA III"

Ryszard III . . . . p. Garrick
Richmond . . . . p . Kean

a także
(na specjalne żądanie publiczności)
NIEŚMIERTELNY MONOLOG HAMLETA
wypowie znakomity i słynny na cały świat Kean,
który powyższym monologiem zachwycał
przez 300 wieczorów z rzędu
wyborową publiczność wielkiej stolicy Paryża.

W ten sposób, zaciekawiwszy miasteczko, puściliśmy się w wędrówkę po nim.

Im bliżej było wieczora, tym więcej pojawiało się na ulicach wozów i koni, a coraz to nowe przybywały. Całymi rodzinami zjeżdżali się ludzie, przywożąc z sobą ze wsi kosze zapasów, żeby je spożyć na wózkach. Napitków nie brakło też wcale, a ci i owi, trunkiem zagrzani, brali się za bary i nie na żarty szła walka. Wtem krzyknął ktoś:

– Patrzcie, jedzie stary Boggs! Objechał wszystkie szynki w okolicy i wraca! Boggs jedzie! Boggs!

Śród ludzi na pakach powstała radość, bo jak odgadłem, przywykli drwić ze starego. Jeden z nich krzyczy:

– Ciekaw jestem, kogo też stary Boggs dziś posieka? Gdyby był posiekał tych wszystkich, którym groził w przeciągu ostatnich lat dwudziestu, to słynąłby jako zabijaka pierwszego rzędu.

A drugi mu przerywa:

– Chciałbym, żeby stary Boggs mnie zagroził, miałbym pewność, że z jego ręki nie zginę.

Wtem nadjeżdża Boggs, koń pod nim idzie dobrego kłusa, a on krzycząc i wyjąc jak czerwonoskóry, woła:

– Z drogi! Rozstąpcie się! Z drogi, mówię... Na wojnę jadę... Cena trumien pójdzie w górę!

Pijany był i chwiał się na siodle, twarz miał jak ogień czerwoną, nie bardzo starą, bo też liczono mu niewiele więcej nad pięćdziesiąt lat. Zaczepiali go wszyscy, śmiali się z niego, wymyślali mu, a on wymyślał także, wołając, że nauczyłby wszystkich rozumu, gdyby miał czas. Przyjechał jedynie dla zabicia starego pułkownika Sherburna.

Gdy mnie spostrzegł, podjechał i woła:

– A tyś skąd, chłopcze? Czy gotów jesteś na śmierć?

I pojechał dalej. Zmieszałem się trochę, a ktoś z obecnych mówi:

– Nie zważaj na to, to jego zwykłe gadanie. Gdy pijany, wszystkich na śmierć wyprawia, a po trzeźwemu to człowiek najlepszy w świecie.

Boggs zatrzymał konia przed największym w mieście magazynem, schylił się tak, żeby mógł głowę wsadzić pod markizę, i krzyczy na cały głos:

– Wyjdź zaraz do mnie, Sherburn! Wyjdź i spójrz w oczy człowiekowi, którego niegodnie oszukałeś. Psem jesteś podłym, psem, który nie ujdzie rąk moich!

Wymyślał tak w dalszym ciągu, wykrzykując, co tylko mu ślina na język przyniosła, a cała ulica pełna była ludzi, którzy słuchali i śmiali się. Na koniec otworzyły się drzwi magazynu i wyjrzał mężczyzna w sile wieku, pańskiej postawy, ubrany bardzo porządnie. Na jego widok rozstąpili się wszyscy, on zaś wolnym krokiem idąc do Boggsa, mówi mu jak najspokojniej:

– Znudziło mnie już twoje wykrzykiwanie, ale będę jeszcze cierpliwy do pierwszej. Punkt do pierwszej, słyszysz? Ani minuty dłużej! Jeżeli po pierwszej powiesz jeszcze choć jedno słowo przeciwko mnie, pamiętaj, że ci to nie ujdzie na sucho.

Odwrócił się i poszedł. Tłum przycichł, przestano śmiać się i krzyczeć. Boggs, wymyślając Sherburnowi, pojechał dalej, lecz dojechawszy do końca ulicy, zawrócił znów konia, zatrzymał przed magazynem i nuż wymyślać jak przedtem. Zebrało się kilku ludzi koło niego i namawiają, żeby dał pokój. Ani myśli! Tłumaczą mu, że do pierwszej brakuje tylko dziesięciu minut, że powinien wracać do domu. Ani o tym chce słyszeć! Krzyczy coraz głośniej, zrywa sobie kapelusz z głowy, rzuca go w błoto, tratuje końskimi kopytami i znów dalej jedzie ulicą, a wiatr mu rozwiewa siwe włosy. Idą za nim, proszą, namawiają, aby zsiadł z konia, wszystko na nic! Znów wraca, znów się zatrzymuje przed magazynem, nie przestając wymyślać Sherburnowi. Wreszcie ktoś powiada:

– Niech kto pójdzie po jego córkę! Prędko! Jeżeli kogo usłucha, to córki.

Pobiegł więc ktoś po córkę, a ja odszedłem trochę na bok i czekam. Nie upłynęło i pięć minut, gdy widzę, zmierza Boggs w moją stronę – ale już nie na koniu; idzie pieszo, z gołą głową, zatacza się, a dwóch przyjaciół trzyma go pod ręce i uprowadza pośpiesznie. Spokojny był i wyglądał, jakby się lękał trochę, zauważyłem nawet, że wcale nie stawiał oporu, lecz jakby właśnie przyśpieszał kroku. Wtem woła ktoś:

– Boggs!

Spojrzałem, chcąc zobaczyć, kto zawołał. Patrzę, pułkownik Sherburn. Stoi na samym środku ulicy i w prawej ręce trzyma pistolet wysoko podniesiony, ale nie mierzy do nikogo, tylko lufą do góry go zwraca. W tej samej chwili widzę pędem biegnącą młodą dziewczynę w towarzystwie dwóch mężczyzn. Boggs odwrócił się, żeby zobaczyć, kto go woła, obrócili się także i prowadzący go, ale ujrzawszy pistolet, odskoczyli obaj, a Sherburn, spuszczając powoli pistolet, bierze na cel Boggsa. Boggs, widząc to, podnosi obie ręce do góry i woła: „O Boże! Nie strzelaj" Wtem... bum!, rozlega się pierwszy strzał... Boggs chwieje się, przechyla w tył i rękoma bije powietrze. Bum! – drugi strzał... i Boggs pada na wznak jak długi, rozkrzyżowawszy ramiona... Dziewczyna z krzykiem rzuca się ku ojcu i płacząc woła: „Zabił go! Zabił!"

Pułkownik Sherburn, rzuciwszy pistolet na ziemię, wykręcił się na obcasie i poszedł do sklepu.

Gdy nieśli Boggsa do jakiejś apteki, całe miasto tłumem biegło za nim.

Ludność tak była tym wypadkiem wzburzona, tak się odgrażano Sherburnowi, iż myślałem, że mu to nie ujdzie na sucho. Na ulicach snuły się tłumy niespokojne; ci, co byli naocznymi świadkami zdarzenia, opowiadali je po raz setny może, a nigdy nie brakło słuchaczy. Człowiek jakiś wysoki, chudy, o długich włosach i wysokim kapeluszu białym, pilśniowym, na tyle głowy, laską sękatą zakreślał na błocie koła, mówiąc: „Tu stał Boggs, a tu Sherburn". Ludzie śledzili każdy ruch jego i pilnie wpatrywali się w koła, kiwając głowami na znak, że rozumieją. On zaś stał wyprostowany i sztywny na tym miejscu, na którym wypadało stać Sherburnowi, brwi marszczył, kapelusz na oczy nasuwał, krzyczał: „Boggs!", z laski do celu mierzył, a zawoławszy „bum!" – przechylał się w tył i chwiał na nogach, jakby trafiony. Nie upadał jednak, ale raz drugi wołał: „bum!" i wtedy dopiero padał na ziemię. Ci, którym udało się widzieć to, mówili, że doskonale przedstawiał całe zajście, kubek w kubek tak, jak było. Gdy skończył, ze dwanaście osób wyjęło butelki z wódką i rozpoczął się teraz poczęstunek.

Po niejakim czasie ktoś się odezwał, że warto by zastosować do Sherburna prawo linczu. Zgodzili się wszyscy, więc tłum popędził, wrzeszcząc, wyjąc i ściągając po drodze rozwieszoną tu i ówdzie bieliznę, aby ją podrzeć na sznur dla powieszenia Sherburna.

XXII

Sherburn. – Przejmująca do głębi serca tragedia.

Skierowali się całą gromadą ku domowi Sherburna, z dzikim wrzaskiem, z wymyślaniem, zupełnie jak napadający na przeciwnika czerwonoskórzy, a tak pędzili, tak się pchali, że wszystko musiało im z drogi ustępować.

Zatrzymali się wreszcie przed sztachetami domu Sherburna, za którymi widać było niewielkie podwórko kwadratowe. Hałas wzmógł się tak, że nie można było rozróżnić ani jednego słowa; krzyczeli wszyscy jeden przez drugiego. Na koniec udało się komuś przekrzyczeć innych.

– Znieść sztachety! Znieść sztachety! – a tłum, podchwyciwszy słowa, powtórzył je chórem. Zaraz też dał się słyszeć trzask drewna, sztachety runęły na ziemię, a przednie szeregi tłumu wdarły się, jak powódź, w podwórze.

W tej samej chwili ukazał się Sherburn na balkonie od frontu, z dubeltówką w ręku i, ani słowa nie mówiąc, spokojny, z miną człowieka, który ustąpić nie myśli, stanął tuż przy poręczy balkonu i patrzy. Odwiódł kurki i wycelował dubeltówkę w sam środek tłumu. Tłum zakołysał się i odstąpił parę kroków.

Ani słowa nie przemówił Sherburn, stał tylko i z góry patrzył na ludzi. Cisza zrobiła się taka, że aż mi mrówki po grzbiecie chodzić zaczęły, a włosy dębem stawały. Sherburn powiódł oczyma po tłumie, a gdziekolwiek padł wzrok jego, nikt spojrzenia tych oczu przetrzymać nie mógł. Każdy głowę tylko spuszczał i na durnia wyglądał. Wytrzymał ich tak przez parę minut, a potem... zaśmiał się niby. Ale jaki to był śmiech! Nie ten wesoły i szczery, którego miło słuchać, nie! Słuchając go, miało się zupełnie takie wrażenie, jak gdyby się jadło chleb, w którym więcej jest piasku niż mąki.

Zaśmiał się, a potem wolno, wzgardliwie powiada:

– Przyszliście sprawiedliwość wymierzać? Wy? A to zabawne! Alboż wy macie dosyć odwagi, żebyście się zdobyli na wymierzenie sprawiedliwości mnie, mężczyźnie? Dlatego, że umiecie wykąpać w smole i wytarzać w pierzu jedną i drugą kobietę bezbronną, która się włóczy po ulicach, to sądzicie, że wam starczy śmiałości, żeby choć palcem jednym dotknąć mnie – mężczyznę? Cóż znowu! Ja, mężczyzna, bezpieczny jestem w ręku dziesięciu tysięcy takich jak wy – dopóki dzień biały, dopóki mam was przed oczyma, nie za plecami.

Przyszliście tu tłumnie, a wśród was nie ma ani jednego mężczyzny. Widzę kawałek tylko, a jest nim ten, który was namówił do napadu, Buck Harness. Tak, on jeden jest kawałkiem mężczyzny, może nawet połową. I dlatego, gdy on krzyknął: „Hejże! Na Sherburna!", poszliście za nim, jak barany.

A wiecie dlaczego? Boście tchórze – nie ludzie, nikczemne kundle – nie ludzie. A kiedyście kundle, to wiecie, co wam czynić należy? Pospuszczać ogony i zmykać, a potem powłazić do bud swoich. Precz, słyszycie? A swoją połowę człowieka także z sobą zabierzcie!

Po tych słowach, przerzuciwszy dubeltówkę przez lewe ramię, obrócił się do nich plecami – i poszedł.

Tłum stał jak wryty, a potem rozsypał się na gromadki, które jedna za drugą znikać zaczęły z minami dosyć rzadkimi. Co do mnie, mógłbym był zostać, gdybym chciał, ale nie chciałem.

Tego samego wieczora odbyło się nasze przedstawienie, ale przyszło na nie tylko dwunastu ludzi; tyle zaledwie, aby się koszta zwróciły. I co najgorsza, śmiali się ciągle, czym księcia doprowadzali do wściekłości; ale wynieśli się, nie doczekawszy końca; został jeden tylko widz, jakiś chłopiec, który spał jak zabity. Zobaczywszy to, powiedział książę, że takim gburom nie opłaci się dawać Szekspira, że on już wie, czego im potrzeba.

Zaraz też nazajutrz rano, kupiwszy kilka arkuszy papieru, tego formatu jak na ogłoszenia, i nieco czarnej farby, napisał afisze, dopełnił je odpowiednimi rysunkami i porozlepiał po wszystkich ulicach.

Afisz głosił:

W miejscowej sali
przez trzy tylko wieczory
występować będą słynni w całym świecie tragicy
Dawid Garrick Młodszy
i
Edmund Kean Starszy
(artyści londyńskich i wielu innych teatrów)
w przejmującej do głębi serca tragedii,
przez nich samych ułożonej,
pt.
„KRÓLEWSKA ŻYRAFA
czyli
KRÓL JAKI-TAKI"
Wejście 50 centów.

Na samym zaś końcu dopisano wielkimi literami:

DZIECIOM I KOBIETOM
WSTĘP WZBRONIONY

– No! – rzekł książę – jeżeli się na to nie złapią, to ja nie znam Arkansasu!

XXIII

Przygotowania. – Obyczaj królów. – Jim zaczyna tęsknić.

Przez cały dzień książę z królem pracowali zawzięcie, urządzając scenę; zawiesili kurtynę, przygotowali oświetlenie, a gdy wieczór nadszedł, sala napełniła się w jednej chwili mnóstwem ludzi. Gdy już napłynęło tyle, że nie było gdzie szpilki wetknąć, książę, który stał u wejścia dla odbierania pieniędzy, okrążył dom, wszedł na scenę, stanął przed kurtyną i miał przemowę do publiczności. Zaczął od wychwalania tragedii, którą miano przedstawiać, mówiąc, że aż włosy stają na głowie, aż się serce kraje, tyle w niej rzeczy nadzwyczajnych. A potem prawił jeszcze o wielkości Keana Starszego, który podjął się odegrania głównej roli, i dopiero, doprowadziwszy publiczność do stanu zniecierpliwienia, kazał podnieść kurtynę.

W tejże chwili ukazał się na scenie... król na czworakach, nagi zupełnie, ale cały pomalowany w pręgi i koła, na wszystkie kolory, jakie są, co go czyniło podobnym do ruszającej się tęczy. Wtoczył się i... było to mocno nieprzyzwoite, ale okropnie zabawne. Ludziska aż się pokładali ze śmiechu, a gdy król przestał brykać i wierzgać, wyjechawszy na czworakach za kulisy, zaczęli tak tupać i klaskać z okrzykami: Powtórzyć!" że powrócił i znów wyprawiał te same sztuki. I co tu dziwić się ludziom, kiedy, przekonany jestem, krowa pękałaby ze śmiechu, widząc, jak ten stary idiota kozły fika i dziwowisko z siebie wyprawia.

Gdy już skończył naprawdę, książę spuścił kurtynę, wyszedłszy do publiczności, złożył jej głęboki ukłon, po czym oznajmił, że z powodu niecierpiących zwłoki zobowiązań, które zaciągnął w Londynie, gdzie w teatrze Drury Lane wszystkie miejsca już są rozkupione, tylko dwa razy jeszcze odbędzie się przedstawienie „wielkiej" tragedii. Jeżeli zaś udało mu się zabawić szanowną publiczność i przynieść jej pożytek moralny, to prosi, aby mu tego dowiodła, polecając go swoim znajomym.

Tu składa ukłon po raz drugi i chce odchodzić, ale zewsząd słychać pytania:

– Jak to? Już po wszystkim? Na tym koniec?

Książę z miłym uśmiechem odpowiada „tak". Tu dopiero zaczęła się awantura! Wszyscy krzyczą jak jeden: „Okpił nas! Oszust! Łotr!" Wszyscy, powstawszy z miejsc, cisną się na scenę, żeby dostać słynnych aktorów w ręce. Wtem wysoki jakiś, postawny mężczyzna wskakuje na ławkę i woła:

– Panowie! Posłuchajcie! Słówko tylko!

Zatrzymali się i słuchają.

– Nie ma co mówić: okpili nas, grubo okpili! Ale nie widzę racji, żebyśmy się oddawali całemu miastu na pośmiewisko i żeby wszyscy wiedzieli, jak daliśmy się okpić dwu przybłędom. Mam rację? Co? Moim zdaniem, najlepiej będzie wyjść spokojnie, chwalić widowisko i okpić naszych współobywateli tak, jak nas okpiono. Będziemy przynajmniej w towarzystwie. Czy mam rację?

– Ma się rozumieć! Ma się rozumieć! – wołają wszyscy. – Sędzia mówi rozsądnie!

– No, więc kiedy tak, ani słowa nikomu! Rozejdźmy się i namawiajmy każdego na tragedię.

Nazajutrz w całym mieście o tym tylko mówiono, jak zajmujące, jak wspaniałe było przedstawienie wczorajsze. Sala zapełniła się szczelnie i tak samo zakpiono z publiczności. Po przedstawieniu król i książę wrócili razem ze mną i zasiedliśmy do kolacji, ale około północy powiedzieli nam, żebyśmy tratwę skierowali na środek rzeki, a odpłynąwszy o parę mil od miasta, ukryli ją.

Na trzeci wieczór sala znów była nabita ciekawymi, przyszli zaś ci sami, których już tu widziałem. Stojąc razem z księciem u wejścia, zauważyłem, że każdy z wchodzących ma czymś wypchaną kieszeń albo pod surdutem coś kryje, domyśliłem się więc natychmiast, że to nie perfumy ani cukierki. Węch mam dobry, pewien też byłem, że to koszyki z jajami zgniłymi, z takąż kapustą i tym podobnymi łakociami. Odczuwałem też węchem kota zdechłego, pewny będąc, że nawet jest sporo tej zwierzyny. Wszedłszy na chwilę na widownię, poczułem powietrze tak ciężkie, że trudno było wytrzymać. Gdy sala była już pełna, książę dał jakiemuś oberwańcowi ćwierć dolara z rozkazem zastąpienia go przy wejściu przez kilka minut, sam zaś obszedł dom wokoło, chcąc niby wejść na scenę tylnymi drzwiami. Ja za nim, ale w tej chwili, gdyśmy się znaleźli w ciemności, pod boczną ścianą domu, powiada mi książę na ucho:

– Przyśpiesz kroku, a gdy się przerzedzą domy, bierz nogi za pas i pędź w stronę tratwy, jakby cię sto diabłów goniło.

Jednocześnie prawie dopadłszy do tratwy, natychmiast ruszyliśmy z miejsca, wśród ciemności zmierzając ku środkowi rzeki, której prąd unieść miał tratwę, jak można najdalej od „tragedii". Milczeliśmy wszyscy, ja zaś pojąć nie mogłem, jak sobie pocznie stary król nieszczęsny, z salą pełną słuchaczy, tak wrogo usposobionych. To mu się tam dopiero dostanie! Tymczasem król nasz wysuwa się z budki i mówi:

– Cóż, książę, bardzo tam było gorąco?

Okazało się, że wcale nie chodził do miasta!

Siedzieliśmy po ciemku, dopóki nie odniosła nas woda o jakie mil dziesięć od miasteczka. Wtedy dopiero, zapaliwszy światło, zjedliśmy kolację, a król i książę aż się za boki brali ze śmiechu na myśl o „szanownej publiczności".

– Osły! Kapuściane głowy! Od razu wiedziałem, że pierwsi sprowadzą drugich, żeby sobie nic nie mieć do wyrzucenia. Byłem też pewien, że na trzeci wieczór nie będzie nowych, lecz przyjdą wczorajsi i pozawczorajsi skwitować się z nami. Ciekaw tylko jestem, co teraz czynią; kolacja składkowa byłaby najwłaściwsza, bo dosyć z sobą mieli zapasów.

Przez trzy wieczory „słynni aktorzy" zdobyli czterysta sześćdziesiąt pięć dolarów.

Poszedłem spać, ale gdy na mnie przyszła kolej czuwania, Jim nie obudził mnie wcale. Zdarzało się to bardzo często. Wstawszy przed samym świtem, ujrzałem go z głową na kolanach wspartą, jęczał i żalił się na coś półgłosem. Nie zwracając na to uwagi, nie odzywałem się wcale, pewny, że mu coś dobrze dokucza. Myślał o żonie i o dzieciach, tęskniąc za nimi, bo po raz pierwszy był od nich z dala. Nie wątpię, że żonę i dzieci kochał tak samo, jak biały. Wydaje się to nieprawdopodobne, a jednak mam pewność, że tak było. Nieraz w nocy Jim, przekonany, że śpię, wyrzekał, jęcząc żałośnie: „O, moja maleńka Elżusiu! O, mój mały Janeczku! Gdybyńcie wiedzieli, jak mi żal, że już was nigdy nie zobaczę!"

Ten Murzyn miał okrutnie dobre serce! Gdy raz wszcząłem z nim rozmowę o jego żonie i o dzieciach, rozgadał się biedak i mówi:

– A to dlatego, widzisz, taki żal ścisnął mi serce, żem usłyszał ot tam na brzegu silny plusk jakiś, który mi przypomniał moją biedną Elżunię. Miała cztery lata zaledwie, gdy dostała szkarlatyny. Była bliska śmierci, lecz wyzdrowiała. Jednego dnia, gdy stała przy mnie, rzekłem:

– Zamknij drzwi.

Ona nie rusza się z miejsca, stoi tylko i patrzy na mnie. Złość mnie wzięła, więc, głos podnosząc, mówię:

– Czy nie słyszysz, zamknij drzwi.

A ta wciąż stoi, wdzięcznie się do mnie uśmiechając.

– Nauczę cię słuchać – wołam wściekły, tak uderzając dziecinę, że upadła.

Poszedłszy do drugiej izby, siedziałem tam przez kilka minut, a gdy wróciłem, w drzwiach otwartych jeszcze stoi dziecko, patrzy w ziemię i płacze. Kipiałem z gniewu. Rzucam się na nią, gdy wtem... wpada wiatr i drzwi, otwierające się na zewnątrz, zamyka z trzaskiem, tuż za plecami dziecka... Ta ani drgnie! Zdrętwiałem... sam nie wiem, co się we mnie działo... Choć nogi drżały pode mną, obszedłem naokoło po cichutku, drzwi otworzyłem

i tuż nad uchem Elżuni, jak nie wrzasnę na całe gardło: „Paf!" A ona ani drgnie! O, Huck! Wtedy, ryknąwszy płaczem, schwyciłem nieszczęśliwą na ręce i szlocham: „Biedactwo ty moje! Kochanie ty moje maleńkie! Niechaj Bóg Wszechmogący ulituje się nad biednym Jimem, bo on sam sobie nie przebaczy, póki życia! O, Huck! Ona była jak pień głucha, jak pień... i niema przy tym – głuchoniema! A ja tak się nad nią pastwiłem!

XXIV

Jim w szatach królewskich. – Trafia się pasażer. – Parę słów wiadomości. – Śmierć w rodzinie.

Na drugi dzień, pod wieczór, staliśmy w cieniu brzóz, porastających wysepkę, wsuniętą prawie w sam środek rzeki. Na obu brzegach widać było porządnie zabudowane wioski czy miasteczka, a król i książę naradzali się, jakim by sposobem można w nich trochę grosza zarobić. Jim wyraził królowi nadzieję rychłego ujrzenia nas, bo ciężko mu było i nudno leżeć związanemu w budce podczas naszej nieobecności. W samej rzeczy, za każdym odjazdem naszym zostawał związany, bo gdyby się kto trafił pod nieobecność naszą i zobaczył Murzyna samego, zaraz by wziął go za zbiega i pojmał. Uznawszy słuszność narzekań Jima, książę postanowił wymyślić co innego.

Jakoż ustroił Jima w ubranie króla Leara; w długi szlafrok z perkalu w wielkie kwiaty, w perukę z białego włosienia i takież same bokobrody, potem zaś, wziąwszy farbę, której używał do malowania dekoracji, pomalował twarz, uszy, szyję i ręce Jima na piękny kolor sinawoniebieski tak, że Jim wyglądał jak topielec po dziesięciu dniach leżenia w wodzie. Niech mnie kaczki zdepczą, jeżeli widziałem kiedy w życiu podobne dziwadło! Nie dość na tym: wziąwszy deseczkę, książę wielkimi literami napisał na niej:

ARAB CHORY – ALE PÓKI MA PRZYTOMNOŚĆ, NIESZKODLIWY.

Przybiwszy deseczkę do żerdzi na kilka stóp wysokiej, postawił ją tuż u wejścia do budki. Jim czuł się niezmiernie zadowolony, zwłaszcza że książę wmówił w niego zupełne bezpieczeństwo. Gdyby jednak zawitał na tratwę ktoś nieproszony, Jim powinien był wyskoczyć z budki i ryknąć jak dzikie zwierzę dla odstraszenia napastników.

Nasi monarchowie chcieli znów próbować „wielkiej tragedii", która przyniosła im taki dochód, ale nie byli pewni, czy mogą to uczynić bezpiecznie, wiadomość bowiem o przedstawieniu miała czas rozejść się po wybrzeżu. Książę oznajmił, że się na parę godzin położy i mózg do roboty zapędzi, aby wymyślić coś, co będzie miało powodzenie w tak lichej mieścinie prowincjonalnej. Król zaś bez żadnego planu postanowił zajrzeć do drugiej, mniejszej z dwóch wiosek, które mieliśmy przed oczyma, ufając, że „Opatrzność" (a ja myślę – diabeł) obdarzy go zyskiem niespodziewanym.

Na ostatnim przystanku kupiliśmy sobie wszyscy zapasowe ubrania, król ubrał się w swoje, radząc mi także włożyć nową odzież. Usłuchałem go oczywiście. Wówczas to zobaczyłem po raz pierwszy na własne oczy, jak suknie zmieniają człowieka. Król, cały czarno ubrany, wyglądał na prawdziwego dżentelmena. W codziennych łachmanach podobny był do włóczęgi i oszusta, ale teraz, gdy, zdjąwszy z głowy biały kapelusz o szerokich kresach, chylił w ukłonie siwą głowę, łagodnie się przy tym uśmiechając, miał minę tak wspaniałą, tak świątobliwą i poważną, że każdy uznałby w nim wychodzącego wprost z arki starego Lewitę.

O jakieś trzy mile od miasteczka stał w przystani już od kilku godzin parowiec, gotów do odpłynięcia z towarem. Rzecze więc król:

– Ubrany jestem tak porządnie, że śmiało uchodzić mogę za kogoś przybywającego z Saint Louis, z Cincinnati albo też z innego wielkiego miasta. Popłyń więc, Huck, do parowca: przybędziemy na nim do miasteczka.

Nie potrzeba mi było mówić dwa razy, gdy szło o przejechanie się na parowcu. Najpierw jednak należało dopłynąć do brzegu i stamtąd dopiero powędrować na przystań. Po wyjściu na ląd spostrzegliśmy siedzącego na kłodzie młodego chłopca, o poczciwej twarzy głuptasa, który z powodu silnego upału ocierał pot z czoła. Obok niego leżało parę dobrze wypchanych toreb podróżnych.

– Dokąd zmierzasz, młodzieńcze? – zagadnął król.

– Czekam na parowiec, gdyż jadę do Orleanu.

– Siadaj do naszej łódki. Mój służący dopomoże ci przenieść torby. Pomóż no temu panu, Adolfie (Adolfem byłem ja).

Pomogłem mu i wsiedliśmy we trzech do łodzi. Młodzieniec wyraził swoją wdzięczność, gdyż ciężko mu było z pakunkami w taki upał. Na pytanie, dokąd jedziemy, król odpowiedział, że przybywa z daleka, że całą podróż odbył wodą, że dziś rano wylądował w nadbrzeżnej wiosce, a teraz śpieszy dla zobaczenia się ze starym, dawno nie widzianym przyjacielem.

Na to rzecze młodzieniec:

– Zobaczywszy pana, powiedziałem sobie: Pewien jestem, że to nie kto inny, tylko pan Wilks, a jeśli to on, to w samą porę przybywa. Potem znów myślę: Nie! To nie on. Skądże by pan Wilks łodzią płynął? Pan pewno nie pan Wilks, co?

– Nie. Nazywam się Blodgett, Aleksander Blodgett, dodać nawet muszę: Wielebny Aleksander Blodgett, gdyż jestem niegodnym sługą Pańskich ołtarzy. Ale pomimo to szczerze mi żal pana Wilksa, że nie przybył w porę, zwłaszcza jeśli mu co na tym zależało. Mam jednak w Bogu nadzieję, że żadnej nie poniósł straty.

– Majątkowej nie poniósł, bo czy tak, czy owak, wszystko odbierze, ale stracił wiele, bo nie był przy śmierci swego brata, Piotra. Może on o to nie dba, kto go tam wie? Ale brat byłby dał wiele, żeby go tylko ujrzeć przed śmiercią. W ostatnich tygodniach o niczym innym nie mówił! Nie widzieli się od lat młodzieńczych, drugiego zaś brata, Williama, Piotr nigdy w życiu nie widział. William jest głuchoniemy i ma zaledwie lat trzydzieści kilka. Piotr i Jerzy, najstarsi, przyjechali tu, Jerzy ożenił się, ale w przeszłym roku umarł i żona jego także umarła. Teraz gdy i Piotr umarł, dwóch tylko braci zostało, Harvey i William; nie zdążyli oni przybyć w porę.

– Czy nie dano im znać o chorobie brata?

– Jakżeby nie! Miesiąc temu czy dwa, gdy Piotr zachorował po raz pierwszy, zaraz ich powiadomiono, bo Piotr ciągle mówił, że już do zdrowia nie powróci. Widzi pan, Piotr bardzo był słaby, a córki Jerzego są za młode, aby z nich miał towarzystwo. Chyba tylko z jednej Marii-Joanny, tej rudej... ale i z tej widać nie miał pociechy, bo po śmierci Jerzego i jego żony czuł się okropnie osamotniony, niewiele dbając o życie. Gwałtownie pragnął widzieć Harveya... no i Williama także, ma się rozumieć... a głównie dlatego, że należał do tych ludzi, którzy nie mogą znieść myśli o napisaniu testamentu. Zostawił też list do Harveya z wyrażeniem swej woli co do podziału gotówki i majątku nieruchomego, bez krzywdy córek po Jerzym. Ledwie go namówili, żeby ten list napisać!

– Kiedy się spodziewają przyjazdu Harveya? Gdzie on mieszka?

– O, aż w Anglii, w Sheffield! Jest kaznodzieją, a tu nigdy w życiu nie był. Może nie ma czasu przyjechać, a może też i listu nie otrzymał... Kto go wie?

– Smutne to, bardzo smutne, że nie dożył nieborak widzenia się z bratem! A pan do Orleanu jedziesz, młodzieńcze? Wszak tak?

– Tak, ale nie na tym koniec mojej podróży. W przyszłą środę siadam na okręt i płynę do Rio Janeiro, gdzie mieszka mój wuj.

– O! To długa podróż! Ale piękna, bardzo piękna; zazdroszczę ci jej, młodzieńcze. Więc najstarsza jest Maria-Joanna? A młodsze w jakim wieku?

– Maria-Joanna ma dziewiętnaście lat, Zuzia piętnaście, a Janka nie ma jeszcze czternastu. Ta ostatnia oddaje się dobrym uczynkom i ma zajęczą wargę.

– Biedne dziewczęta! Same jedne na świecie wśród tylu serc obojętnych!

– No! Mogłoby im być gorzej. Stary Piotr miał przyjaciół, ci nie pozwolą, żeby się dziewczętom krzywda stała. Jest Hobson, kaznodzieja baptystów, jest dziekan Lot Hovey i Levi Bell, adwokat, i doktor Robinson, i żony ich, i wdowa Bartley, i inni jeszcze. O, jest sporo! Z tymi, których wymieniłem, Piotr żył najściślej i nieraz o nich wspominał w listach do krewnych, będzie więc łatwo Harveyowi szukać przyjaciół.

Król wciąż pytał i wypytywał, aż wszystko wycisnął z młodzieńca. Niech mnie kaczki zdepczą, jeżeli cokolwiek pominął.

– Dlaczego chciałeś, młodzieńcze, iść pieszo do przystani?

– Miałem obawę, czy taki wielki parowiec zechce się zatrzymać dla zabrania jednego pasażera, nie zawsze to czynią parostatki.

– Czy Piotr Wilks miał się dobrze?

– Oho, i jak jeszcze! Posiadał domy i grunt; mówią, że zostawił kilka tysięcy gotówki, dobrze ukrytej.

– Kiedy umarł?

– Wczorajszej nocy.

– Więc pogrzeb zapewne jutro.

– Tak, około południa.

– Ach, tak! To bardzo smutne rzeczy, ale prędzej czy później wszyscy umierać musimy. Najważniejsza rzecz – być na śmierć przygotowanym.

– Tak, proszę pana, tak. I mama to samo zawsze mówiła.

Gdy zbliżyliśmy się do parostatku, ładowanie miało się już ku końcowi i niebawem też odpłynął. Król ani wspomniał o wejściu na pokład, daremnie się więc cieszyłem nadzieją przejażdżki. Gdy już okręt odpłynął, król kazał wiosłować z pół mili jeszcze, a potem, wysiadłszy na ląd w miejscu samotnym i cienistym, powiada:

– Ruszaj teraz czym prędzej, sprowadź tu księcia i niech z sobą weźmie torbę podróżną, tę nową, a gdybyś go nie zastał na tratwie, to go odszukaj w miasteczku. Powiedz mu, że ma tu przyjść natychmiast!

Domyśliłem się, o co mu chodzi, ale nie powiedziałem ani słowa. Gdy nareszcie powróciłem wraz z księciem, kazali mi ukryć czółno, a sami usiedli na kłodzie. Król opowiedział księciu wszystko, czego się od tego głuptasa dowiedział, a starał się mówić nie po naszemu, lecz po angielsku, i udawało mu się to wcale nieźle. Nie potrafię go naśladować, ale przekonany jestem, że mówił dobrze.

– Książę, a jakże będzie z głuchoniemotą? Potrafisz? – pyta w końcu.

– Nie troszcz się o to – odpowiedział – na scenie grywałem już role głuchych i niemych.

Po długim oczekiwaniu ujrzeliśmy wielki parowiec pasażerski z Cincinnati. Na dany znak zatrzymał się i przyjął nas na pokład, ale gdy kapitan zawiadomiony został, że mamy wysiadać o cztery mile dalej, mało nie oszalał ze złości i zaklął się, że nas nie wysadzi. Król jednak, nie tracąc zimnej krwi, powiada:

– Jeżeli pasażer może zapłacić po dolarze za milę, byle tylko przybyć w porę na miejsce, to parowiec może chyba go zabrać. Jak się panu zdaje?

Kapitan złagodniał i gdy zrównaliśmy się z miasteczkiem, wysadzono nas na ląd. Widząc nadpływający parowiec, kilkunastu ludzi zebrało się na wybrzeżu i czekało...

Na pytanie króla, gdzie mieszka pan Piotr Wilks, jeden z nich odpowiedział cicho i łagodnie:

– Bardzo nam przykro, ale co najwyżej możemy panu powiedzieć, gdzie wczoraj jeszcze mieszkał Piotr Wilks.

Wtem, jakby sprężyną podrzucony, stary oszust zatacza się, chwieje, potem upada na mówiącego i oparłszy brodę na jego ramieniu, łzami polewa mu plecy, jęcząc:

– Ach, nieszczęście, nieszczęście! Nie ma już brata naszego! Porzucił nas, a my nie zdążyliśmy pożegnać go. Ach! Co za straszna niespodzianka!

Po czym, szlochając ciągle, dawał palcami jakieś znaki księciu, który, niech mi głowę zetną, jeżeli kłamię, wypuściwszy z rąk torbę, na poczekaniu płaczem wybuchnął. Jeżeli widział kto kiedy na świecie takich oszustów, to ja nie wiem, czym jestem!

Zaraz też wszyscy zebrani, okazując współczucie, łagodzili ich rozpacz. Ten wziął jedną torbę, ów drugą, trzeci podał królowi ramię, czwarty podtrzymywał szlochającego księcia, inny jeszcze opowiadał królowi o ostatnich chwilach zmarłego brata. Król powtórzył to zaraz na palcach księciu i znowu obaj uderzyli w taki płacz po nieboszczyku garbarzu, jak gdyby stracili dwunastu apostołów. Niech na całe życie w Murzyna się zmienię, jeżeli widziałem kiedyś coś podobnego! Aż się wstyd robi człowiekowi, że należy do tego samego rodu ludzkiego!

XXV

Czy to oni? – Śpiewy żałobne. – Możemy się bez nich obejść. – Straszny moment.

Wiadomość o przybyciu braci zmarłego rozbiegła się w lot po miasteczku. Nie upłynęło dziesięciu minut, gdy ze wszystkich ulic i uliczek ściągali ciekawi z takim pośpiechem, że niektórzy po drodze dopiero zakładali surduty. Niebawem otoczył nas tłum, który z każdą chwilą wzrastał; wszystkie okna, wszystkie drzwi pełne były ciekawych, a co chwila dawało się słyszeć pytanie:

– Czy to oni?

Ktoś z tłumu czuł się w obowiązku odpowiadać:

– A któż by, jak nie oni?

Przecisnąwszy się wreszcie do domu, ujrzeliśmy na ganku trzy synowice zmarłego, które wyszły na nasze spotkanie. Maria-Joanna była naprawdę ruda, ale taka śliczna, że aż strach, i tak uradowana z przyjazdu stryjów, że z oczu jej i z twarzy jasność biła.

Król rozwarł ramiona, w które Maria-Joanna rzuciła się bez wahania, zaś ta z zajęczą wargą objęła za szyję księcia. Powitania i uściski trwały tak długo, że wszyscy patrzący (głównie zaś kobiety) płakali ze wzruszenia, na widok miłości rodzinnej, tak potężnej.

Po chwili król ukradkiem szturchnął księcia (na własne oczy widziałem), obejrzał się wokoło i zobaczył trumnę, stojącą w rogu pokoju na dwóch krzesłach. Wtedy jeden drugiemu położył rękę na ramieniu, a drugą, wolną, podnieśli do oczu, i tak trzymając się, krokiem uroczystym szli ku trumnie. Stanąwszy przy trumnie, pochylili się nad nią i długo patrzyli na nieboszczyka, a potem wybuchnęli takim płaczem, że słyszano go zapewne o dziesięć mil naokoło. Nie tylko oni płakali: wszystkim obecnym płynęły z oczu łzy tak rzęsiste, że aż wilgotno było w pokoju. Potem obaj bracia uklękli przy trumnie i, wsparłszy czoło o jej krawędź, pogrążyli się w cichej modlitwie.

Po dość długiej chwili niemego pogrążenia się w modlitwie, król powstał, postąpił kilka kroków naprzód i, mocując się ze wzruszeniem, które głos mu łzami przerywało, miał krótką mowę o strasznym ciosie zarówno dla niego, jak i dla dotkniętego kalectwem brata, który to cios osładza im tylko współczucie drogich sąsiadów i łzy ich, z serca płynące... Prawił dalej, że wdzięczności swojej nie jest w stanie wyrazić wszystkim obecnym, gdyż słowa zimne do stwierdzenia jego uczuć nie wystarczają.

– Ja i synowice moje – wołał – będziemy szczęśliwi, jeżeli bliżsi przyjaciele rodziny zechcą pozostać na wieczerzy, ku uczczeniu pamięci nieboszczyka.

Ponieważ usta jego śmierć na wieki zamknęła, więc on, Harvey, znając z listów przyjaciół brata, w jego imieniu zaprasza: Wielebnego Hobsona, dziekana Lota Hoveya, Bena Buckera, Abnera Shackleforda, pana Leviego Bella, doktora Robinsona i ich żony, oraz wdowę Bartley.

Wielebny Hobson razem z doktorem Robinsonem znajdowali się wtedy na przeciwnym końcu miasta, obaj na jednym polowaniu: doktor wyprawiał chorego na tamten świat, a kaznodzieja przysposabiał go do tej podróży. Adwokat Bell przebywał w Louisville, ale wszyscy inni byli obecni, każdy więc podszedł do króla, zamienił z nim uścisk ręki i podziękował za pamięć.

Król przedłużał rozmowę tak zręcznie, że się o wszystkim dowiedział.

Podczas rozmowy Maria-Joanna przyniosła list, pozostawiony przez stryja, a król czytał go głośno i znów łzy nad nim wylewał. W liście tym nieboszczyk pisał, że zapisuje dom mieszkalny oraz trzy tysiące dolarów w złocie synowicom; garbarnię zaś razem z kilkoma innymi domami i gruntami oraz trzy tysiące dolarów w złocie zostawia braciom swoim, Harveyowi i Williamowi. Gdy zaś list wskazał, że całe sześć tysięcy jest w piwnicy, oświadczyli zaraz bracia gotowość zejścia po pieniądze dla prędszego ukończenia interesów, mnie zaś kazali towarzyszyć ze świecą.

Zamknęliśmy za sobą drzwi od piwnicy, a gdy po niedługim szukaniu znaleźli oszuści worek ze złotem, rozsypali je na podłodze, żeby nacieszyc się ponętnym dla nich widokiem. Jak też się królowi oczy iskrzyły!

Każdy inny byłby się zadowolił samym widokiem sporego worka, ale im tego było za mało; musieli przerachować wszystko, co do sztuki! Gdy okazał się brak czterystu piętnastu dolarów, król rzekł:

– A niechże go licho porwie! Gdzie on podział resztę?

– Ha! Cóż robić! – rzekł książę. – Chory był człowiek, straciwszy pamięć, pomylić się musiał w rachunku. Podług mnie, nie trzeba mówić o tym, że brak pieniędzy, bez których obejść się przecie możemy.

– Zapewne, możemy się obejść. Nie idzie o te kilkaset dolarów, ale o ścisłość w rachunkach, które koniecznie być muszą czyste! Trzeba te pieniądze zanieść na górę i przeliczyć je wobec wszystkich, żeby nikt nie śmiał nas podejrzewać. Skoro nieboszczyk pisze w liście, że zostawia sześć tysięcy dolarów, to rozumiesz chyba, że...

– Rozumiem – przerywa książę – rozumiem. Sami pokryjemy deficyt – i z własnej kieszeni wyciągnął złote dolary.

– A to wyborny pomysł, książę. Wyborny! Nie dla kształtu masz głowę. No, niechże i ja stary dopomogę do utrzymania naszej dobrej sławy! – i to mówiąc, wydobywał z kieszeni sztuki złota.

Mało nie pękli ze złości, ale dołożyli tyle, ile do sześciu tysięcy brakowało.

– Słuchaj – powiada książę – przyszła mi jeszcze jedna myśl. Idźmy na górę, zliczmy pieniądze, a potem oddajmy wszystko dziewczętom.

– A wiesz, książę, żeś do pomysłów jedyny! Świetny pomysł, najświetniejszy, jaki komu kiedykolwiek przyszedł do głowy!

Gdy wróciliśmy na górę, król wobec zgromadzonych wyliczył pieniądze, układając je w dwadzieścia rulonów, po trzysta sztuk w każdym. Wszyscy oblizywali się na nie, jak nie przymierzając kot na mleko, a oczy gorzały im niby świece. Gdy złożono wszystkie dolary do worka, król przemówił:

– Mili przyjaciele! Nieszczęsny mój brat, którego śmiertelne szczątki w tej oto trumnie spoczywają, okazał się wspaniałomyślny dla tych biednych sierotek bez ojca i matki, które ukochał i do łona swego przytulił. Tak, lecz my, którzyśmy go znali, wiemy, że byłby się okazał stokroć wspaniałomyślniejszy, gdyby nie obawa skrzywdzenia braci. Tak, byłby się okazał! Jestem pewien, że zgaduję jego zamiary. Jakimiż więc bylibyśmy braćmi, gdybyśmy zamiary jego niweczyli? Jakimiż bylibyśmy stryjami, pozbawiając mienia te słodkie, te biedne owieczki, tak gorąco przez niego ukochane? I to kiedy? Teraz, gdy on w trumnie spoczywa! Jeśli znam Williama, a znam go dobrze, to pewien jestem, że i on... Lecz po cóż mówić za niego? Niech sam za siebie odpowie...

Tu zaczął robić palcami znaki księciu, który patrząc na niego przez chwilę wzrokiem osłupiałym, rzucił się w końcu na szyję brata z wielką radością, bełkotał: „gu! gu! a gu!" i całował zapamiętale.

Wtedy król powiada:

– Wiedziałem, że tak będzie, i mniemam, że wszyscy tu obecni nie wątpią teraz o zdaniu brata mego w tej sprawie. Chodźcie tu, Mario-Joanno i Zuzanno, chodź i ty, młodociana Janeczko, bierzcie te pieniądze, bierzcie wszystko, jako dar tego, który w trumnie spoczywa, zimny wprawdzie, lecz z sercem radości pełnym.

Tu Maria-Joanna rzuca mu się na szyję, a Zuzanna i ta z wargą zajęczą obejmują księcia, który je ściska i całuje. Obecni cisną się do nich ze łzami w oczach, a ściskając oszustów, powtarzają:

– Zacne, poczciwe dusze! Jacy szlachetni! Ach! Kto by się spodziewał!

Na chwilę przedtem jakiś wysoki mężczyzna, z kościstymi szczękami, wszedłszy do pokoju, przysłuchiwał się i przypatrywał wszystkiemu z wielką uwagą, nie mówiąc ani słowa. Do niego także nikt się nie odezwał, bo właśnie wtedy miał król mowę, której wszyscy słuchali.

Teraz Abner Shackleford mówi:

– Doktorze Robinson, słyszałeś? Wiesz? Przyjechali bracia nieboszczyka! To jest właśnie Harvey Wilks.

Król uśmiecha się przymilająco i skwapliwie, wyciągając rękę, woła:

– Więc to jest doktor i przyjaciel mego najukochańszego brata? Ja... ja...

– Precz z ręką! – odpowiada doktor. – To niby pan masz mówić po angielsku? Pan nawet naśladować nie umiesz czystej wymowy angielskiej! Pan masz być bratem Piotra Wilksa? Oszustem jesteś, niczym więcej!

Trzeba było widzieć, jak te słowa były przyjęte. Wszyscy otoczyli doktora, starając się uspokoić go i przekonać, że Harvey naprawdę jest Harveyem, że zna nazwiska wszystkich i wie nawet, jak się psy miejscowe nazywają. Prosili doktora, błagali, zaklinali, żeby nie czynił przykrości Harveyowi i biednym dziewczętom, ale wszystko na próżno, bo doktor ciągle powtarzał, że człowiek, który chce uchodzić za Anglika, a nie umie naśladować angielskiego akcentu, jest oszustem i kłamcą. Biedne dziewczęta garnęły się do króla i płakały, aż tu raptem doktor napada na nie:

– Byłem przyjacielem waszego ojca i waszym, więc ostrzegam jako przyjaciel i jako człowiek uczciwy, który was pragnie ustrzec od krzywdy i od kłopotów, żebyście się odwróciły od tego łotra i nie miały żadnych stosunków z włóczęgą, z oszustem, tumaniącym ludzi. Oszust ten nie wiadomo skąd pozbierał nazwiska i podowiadywał się faktów, a wy to bierzecie za dowody i dajecie się oszukiwać, do czego dopomagają wam jeszcze ci wszyscy, którzy powinni mieć rozum za was i za siebie. Mario-Joanno Wilks, znasz mnie jako bezinteresownego przyjaciela? Posłuchaj mojej rady, wypędź z domu tego przybłędę i wydrwigrosza, błagam cię, uczyń to! Czy mnie posłuchasz?

Maria-Joanna wyprostowała się i, podniósłszy głowę niby królowa, rzecze:

– Oto moja odpowiedź. – I przy tych słowach złożyła w ręce króla worek ze złotem.

– Weź, drogi stryju, te pieniądze – dodała – umieść je tak, jak będziesz uważał za najkorzystniejsze dla nas, i nie dawaj nam żadnego pokwitowania.

Obecni zaczęli bić oklaski i tupać nogami na znak zadowolenia, a król, podniósłszy głowę, uśmiechnął się dumnie.

– Dobrze – rzecze na to doktor – ja umywam ręce od tej sprawy. Ale ostrzegam was, że przyjdzie chwila, w której gorzko będziecie opłakiwały dzień dzisiejszy.

Po tych słowach wyszedł z pokoju.

XXVI

Huck opowiada. – Panienka prosi o przebaczenie. – Za firanką.
– Trzeba schować pieniądze.

Gdy się wszyscy rozeszli, król zapytał Marię-Joannę, czy może mu dać osobny pokój, na co dziewczyna odpowiedziała, że ma tylko jeden gościnny, i to niewielki, który odda stryjowi Williamowi. Dla stryja Harveya przeznacza swój własny, który jest większy, sama zaś przeniesie się do pokoju sióstr i prześpi na kanapie, a mnie pomieści w pokoiku na górze, maleńkim wprawdzie, ale czystym. Król przyjął ofiarowany sobie pokój, mówiąc, że chłopak służący (to niby ja) może sypiać na pięterku.

Poszliśmy więc za Marią-Joanną, która pokazała nam nasze pokoje, skromnie urządzone, ale czyściutkie i miłe. Obiecała też, że wyniesie ze swego pokoju suknie i różne drobiazgi, które zapewne zawadzać będą stryjowi, król jednak nie pozwolił na to. Suknie wisiały na ścianie, a osłaniała je perkalowa firanka, zwieszając się aż do ziemi. W jednym rogu pokoju stał stary kufer, w drugim pudełko z gitarą, a wszędzie mnóstwo cacek i drobiazgów, którymi panienki lubią ozdabiać swoje mieszkania. Król, zapewniając, że takie fatałaszki uczynią pokój przyjemniejszym, nie kazał ich uprzątać. Pokój oddany księciu był znacznie mniejszy, moja zaś górka ohaniała się prawdziwą pinp ką, ale wygodną i schludną.

Późnym już wieczorem podano doskonałą kolację, na którą zeszli się wszyscy zaproszeni. Ja stałem za krzesłami księcia i króla, innym usługiwali Murzyni. Maria-Joanna częstowała wszystkich.

Gdy wszyscy wstali, ja i ta dla swej wargi „Zajączkiem" zwana, poszliśmy jeść do kuchni, podczas gdy starsze pomagały Murzynom sprzątać ze stołu. Zajączek zaczął mnie wypytywać o Anglię i o mały włos nie złapałem się porządnie kilka razy. Pyta na przykład:

– Widziałeś kiedy króla?

– Którego? Wilhelma Czwartego? Spodziewam się, że widziałem, i to nieraz. Bywa w naszym kościele.

Wiedziałem, że Wilhelm Czwarty już nie żyje, ale nie dałem poznać tego po sobie.

– Jak to? Bywa w kościele regularnie?

– Co niedziela! Ławka jego stoi naprzeciwko naszej... po drugiej stronie ambony.

– A ja myślałam, że król mieszka stale w Londynie.

– Naturalnie. Gdzie by miał mieszkać?

– A wy mieszkacie w Sheffield?

Złapałem się! Dla wybrnięcia z kłopotu, musiałem udać, że się zadławiłem kosteczką kurczęcia. Dopiero po chwili odpowiadam:

– Bywa regularnie, gdy bawi w Sheffield, to jest w lecie, podczas kąpieli morskich.

– Przecież Sheffield nie leży nad morzem!

– A któż mówił, że nad morzem?

– Ty mówisz.

– Nie!

– Nie mówiłeś?

– Nie mówiłem.

– Nie mówiłeś? Więc cóżeś mówił?

– Mówiłem o kąpielach morskich.

– A widzisz! Przecież Sheffield nie leży nad morzem!

– Słuchaj, panienko, piłaś kiedy wodę mineralną „Congrets"?

– Piłam!

– A czy jeździłaś do Congrets pić ją?

– Ależ, tu ją piłam.

– No, to tak samo i Wilhelm Czwarty! Nie potrzebuje jeździć nad morze, żeby wziąć kąpiel.

– Skąd więc bierze wodę morską?

– Stąd, skąd ty brałaś mineralną: z beczułki. W pałacu królewskim w Sheffield jest ogromny kocioł, bo król chce mieć wodę gorącą. Nie mogą mu przecie grzać tej wody w samym morzu! Jakżeby ją przywieźli gorącą?

– A! Teraz rozumiem. Dlaczegóż nie mówiłeś tak od razu. Nie bylibyśmy stracili tyle czasu na sprzeczkę.

Gdy tak rzekła, widzę, że wybrnąłem cało, i rad jestem z siebie. Ale za chwilę znów pyta:

– I ty także bywasz w kościele?

– Bywam... regularnie.

– Gdzie siadasz?

– Gdzieżby, jak nie w naszej ławie?

– W czyjej ławce?

– W naszej... w ławce twego stryja Harveya.

– A na cóż stryjowi ławka?

– Jak to, na co? Gdzież będzie siedział?

– Ja myślałam, że stryj nie siedzi w kościele, tylko stoi na ambonie.

Bodajże mnie! Zapomniałem, że stryj jest kaznodzieją! Dławiąc się tedy kosteczką kurczęcia, myślę nad tym, jak wybrnąć. Wreszcie powiadam:

– Niechże cię nie znam! Więc tobie się zdaje, że jeden jest tylko kaznodzieja w kościele?

– A na cóż by ich miało być więcej?

– A któż by kazanie miał dla króla? Jakaś ty zabawna! Tam jest kazno-dziejów... ni mniej ni więcej, tylko... siedemnastu!

– Siedemnastu! Chryste Panie! Oj, nie chciałabym słuchać ich wszyst-kich, choćbym zaraz potem miała pójść prosto do nieba! Siedemnastu! To chyba w jeden dzień nie skończą? Tygodnia na to potrzeba!

– Dziecko jesteś. Co dzień mówi inny.

– A cóż reszta robi?

– Nic! Kręcą się po kościele, czasem który do ołtarza się zbliży, zaśpie-wa... Ale przeważnie nic nie robią.

– To po cóż jest ich tylu?

– Po co? Dla parady. Nie rozumiesz tego?

– Nic nie rozumiem. A powiedz mi, jak się w Anglii obchodzą ze słu-żącymi? Czy lepiej niż my z Murzynami?

– Nie. Służących mają tam za nic. Z psami się lepiej obchodzą.

– A nie dają im, tak jak u nas, dni wolnych: po tygodniu na Wielkanoc i na Boże Narodzenie, i w rocznicę czwartego lipca?

– Nigdy w życiu! Jak to zaraz widać, że nigdy nie byłaś w Anglii! Wiesz, co ci powiem, Janko, jak rok długi nie mają ani jednego dnia wolnego. Nigdy nie chodzą ani do cyrku, ani do teatru, ani na targ Murzynów, ani nigdzie.

– Ani do kościoła?

– Ani do kościoła!

– A ty przecie zawsze bywasz w kościele?

Masz tobie! Znów się złapałem, zapomniawszy, że jestem w służbie u stryja. Dalejże więc tłumaczyć, że nie jestem zwyczajnym sługą, tylko chłop-cem służącym, a to zupełnie co innego, że chcąc nie chcąc, muszę chodzić z państwem do kościoła i siadać z nimi w ławce, bo takie jest prawo. Ale jakoś mi to nie szło i chociaż dużo naplotłem, widać było, że Janki nie zado-woliłem.

– Słuchaj – rzecze w końcu – słowo uczciwe dajesz, żeś mi kłamstw nie nagadał?

– Słowo uczciwe.

– Ani jednego kłamstwa?

– Ani jednego. Sama prawda.

– Połóż rękę na tej książce i powtórz, żeś prawdę mówił.

Spojrzałem na książkę i widzę: słownik! Położyłem więc na nim rękę i powtarzam: „Prawdę mówiłem". Łaskawiej jakoś na mnie spojrzała, ale pomyślawszy trochę, znów mówi:

– No, teraz wierzę, ale nie wszystkiemu. Głupia byłabym, gdybym ci we wszystkim wierzyła.

– W co wierzyć nie możesz, Janko? – zapytała nagle Maria-Joanna, wchodząc do kuchni razem z Zuzanną. – Nie masz prawa zarzucać mu kłamstwa; niedelikatnością jest tak się odzywać do obcego, który przybył z daleka, nie mając tu nikogo ze swoich. A gdyby kto tak mówił do ciebie?!

– Ty zawsze, Marysiu, śpieszysz na ratunek tym, których nikt nie zaczepia. Ja mu tylko powiedziałam, że mnie nie można okłamywać. Tyle tylko... ani słowa więcej! Zdaje mi się, że to mu nie zaszkodzi!

– Tobie nic do tego, czy mu zaszkodzi, czy nie zaszkodzi. Jest obcy i gości w naszym domu, a zatem nie masz prawa narażać go na przykrości.

– Ale, Marysiu, on mówił...

– Mniejsza o to, co mówił, to jego rzecz. A twoją rzeczą być dla niego uprzejmą i obchodzić się z nim tak, aby nie uczuł, że jest w obcym kraju i między ludźmi obcymi.

Słuchając, mówię do siebie: I ja pozwalam, żeby stary nicpoń okradał taką dobrą panienkę!

Zaraz potem i Zuzanna zgromiła Jankę. Mimo woli więc znów mówię sobie: I tę także pozwalam okradać! To już dwie.

Wreszcie Maria-Joanna raz jeszcze wzięła się do Janki, słodko, łagodnie... Po jej przemowie Janka stajała jak wosk na słońcu i... w płacz.

– Dobrze już, dobrze – mówią starsze. – A teraz przeproś go.

Przeprosiła! I jak ładnie przeprosiła! Jak prawdziwa panienka. Aż miło było słuchać, jak przepraszała, i gotów byłem popełnić jeszcze tysiące kłamstw, ażeby mnie przeprosiła.

Znów też powiedziałem sobie: I tę okradać pozwalam! To już trzy, a wszystkich trzech razem i każdej z osobna szkoda!

Gdy już było po przeprosinach, panienki usiłowały rozweselić mnie, żebym czuł się jak u siebie w domu. A mnie tak było smutno, taki mnie wstyd ogarniał, że sobie ciągle powtarzałem: Nie dam ich okraść! Zwrócę im te pieniądze albo pęknę.

Wyniosłem się więc – niby to spać, i zostawszy sam, tak myślę: czy wymknąć się po cichutku do tego doktora i wyznać mu prawdę? Nie, to na nic. Doktor powoła się na mnie, a w takim razie król i książę nie darują mi. Czy może wyznać wszystko Marii-Joannie? Nie! I to na nic. Nie potrafi ukryć tego, co wie, twarz ją zdradzi, spojrzenie... oszuści drapną z pieniędzmi i po wszystkim. Jeśli zaś Maria-Joanna uda się pod czyjąś opiekę i cała sprawa wyjdzie na jaw, to mnie w nią wmieszają... Nie, tego nie chcę. Jeden tylko jest sposób. Trzeba, żebym ja ukradł te pieniądze i żeby nikt mnie nie podejrzewał. Po ukryciu ich, gdy już będę stąd daleko, na rzece, napiszę do Marii-Joanny, gdzie są schowane. Najlepiej będzie ściągnąć je tej nocy, bo... kto wie? Ten doktor może udaje tylko, że z placu ustąpił? Może ich dziś jeszcze stąd wykurzy, a jak nie dziś, to jutro?

Jakoż po ciemku trafiwszy do pokoju księcia, obmacałem w nim wszystkie sprzęty i wszystkie kąty, następnie zaś przeszedłem do pokoju króla. Ale szukanie po ciemku nie przydało się na nic, a świecy zapalić nie mogłem. Postanowiłem więc zaczaić się i podsłuchiwać. Na odgłos kroków, schowałem się za firanką, między sukniami Marii-Joanny, i czekam.

Weszli obaj i zamknąwszy drzwi za sobą zaglądają pod łóżko. Dobrze się stało, że tam nie trafiłem. Każdemu, kto się chce ukryć, najpierw przychodzi na myśl wleźć pod łóżko, dlatego też książę od razu tam zajrzał. Gdy siedli obok siebie, król szepce:

– Po cóżeś mnie tu wołał? Mów, czego chcesz, a prędko!

– Słuchaj, królu, powiem ci tak: Nie jestem spokojny, niedobrze się tu święci. Doktora ciągle mam w głowie. Powiedz mi, co zamyślasz? Ja mam już plan i zdaje mi się, że dobry.

– Masz plan? Jaki?

– Żebyśmy stąd drapnęli, nie czekając jutra. Zabrać to, co mamy w ręku i na tratwę!

To mi się nie podobało. Przed godziną byłoby mi to obojętne, ale teraz czułem się mocno niezadowolony z takiego pokrzyżowania planów. Na szczęście, królowi nie podobał się projekt księcia.

– Co? – powiada. – Wynosić się, nie sprzedawszy tego, co nam zapisano! Wynosić się po wariacku, a majątek wartości ośmiu lub dziesięciu tysięcy dolarów niech sobie leży i czeka? I to majątek, który można sprzedać za... gotówkę.

Książę bronił swego zdania, dowodząc, że mu ta zdobycz wystarcza i że nie chce okradać sierot ze wszystkiego, co posiadają.

– Sam nie wiesz, co mówisz! – żywo zawołał król. – Sieroty stracą tylko sześć tysięcy, a padnie ofiarą nabywca nieruchomości, bo gdy wyjdzie na jaw nasze oszustwo, licytacja będzie unieważniona, a sprzedane nieruchomości wrócą do masy. Czy to dla nich nie dosyć? Młode i zdrowe, mogą pracować na życie. Nie stanie im się zresztą żadna krzywda. Ile to jest na świecie dziewcząt prawdziwie biednych, nad którymi nikt się nie rozczulał!

Póty gadał, aż przekonał księcia, który jednak radził prędszą ucieczkę, ze względu na doktora. Ale król na to:

– Niech go diabli wezmą! Co on nam zrobi? Wszystkich osłów, co do jednego, mamy za sobą, a to przecież znaczy całe miasto?

Po chwili rzekł książę:

– Myślę, że te pieniądze źle są schowane.

– Dlaczego?

– Bo Maria-Joanna jutro zabierze suknie lub przyśle po nie Murzyna, który zobaczy worek. Czy myślisz, że Murzyn, widząc złoto, nie wsunie łapy do worka?

– Jaką ty masz głowę! – zdziwił się król i zaraz podszedłszy do firanki, zaczął pod nią szukać tuż przy mnie.

Przyciśnięty do ściany, jak deska, prawie nie oddychałem ze strachu na myśl, co ze mną zrobią, gdy mnie przyłapią. Na szczęście, król znalazł worek, nie podejrzewając nawet mej obecności. Wziąwszy skarb, włożyli go w słomę siennika, pod piernatem, w przekonaniu, że tam jest najbezpieczniejszy, Murzyn bowiem, który przyjdzie słać łóżko, wzruszy tylko pierzynę, nie dotykając siennika.

Zaledwie jednak byli na połowie schodów, już miałem worek i przemknąwszy się z nim do swej izdebki, schowałem go tam tymczasowo. Miałem zamiar wynieść go poza dom, bo byłem pewien, że wszystko przewrócą do góry nogami, gdy spostrzegą stratę pieniędzy. Potem położyłem się, nie rozebrany i, rzecz prosta, nie mogłem zasnąć. Po niejakim czasie słyszę: król z księciem wracają na górę. Zsunąwszy się tedy z siennika, leżę na podłodze, tuż przy drabinie. Oczy i słuch wytężam, czekając... Ale cicho... nic!

XXVII

Pogrzeb. – Król bierze się do interesów. – Huck w strachu.

Cisza była zupełna. Przez szparę w drzwiach zajrzałem do jadalni, potem zapuściłem się głębiej w korytarz z zamiarem dojścia do głównych drzwi wchodowych. Zamknięte! Klucza nawet nie ma w zamku... Powracam więc niepewny co czynić, wtem słyszę... schodzi ktoś ze schodów. Nie mając gdzie się podziać, wpadam do salonu, przekonany, że jedynym miejscem dla ukrycia pieniędzy jest trumna... Wieko na niej do połowy zsunięte odkrywało twarz umarłego, przysłoniętą całunem, i górną część korpusu. Zbliżywszy się do trumny, wsunąłem worek pod wieko, poniżej złożonych na krzyż rąk nieboszczyka, których niechcący dotknąłem. Aż mnie dreszcz przeszedł, jakie były zimne! Odskoczywszy od trumny, skryłem się za drzwiami.

Osobą schodzącą z góry była Maria-Joanna. Powolnym, lekkim krokiem zbliżywszy się do trumny, uklękła przy niej i długo patrzyła na rysujące się przez całun kształty głowy i ramion, a potem cichutko zapłakała, nie wydając żadnego jęku. Wysunąwszy się ze swej kryjówki, powróciłem do siebie.

Położyłem się nareszcie, ale nijako mi było: tyle miałem zachodu, tyle ryzyka i nie tak się stało, jak potrzeba. Leżę i rozmyślam: jeżeli pieniądze zostaną, gdzie są, to wszystko dobrze, bo jak tylko oddalę się stąd o jakie sto mil, Maria-Joanna, odebrawszy mój list, każe wykopać trumnę, otworzy ją i pieniądze znajdzie. A nuż stanie się inaczej? A jeśli pieniądze zostaną znalezione przez ludzi, którzy przyjdą wieko zaśrubowywać? Wtedy co? Król je zabierze jak swoje, i dużo wody upłynie, zanim kto je odebrać zdoła. Brała mnie ochota zejść jeszcze na dół i wyjąć z trumny worek, ale już mi odwagi nie starczyło. Z każdą chwilą ranek był bliższy, mógł więc ktoś obudzić się i schwytać mnie na gorącym uczynku. Cóż wtedy będzie, gdy mnie złapią z sześcioma tysiącami dolarów, których nikt mi przecie do pilnowania nie oddawał?

Gdy zszedłem rano na dół, pokój bawialny był zamknięty i nie było w nim nikogo z obcych, oprócz wdowy Bartley i nas. Uważnie patrzyłem na wszystkich, starając się wymiarkować z ich twarzy, czy co nie zaszło, ale twarze nic mi nie powiedziały.

Około południa zjawił się przedsiębiorca pogrzebowy z pomocnikami, stawił na środku pokoju parę krzeseł, inne zaś porozstawiał w salonie i jadalni. Patrzę, wieko od trumny leży tak samo, jak w nocy, ale w obecności tylu osób nie śmiałem zajrzeć pod nie.

Tymczasem ludzie napływali. Panny oraz panowie stryjowie zajęli miejsca w pierwszym rzędzie krzeseł, w głowach trumny, a godnie za nimi. Po ważnie było i uroczyście, panienki tylko i stryjowie płakali z cicha, głowy pochyliwszy i chustki trzymając przy oczach.

Przy trumnie stanął wielebny Hobson i uroczyście rozpoczął mowę.

Po mowie pastora, bardzo dobrej, lecz trochę za rozwlekłej i za nudnej, dorwał się do głosu król, plotąc trzy po trzy. Gdy na koniec przebrzmiały jego słowa, zbliżył się przedsiębiorca do trumny i zaczął wieko przyśrubowywać. Aż poty na mnie uderzyły. Na szczęście, obyło się bez niespodzianki. Wieko dociągnął, dopasował, zaśrubował, cicho, zręcznie, prędko. Już po wszystkim! A ja nie wiem, czy pieniądze są w trumnie, czy nie... A nuż, myślę sobie, wyciągnął kto worek ukradkiem?

Pochowano wreszcie nieboszczyka. Wieczorem ruszył król w odwiedziny do przyjaciół, którym śród różnych czułości napomknął, że parafianie wyglądają go z upragnieniem, że śpieszyć się musi z interesami, ze sprzedażą majątku, żeby czym prędzej wracać do domu, gdzie nikt go zastąpić nie może. Przy czym nadmienił, że obaj z Williamem postanowili zabrać do Anglii dziewczęta.

Wiadomość ta zyskała ogólne uznanie, było bowiem bardzo pożądane, żeby biedne sieroty powróciły do ojczyzny, do krewnych i przyjaciół. Dziewczęta też były zadowolone i nagliły stryja do sprzedaży, zapewniając go, że będą na czas gotowe. Aż mi się serce krajało, gdy patrzyłem na radość tych biednych panienek, okradanych przez dwóch niegodziwców, ale nie w mojej było mocy przeszkodzić temu.

Jakoż licytacja Murzynów, gruntów i domów została naznaczona na trzeci dzień po pogrzebie – „kto by zaś chciał kupić z wolnej ręki przed tym terminem, uczynić to może bez przeszkody".

Nazajutrz przyjechali dwaj kupcy, którym król sprzedał troje Murzynów po bardzo przystępnej cenie, dwóch synów do Memfisu, a matkę do Orleanu. Myślałem, że i Murzynom, i panienkom serce pęknie przy pożegnaniu, tak rzewnie wszyscy płakali; mnie samemu aż łzy stały w oczach.

Sprzedaż ta narobiła w mieście hałasu i nie podobała się ludziom. Gorszono się takim rozłączeniem matki z dziećmi, mówiono, że stary Piotr nigdy by tego nie uczynił, że brat i spadkobierca powinien by postępować podług przekonań nieboszczyka. Opinia zwróciła się przeciw królowi, ale stary osioł z uporem szedł na przebój, nie zważając na perswazje księcia, który doradzał ostrożność i ganił postępowanie swego towarzysza.

Dzień następny miał być dniem licytacji. O świcie budzi mnie ktoś. Patrzę: król i książę stoją przy mnie mocno zgnębieni.

– Byłeś przedwczoraj w moim pokoju? – pyta król.

– Nie, najjaśniejszy panie – bo tak zawsze kazał mówić do siebie poza obcymi.

– A wczoraj rano albo wieczorem?

– Nie, najjaśniejszy panie.

– Daj słowo, że prawdę mówisz.

– Słowo daję, że prawdę mówię.

– A nie widziałeś, żeby tam kto wchodził? – pyta znów książę.

– Nie, jaśnie oświecony książę, nie pamiętam, żebym kogo widział.

– Przypomnij sobie.

Udałem, że sobie przypominam, i korzystając z myśli szczęśliwej, powiadam:

– Widziałem, że wchodzili tam parę razy Murzyni.

Aż ich podrzuciło obydwóch. Z początku niby zdziwieni, zrobili potem taką minę, jakby się tego właśnie spodziewali.

– Jak to! Wszyscy razem?

– Nie, nie wszyscy, a przynajmniej nie wszyscy od razu. Zdaje mi się nawet, że raz tylko widziałem, jak kilku wychodziło z pokoju.

– Kiedyż to było?

– W sam dzień pogrzebu, rano. Dość późnym nawet rankiem, bo zaspałem tego dnia. Schodziłem właśnie po drabinie, gdy ich zobaczyłem.

– No, mówże dalej, mów... Cóż oni robili?

– Nic nie robili. Wyszli z pokoju na palcach i na palcach odeszli.

– To oni! Niewątpliwie oni! – zawołał król, z miną wielce zafrasowaną.

Stali przez chwilę zakłopotani, aż wreszcie książę, śmiejąc się, jakby kto piłą po szkle pociągał, rzecze:

– Nikt tak nie umie udawać, jak Murzyni. Kto by to pomyślał! Na całe gardło szlochali, wyjeżdżając! Gdybym miał kapitał na założenie teatru, zaraz bym ich wziął na aktorów. Za tanio ich sprzedałem... za tanio!

– Książę, a gdzie jest przekaz wystawiony przez ich nabywcę?

– Gdzież ma być? W banku. Jutro dopiero płatny.

– Chwałaż Bogu! Nic nie stracone.

Wtedy ja, udając nieśmiałego, wtrącam:

– Alboż się stało co złego?

– A tobie co do tego? – wrzasnął król. – Pilnuj własnego nosa i własnych interesów, jeżeli masz jakie. Rozumiesz?!

– Trzeba trzymać język za zębami – rzekł do księcia – i słowa nikomu nie mówić. Na wekslu jest podpis nabywcy, przez niego trafimy do Murzynów. Tymczasem ani mru-mru... Nikomu!

Schodzą z drabiny, a książę znów, niby z uśmiechem, rzecze:

– Gdybyś był słuchał mojej rady, to Murzyni byliby jeszcze tu, a my już nie.

Król odburknął na to.

– Wszystko dlatego, że sobie odmówiłem należytej wygody i wstawałem za wcześnie. Diabła zjem, jeżeli to kiedy uczynię.

Gdy odeszli, rad byłem wielce, zwaliwszy wszystko na Murzynów, którym przecie nie zaszkodziłem.

XXVIII

W drogę! – A niegodziwcy! – Król Jaki-Taki. – Maria-Joanna wychodzi z domu. – Pożegnanie Hucka z Marią-Joanną. – Skrofuły. – Nowi bracia.

Gdy przyszła pora wstawania, odziałem się i zszedłem na dół. Przechodząc koło pokoju panienek, przez drzwi otwarte spostrzegłem Marię-Joannę klęczącą przy swoim kufrze, przygotowanym do drogi do Anglii! Zamiast jednak pakować rzeczy, przysiadła przed kufrem i twarz zakrywszy rękoma tak płakała, jakby jej serce pęknąć miało. Silnie wzruszony, wchodzę i mówię:

– Panienka nie może patrzeć, jak ludzie płaczą, i ja nie mogę. To jest... czasem nie mogę... jak kiedy... Niech mi panienka powie, dlaczego płacze?

Powiedziała. Jak pomyślałem, tak było! Płakała z żalu nad Murzynami. Całą przyjemność podróży do Anglii psuła jej myśl o ich niedoli. Nigdy, nigdy nie potrafi czuć się szczęśliwa, wiedząc, że już ich nie zobaczy... Łkając coraz rzewniej, łamała ręce z rozpaczy:

– Ach! Nie mogę... nie mogę myśleć o tym, że oni się już nigdy nie zobaczą.

– Nie! – powiadam. – Zobaczą się, i to nie dalej, jak za dwa tygodnie. Z pewnością się zobaczą!

Masz tobie! Ani wiedziałem, kiedy mi się wyrwały te słowa... Jeszcze ust zamknąć nie zdążyłem, a ona, ramionami otaczając mi szyję, woła:

– Z pewnością, mówisz? Powtórz to jeszcze!

Widzę więc, że się wygadałem za wcześnie, powiedziałem za wiele i że ze mną krucho. Ha! Cóż robić! – powiadam sobie. – Spróbuję tym razem prawdy, niech mnie to kosztuje. Powiem, jak jest... pomimo że to będzie dotknięcie świecą beczułki z prochem... Niechaj się dzieje, co chce, a powiem!

– Czy panienka ma tu w mieście kogo takiego, co by mieszkał trochę na uboczu, a był dobrym znajomym?

– Mam.

– Nie mogłaby panienka pójść tam i zabawić ze trzy, ze cztery dni?

– Mogłabym... do państwa Lothrop... Dlaczego?

– Jeżeli ja panience powiem, skąd wiem, że Murzyni zobaczą się znów ze swoją matką najdalej za dwa tygodnie, i to tu... w tym samym domu... jeżeli dowiodę, skąd to wiem... czy panienka pójdzie do państwa Lothrop?

– Choćby na rok cały!

Skoro panienka daje słowo, to już dobrze... Słowu panienki więcej wierzę, niż gdyby kto inny przysięgał na Biblię.

Maria-Joanna zarumieniła się, ja zaś mówię:

– Niechże panienka nie podniesie krzyku, usłyszawszy to, co jej powiem. Proszę siedzieć cichutko i przyjąć odważnie, po męsku, moje słowa, gdyż prawda, którą wyjawię, jest brzydka i ciężka do zniesienia, ale... prawda! Ci stryjowie panienek nie są wcale stryjami; to para włóczęgów, oszustów, obieżyświatów. Uf! Najgorsze już powiedziałem! Reszta niczym jest w porównaniu z tym.

Maria-Joanna skoczyła z miejsca, jak oparzona, wołając z twarzą purpurową:

– A niegodziwcy! Ani minuty nie traćmy, ani sekundy! Zaraz się tu z nimi rozprawią: w smole wykąpią, w pierzu utarzają i do rzeki wrzucą obydwóch!

– I owszem – odpowiadam – ale kiedy? Zanim panienka pójdzie do państwa Lothrop czy też...

– Ach, prawda. Co też ja mówię! – i znów siada spokojnie. – Zapomniałam się... zapomniałam o swej obietnicy. Przepraszam cię. Mów dalej, mów... będę słuchała spokojnie... pierwsze wrażenie już minęło. Powiedz mi, co mam czynić, a zrobię wszystko, co powiesz...

– To nie byle jakie łotry, panienko, i ostrożnie z nimi trzeba, a tak się złożyło, że czy chcę, czy nie chcę, muszę z nimi podróż odbywać. Wolałbym nie mówić dlaczego. Gdyby się całe miasto dowiedziało, co to za ptaszki, byłoby może lepiej dla mnie, ale ucierpiałby na tym ktoś, kogo panienka nie zna, ale ja znam i bardzo lubię. Tego kogoś nie można narażać, prawda, panienko? A kiedy tak, to i tych łotrów chwilowo oszczędzać trzeba.

W tej właśnie chwili przyszła mi do głowy myśl szczęśliwa, jakim sposobem mogę siebie i Jima uwolnić od towarzyszy niepożądanych: zostawić ich tu w więzieniu, a samemu drapnąć. Że jednak nie miałem ochoty pędzić na tratwę w biały dzień, kiedy co krok spotkać kogoś można i co chwila trzeba by odpowiadać na pytania, więc też odłożyłem wykonanie planu do nocy, i to nawet do późnej nocy. Tymczasem zaś mówię:

– Ja panience powiem, jak trzeba zrobić, żeby uniknąć długiego pobytu u państwa Lothrop. Czy to daleko?

– Prawie cztery mile.

– To w sam raz. Niechże panienka tam posiedzi u nich do dziewiątej wieczorem i powróci, ale nie sama. Koniecznie trzeba, żeby ktoś panienkę odprowadził przed jedenastą. Po powrocie proszę postawić tu, w tym oknie, świecę zapaloną i czekać do jedenastej. Gdy ta godzina wybije, a ja się wcale nie pokażę, to będzie znaczyło, że mnie tu nie ma, żem już daleko i bezpieczny. Wtedy może panienka postarać się o to, aby obu niegodziwców wsadzono do więzienia. Gdybym zaś nie uciekł, lecz był razem z nimi uwięziony, to panienka ujmie się za mną, opowiedziawszy o wszystkim. Czy będzie mnie panienka broniła z całej siły?

– Ma się rozumieć, że będę. Włos ci z głowy nie spadnie – odrzekła.

– Jeśli ucieknę – mówiłem dalej – to nie będzie mnie tu, aby dowieść, że ci dwaj urwipołcie nie są stryjami panienki, a dowieść mógłbym, gdybym został. Są wszakże inni... tacy, którzy lepiej to zrobią ode mnie... tacy, o których nikt nie będzie powątpiewał, że prawdę mówią, którym prędzej niż mnie, uwierzą. I zaraz panience powiem, gdzie ich znaleźć. Proszę tylko o ołówek i papier. O... jest! „Brickville. Król Jaki-Taki". Niech panienka dobrze to schowa. Jeżeli sąd zechce mieć pewne wiadomości o stryjach, pośle tylko do Brickville z zawiadomieniem, że znaleziono ludzi, którzy przedstawiali „wiel-

ką tragedię", i zawezwie świadków; całe miasto zleci się tu, zanim panienka zdąży palcem kiwnąć. A gdy świadkowie się stawią, nie ma obawy o resztę!

Zdawało mi się, że powiedziałem wszystko, co trzeba, żeby ułatwić Marii-Joannie pozbycie się z domu wydrwigroszów.

– Niech panienka dopuści do licytacji – dodałem jeszcze – niech się jej wcale nie obawia. Nabywcy dają przekazy płatne nazajutrz lub korzystają z terminu trzydniowego. Stryjowie mają więc ręce związane i nie wyruszą przed otrzymaniem całej należności. Mniejsza więc o to, za jaką cenę sprzedadzą domy i ruchomości, bo sprzadaż będzie nieprawna. Tak samo rzecz się ma z Murzynami: powrócą tu niezadługo, bo nie zostali sprzedani.

– No, kiedy tak – rzecze Maria-Joanna – to po śniadaniu wybiorę się zaraz do państwa Lothrop.

– Tak nie można! Trzeba iść przed śniadaniem.

– Dlaczego?

– Dlatego, że panienka nie ma twarzy obszytej w grubą skórę. Twarz panienki to jak książka. Można na niej czytać najdoskonalej. Czyż panienka potrafi spojrzeć w oczy stryjom i mówić z nimi, jak wczoraj, uśmiechać się, nie mrugnąć okiem, gdy zechcą panienkę pocałować na dzień dobry?

– Nie! Nie! Przestań... przestań! Tak! Pójdę przed śniadaniem... nie zniosłabym tego. Ale jakże z nimi zostawię siostry?

– Próżna obawa!... Nic im się tu nie stanie, a stryjowie mogliby coś podejrzewać, gdyby panienki wszystkie z domu wyszły. Radziłbym nawet, żeby panienka już się z siostrami nie widziała, ani z kimkolwiek, bo gdyby kto spytał znienacka o zdrowie stryjów, panienka zdradziłaby się niezawodnie. Niech już panienka idzie jak najprędzej, a ja tu ze wszystkimi dam sobie radę.

– A co do tego worka z pieniędzmi... – dodałem wreszcie.

– Cóż robić? Już go mają! Muszę się wstydzić własnej głupoty, gdy pomyślę, jak wpadł w ich ręce.

– Myli się panienka. Oni nie mają worka.

– Któż go ma?

– Ba! Żebym ja to wiedział... ale nie wiem. Ja go miałem, bo go wykradłem po to, żeby go oddać panienkom... Wiem nawet, gdzie być powinien... sam go schowałem... ale boję się, czy go stamtąd nie wykradziono. Gdy niosłem worek, usłyszałem, że ktoś idzie... Bojąc się, żeby mnie nie posądzono o kradzież, schowałem go w miejsce, które mi się pierwsze nawinęło. Czy to jednak schowanie bezpieczne – tego nie wiem.

– Nie rób sobie wymówek! Wiem, że chciałeś zrobić jak najlepiej... Jeżeli pieniądze przepadły, to nie twoja wina. Gdzieś je ukrył?

Nie chcąc jej znów przywodzić na myśl bolesnych wrażeń dni ostatnich, nie mogłem wykrztusić prawdy.

– Wolałbym nie mówić tego panience i jeżeli można, niech panienka na to pozwoli. Napiszę jednak, wyraźnie napiszę... i panienka, idąc już do państwa Lothrop, będzie wiedziała o wszystkim. Dobrze? Pozwoli panienka?

– Owszem.

Napisałem więc: „Włożyłem worek do trumny tej nocy, kiedy to panienka uklękła i płakała. Stałem wówczas za drzwiami, serdecznie współczując z panienką".

Łzy mi nabiegły do oczu, gdy sobie przypomniałem, jak ta biedaczka płakała, w noc późną, sama jedna przy trumnie, oddana w moc dwu nędzników, którzy pod jej własnym dachem zmówili się na nią i na jej siostry.

Złożywszy kartkę, oddałem jej, a ona ze łzami w oczach ściska mnie silnie za rękę, jak kolega, i mówi:

– Bywaj zdrów, Huck. Słowo w słowo zrobię wszystko, jak zaleciłeś, a gdybym cię nawet nie zobaczyła, nigdy o tobie nie zapomnę... Będę często myślała o Hucku, o dobrym, uczciwym chłopcu, o swoim szczerym przyjacielu, i będę się modlić za ciebie. Bądź zdrów!

Gdyby wiedziała, jaki jestem, nie podejmowałaby się trudu nad siły... Choć nie! Nawet wiedząc wszystko, modliłaby się za mnie – bo taką już miała naturę! Gotowa była modlić się nawet za Judasza, bo była do dna szczera i dobra.

Nie widziałem jej na oczy od chwili, gdy, pożegnawszy się ze mną, wyszła ze swego domu... ale zdaje mi się, że o niej myślałem milion razy i o jej obietnicy modlenia się za mnie! A gdybym wierzył, że modlitwa za nią lepszym mnie uczyni, to słowo daję, że i ja bym modlił się także.

Maria-Joanna wyszła z domu zapewne tylnymi drzwiami, bo nikt jej nie widział wychodzącej. Ja zaś, spotkawszy Zuzannę i Zajączka, pytam je:

– Jak się nazywają ci państwo z tamtego brzegu rzeki, co to są w przyjaźni z panienkami?

– Dużo tam mamy znajomych – odpowiadają – ale najczęściej bywamy u państwa Proctor.

– Otóż to! – powiadam. – Ci sami! A ja zapomniałem nazwiska. Właśnie starsza panienka tam poszła, śpiesząc się bardzo, bo ktoś chory.

– Kto?

– Nie wiem kto... wprawdzie panienka mówiła, lecz zapomniałem. Zdaje mi się jednak...

– Ach, Boże! Czy aby nie Hanna?

– Przykro mi martwić panienki, ale... Hanna.

– Co za nieszczęście! Przed tygodniem była jeszcze zupełnie zdrowa. Czy niebezpiecznie chora?

– E! Nie ma o co pytać... Starsza panienka mówiła, że całą noc wszyscy przy niej siedzieli i że już nie przeżyje kilku godzin.

– No! Patrzcie państwo! Cóż jej jest?

Nie mogąc wymyślić czegoś lepszego, rzekłem:

– Skrofuły.

– Pleciesz! Przy chorych na skrofuły nikt nie siaduje w nocy.

– Dlaczego nie? A ja panience powiadam, że przy Hannie siedzieli wszyscy. To zupełnie inne skrofuły. Nowy jakiś gatunek, mówiła starsza panienka.

– Jak to, nowy gatunek?

– A tak, połączony z innymi chorobami!

– Z jakimi?

– Spamiętać trudno: z odrą, z kokluszem, z różą, z trawiącą gorączką, z żółtą febrą, z zapaleniem mózgu i już sam nie wiem z czym więcej.

– O mój Boże! I to wszystko skrofuły?

– Tak przynajmniej mówiła starsza panienka.

– No, więc dlaczegóż nazywają to skrofułami?

– Dlatego, że to są skrofuły. Od nich się wszystko zaczęło.

– To sensu nie ma. To tak samo, jak gdyby ktoś na zapytanie, co się stało temu człowiekowi, który, stłukłszy sobie palec u nogi, zażył potem trucizny, wpadł do studni, kark skręcił, roztrzaskał czaszkę – otrzymał odpowiedź niedorzeczną: o stłuczonym palcu u nogi! Gdzież tu sens w tej odpowiedzi? Tak samo go nie ma, jak w twym gadaniu. Czy choroba Hanny zaraźliwa?

– Czy zaraźliwa? Jak można pytać o to?! Czy brona jest zaraźliwa? Nie. Ale jeżeli, po ciemku idąc, upadnie na nią panienka, to się niezawodnie zaczepi, jeżeli nie o jeden ząb, to o drugi. Zaczepiona o jeden ząb, pociągnie panienka za sobą całą bronę. Czy nie tak? Otóż ten gatunek skrofuł podobny jest do brony, i to nie byle jakiej, wyszczerbionej, ale do porządnej, całej. Kto się o nią zaczepi, ten przepadł!

– Okropność! – rzecze Zajączek. – Zaraz pójdę do stryja Harveya i...

– Proszę się minutkę zastanowić. Czy stryjowie nie są zmuszeni wracać do Anglii, i to jak najśpieszniej? Czy panienka przypuszcza, że jak ludzie bez serca odjadą sami, zmuszając panienki do odbycia takiej podróży bez opieki? Będą czekali, to wiadomo! No, dobrze... a teraz dalej. Stryj Harvey jest kaznodzieją, prawda? Dobrze! Czy kaznodzieja jest zdolny wprowadzić w błąd kapitana okrętu? Czy może zezwolić, żeby starsza panienka weszła na okręt? Nie! I panienka wie o tym, że nie. Cóż więc stryj zrobi? Pójdzie do kapitana albo do urzędnika, który sprzedaje bilety, i powie: „Bardzo mi przykro, ale pobożni moi słuchacze będą musieli obywać się beze mnie. Niechaj sobie radzą, jak mogą, ale moja synowica była wystawiona na zetknięcie ze strasznymi skrofułami, uważam więc za święty obowiązek zostać tu i czekać całe trzy miesiące, dopóki się nie przekonam, czy nie uległa zarazie". Tak stryj postąpi z pewnością. Ale mniejsza o to, jeżeli panienka uważa, że trzeba zaraz iść do stryja i wszystko mu powiedzieć...

– Tak! I siedzieć tu trzy miesiące, zamiast być w Anglii, gdzie nas czeka tyle przyjemności. Dziękuję! Ani myślę...

– Kto wie, panienko! Może lepiej będzie powiedzieć komu z sąsiadów?

– Słuchaj, Huck, nie bądź głupi, jeżeli możesz. Jak to? Nie rozumiesz, że każdy z nich natychmiast wypaple? Nie, jedyny sposób nic nikomu nie mówić.

– Może to i racja... Tak, zdaje mi się, że panienka ma rację.

– Ale ja myślę, że powinniśmy uprzedzić stryja o nieobecności Marii--Joanny, bo będzie o nią niespokojny.

– Tak; panienka o to prosiła, mówiąc: Powiedz moim siostrom, niech ucałują ode mnie stryjów i oznajmią im o mojej wycieczce do państwa... Jakże się nazywają ci państwo... tacy bogaci... co to nieboszczyk stryj tak ich poważał i lubił? Ci, co to...

– Państwo Apthorp, chcesz pewno powiedzieć. Tak?

– Ci sami! Niech licho weźmie tutejsze nazwiska, człowiek spamiętać nie może. Tak, ci sami! Mówiła panienka, że do nich pobiegnie i poprosi, żeby koniecznie przyszli na licytację i zgodnie z życzeniem stryja Piotra kupili ten dom. Potem, jeżeli panienka nie będzie bardzo zmęczona, powróci do domu na noc, w przeciwnym zaś razie przenocuje i powróci dopiero jutro.

Dodała jeszcze panienka:

– Nie wspominajcie ani słowa o Proctorach, tylko powiedzcie, żem poszła do państwa Apthorp... co zresztą i prawda, bo panienka poszła do nich, namawiać na kupno tego domu. Sama mi to mówiła!

– Dobrze, dobrze – odpowiedziały obie i pobiegły do jadalnego pokoju przygotować wszystko do śniadania, ucałować stryjów od Marii-Joanny i powtórzyć im wszystkie wiadomości.

Stało się więc po mojej myśli.

Licytacja odbywała się na placu miejskim i trwała dość długo, a stary król nie odstępował od boku kasjera, który zagarniając pieniądze od nabywców, z miną poważną i godności pełną, przytaczał od czasu do czasu jakieś zdanie z Pisma Świętego. Książę kręcił się pomiędzy ludźmi, wzbudzając swoim: „agu--gu-gu-u..." powszechne politowanie.

Sprzedaż przeciągnęła się do wieczora, ale na koniec wszystko sprzedano. Pozostał tylko kawałek gruntu na cmentarzu.

Król koniecznie nalegał, żeby i z tym skończyć, gdyż był chciwy. Targowano się właśnie o ten ostatni kawałeczek, gdy jakiś parowiec wyrzucił na ląd mnóstwo ludzi, którzy krzyczą, śmieją się, wymyślają, a wśród zamętu słychać te słowa:

– Opozycja przyjechała! Opozycja! Nowi spadkobiercy starego Piotra Wilksa! Jest w czym wybierać!

XXIX

Wątpliwości. – Król daje objaśnienia. – Próba pisma. – Tatuowanie. – Otwierają trumnę. – Huck się wymyka.

Przyczyną całego hałasu i zbiegowiska był niemłody pan o bardzo przyzwoitej powierzchowności, obok którego szedł drugi, znacznie młodszy, przystojny, z ręką na temblaku. Ludzie na pół ze śmiechem, a na pół z gniewem, krzyczeli wszyscy na całe gardło.

Nie mogłem tego brać za żarty i zdawało mi się, że tak król, jak i książę, zrozumieli dobrze, o co chodzi. Myślałem, że choć pobledną. Ale gdzie tam! Książę potrafił nawet udać, że się niczego nie domyśla, tylko ciągle po swojemu gu-gał, wesoły i uśmiechnięty. Król zaś spoglądał na nowo przybywających z takim smutkiem, jakby rozpaczał, że mogą się znajdować na świecie podobni szalbierze i oszuści. A udawał tak znakomicie, że najprzedniejsi ludzie zaraz się zebrali około niego, jakby chcąc mu okazać swoją życzliwość. Stary pan, nowo przybyły, patrzył tylko ze zdziwieniem i zdawał się nie rozumieć, o co idzie. Prędko jednak opamiętał się, oprzytomniał i mówić zaczął. Zaledwie słów kilka powiedział, zaraz poznałem, że nie król, lecz on wymawia po angielsku.

– To, co tu zastałem – rzekł przybyły – jest niespodzianką, na którą, szczerze mówiąc, nie byłem przygotowany. Obaj z bratem doznaliśmy niefortunnych przygód w ciągu podróży: on złamał prawą rękę, a obaj pozostaliśmy chwilowo bez bagażu, który skutkiem fatalnej dla nas pomyłki, złożono wczoraj wieczorem w przystani miasteczka o kilka mil stąd odległego. Jestem Harvey Wilks, brat Piotra, a to nasz młodszy brat William, głuchoniemy, który teraz skutkiem wypadku nawet palcami porozumiewać się ze mną nie może. Tożsamość naszych osób stwierdzą dowody, które za dni parę, po otrzymaniu bagażów, przedstawimy. Dotychczas nic więcej nie powiem, lecz tylko w hotelu będę czekał.

Co powiedziawszy, odszedł z niemową, a król śmiejąc się głośno, zawołał:

– Złamał rękę! Jakie to podobne do prawdy! Jak się w porę trafiło dla oszusta, który powinien rozmawiać na migi, a nie umie! Pomyłka z bagażem! I to dobre! Dobre, a nawet, ze względu na okoliczności, bardzo dowcipne!

Tu znów śmiać się zaczął, a razem z nim wszyscy obecni, z wyjątkiem kilku najwyżej. Jednym z nich był doktor, drugim zaś jakiś pan o przenikliwym spojrzeniu, ze staroświecką torbą w ręku, świeżo przybyły na parowcu. Rozmawiał on półgłosem z nowym bratem, od czasu do czasu potakując mu głową i zerkając w stronę króla. Był to Levi Bell, adwokat, który jakoby miał do Louisville pojechać. Nie śmiał się także barczysty, z prosta odziany mężczyzna, który, uważnie wysłuchawszy nowego brata, pochłaniał teraz mowę króla.

Gdy król skończył, nieznajomy podszedł do niego i rzecze:

– Słuchaj no, jeżeliś Harvey Wilks, to powiedz, kiedyś przyjechał?

– W przeddzień pogrzebu, drogi panie.

– O której godzinie?

– Wieczorem, na godzinę lub dwie przed zachodem.

– Czym przyjechałeś. Jak?

– Statkiem „Zuzanna Powell", idącym z Cincinnati.

– Jakimże więc sposobem mogłeś być rano w Pint, gdzie cię widziano na łodzi?

– Nie byłem rano w Pint.

– To kłamstwo!

Kilku mężczyzn rzuciło się ku niemu z prośbą, żeby nie przemawiał w ten sposób do człowieka starego i kaznodziei.

– Co tam za kaznodzicja! Oszust i kłamca. Tego właśnie ranka był w Pint. Przecież tam mieszkam, sami wiecie. Otóż mówię wam, że ja tam byłem i on tam był. Widziałem go na własne oczy. Przypłynął łodzią w towarzystwie młodego chłopca.

– Czy poznalibyście tego chłopca, Hines?

– Zdaje mi się, że tak, ale nie ręczę. Ale ot... to on! On! Tu stoi... Poznaję go jak najwyborniej.

Gdy wskazał na mnie, doktor rzekł:

– Sąsiedzi, nie wiem, czy ci, którzy teraz przyjechali, są oszustami czy nie, jeżeli jednak nimi nie są, to jestem idiotą. Uważam też za obowiązek nasz pilnować, żeby się stąd nie oddalili, dopóki nie wejrzymy w całą tę sprawę. Chodź ze mną, Hines, chodźcie i wy wszyscy. Zaprowadzimy tych ludzi do szynkowni i postawimy ich twarzą w twarz z tamtymi dwoma, a sądzę, że się czegoś dowiemy.

Tłumowi tylko w to graj, zwłaszcza że przyjaciele króla spuścili nieco nos na kwintę. Ruszyliśmy więc wszyscy. Słońce miało się już ku zachodowi. Doktor wiódł mnie za rękę i chociaż nic mi złego nie robił, ręki mojej nie puszczał.

Weszliśmy wszyscy do ogromnej sali miejscowego hotelu, zapalono kilka świec i posłano po nowo przybyłych. Doktor zagaił rzecz słowami:

– Nie chciałbym okazywać się zbyt surowy względem tych ludzi, ale pewien jestem, że są oszustami, a w takim razie mieć mogą wspólników, o których nic nie wiemy. Jeżeli zaś tak jest, to czy owi wspólnicy nie umknęli z workiem złota, zostawionym przez Piotra Wilksa? Prawdopodobnie tak. Jeżeli więc ci ludzie nie są oszustami, to nie powinni mieć nic przeciwko temu, żebyśmy posłali po te pieniądze i zatrzymali je u siebie, dopóki nie zostanie dowiedzione, kto jest prawowitym ich właścicielem. Mam słuszność czy nie?

Jednogłośnie przyznano mu słuszność. Pomyślałem więc sobie, że przycisnęli nas do muru nie na żarty, i to na samym początku. Ale król, przybierając wyraz prawdziwego zmartwienia, odpowiada spokojnie:

– Panowie, z całej duszy pragnąłbym, żeby owe nieszczęsne pieniądze tu były, bo najmniejszego nie mam zamiaru stawiać jakichkolwiek przeszkód do uczciwego rozjaśnienia tak ważnej sprawy. Ale, niestety, pieniądze, o których mowa, już zniknęły. Możecie pójść i naocznie przekonać się o tym.

– Gdzież są zatem?

– Alboż ja wiem? Siostrzenica moja dała mi je do schowania; wziąwszy je, ukryłem w słomie swego siennika, nie chcąc odnosić ich do banku na te dni kilka, któreśmy tu mieli zabawić. Nie przyzwyczajony do służby murzyńskiej, przypuszczając, że jest ona równie uczciwa, jak angielska, uważałem schowanie w sienniku za bezpieczne. Murzyni skradli jednak pieniądze zaraz nazajutrz, gdy zszedłem na dół, a ponieważ sprzedawałem ich, nic jeszcze nie wiedząc o popełnionej kradzieży, unieśli więc łup swój z sobą. Obecny tu mój służący może potwierdzić te słowa.

Doktor oraz kilku innych mruknęło: „Kłamstwo!", i widoczną było rzeczą, że nikt nie wierzył królowi. Jeden z obecnych zapytał mnie, czy przyłapałem Murzynów na kradzieży. Odpowiedziałem, że widziałem tylko, jak się rano z pokoju wymykali, i byłem pewien, że to czynili z obawy przed moim panem, który mógł się na nich gniewać za przebudzenie.

Wtem zwraca się ku mnie doktor i pyta:

– I ty także jesteś Anglikiem?

Odpowiadam: „Tak", ale i doktor, i inni parsknęli śmiechem!...

Nastąpiło badanie, godzina za godziną: a gdzieście byli, a cóście robili i tak dalej, i dalej, w kółko, aż mi się w głowie mieszać zaczęło. Kazali królowi oświadczyć, co miał do powiedzenia, a potem zwrócili się do nowo przybyłego pana i trzeba było chyba być osłem, żeby w słowach jego nie odczuć prawdy. Gdy skończyli, zawezwano mnie, abym powiedział wszystko, co wiem.

Król rzucił na mnie spojrzenie skośne, ale znaczące, więc zacząłem opowiadać, jak to jest u nas w Sheffield, jakeśmy tam żyli, jak żyje rodzina mojego pana, angielscy Wilksowie i tak dalej, plotłem, co mi ślina na język przyniosła. Wśród tej gadaniny doktor zaczął się śmiać, a Levi Bell rzekł:

– Daj pokój, mój chłopcze; gdybym był tobą, nie zadawałbym sobie trudu na próżno. Widzę, że nie jesteś do kłamstwa przyzwyczajony, niezręcznie zmyślasz.

Nie bardzo mnie ucieszył ten komplement, ale, bądź co bądź, rad byłem, że mi dano spokój nareszcie.

Doktor znów coś chce powiedzieć, ale nagle, zwracając się do sąsiada, mówi:

– Gdybyś nie był jeździł do miasta, Levi Bell...

A król mu przerywa i z wyciągniętą ręką podchodząc do adwokata:

– Więc to pan jesteś tym starym, wiernym przyjacielem, o którym drogi brat mój tak mi często pisał?

Uścisnęli się za ręce, adwokat uśmiechnięty rozmawiał z królem czas jakiś, potem szeptał z doktorem, a nareszcie rzekł głośno:

– Mam już sposób dojścia prawdy. Pismo panów przekona mnie, który z was jest prawdziwym Wilksem.

Przyniesiono więc papier i pióro, po czym król usiadł, przechylił głowę na jedną stronę, przygryzł język, coś nagryzmolił i z kolei oddał pióro księciu. Wtedy po raz pierwszy książę głowę stracił, wziął jednak pióro i nakreślił swój podpis. Następnie, zwróciwszy się do nowego brata, adwokat uprzejmie poprosił:

– Pan i brat pański zechcecie takze napisać po parę wierszy i położyć pod nimi swój podpis.

Stary pan coś napisał, ale nikt nie mógł tego przeczytać. Levi Bell zrobił minę niezmiernie zdziwioną i wyjmując z kieszeni paczkę listów, rzecze:

– Te stare listy kreślone są ręką Harveya Wilksa, pismo zaś obu tych panów – tu wskazał na króla i księcia, którzy mieli miny okropnie głupie – jest zupełnie inne. Z drugiej wszakże strony, pismo nowo przybyłego pana, który mieni się być bratem nieboszczyka, jest również zupełnie niepodobne. Pismo brata równe i czytelne, pan zaś kreślisz jakieś hieroglify, których pismem nazwać nie można.

Tu stary pan przerywa:

– Proszę, pozwól mi pan to wytłumaczyć. Mojego pisma nikt nie przeczyta, prócz mego brata, on też przepisuje moje listy. Te, które pan pokazujesz, on pisał.

– A to dziwny zbieg okoliczności! – rzekł na to adwokat. – Ale kiedy tak, to niechże brat pana napisze parę wierszy.

– Niepodobna mu pisać lewą ręką – przerwał znów stary pan. – Gdyby mógł posługiwać się prawą, każdy by poznał, że wszystkie listy on pisał. Spójrz pan, proszę: na jednych podpis Harvey, na drugich William, ale jedne i drugie kreślone tymże charakterem.

Adwokat przyjrzał się listom uważnie i powiada:

– Zdaje mi się, że tak jest w istocie, a jeśli nie, to podobieństwo charakterów zdumiewające. No, no! Myślałem już, że jesteśmy na drodze do odkrycia prawdy, tymczasem, jak widzę, droga nagle trawą zarosła. Przynajmniej jednej rzeczy jesteśmy zupełnie pewni, że żaden z tych dwóch nie jest bratem nieboszczyka Piotra Wilksa.

I to mówiąc, rzucił głową w stronę księcia i króla.

I cóż państwo powiecie! Ten stary uparty osioł i teraz jeszcze nie chciał ustąpić. Nie i nie! – To nie dowód! – utrzymywał. Brat jego, William, to kpiarz jakich mało. Chciał zażartować sobie ze wszystkich i wniwecz obrócić całe badanie; dlatego też nie napisał, jak należy. Ledwo pióro do papieru przyłożył, on, Harvey, zaraz spostrzegł, że William chce po swojemu zażartować. I tak utrzymując, zapalał się coraz bardziej i coraz liczniejszymi sypał ołowmi, aż wreszcie zaczął już nam wierzyć w to, co mówił, choć nie powiedział słowa prawdy. Przerwał mu jednak nowy brat, mówiąc:

– Przyszło mi coś na myśl. Czy pomiędzy tu obecnymi nie ma kogo, kto pomagał ubierać na śmierć mojego br..., chciałem powiedzieć, Piotra Wilksa?

– Ja, ja! – zawołały dwa głosy, z których jeden dodał:

– Ja i Ab Turner ubieraliśmy nieboszczyka. Jesteśmy tu.

Wtedy stary pan zwraca się do króla i pyta:

– Może pan będziesz łaskaw powiedzieć mi, co było wytatuowane na piersiach brata?

Było to tak niespodziewane, że król zbladł, znienacka zaskoczony.

– Hm! Co było wytatuowane, pytasz pan? Mnie pytasz? Więc ci odpowiem. A cóż by innego, jeśli nie strzałka maleńka, cieniutka, błękitna? Co? Może chcąc ją dojrzeć, trzeba patrzeć z bliska. No i cóż pan na to?

Aż się zdumiałem, co to za spryt u tego człowieka. Jaka przytomność umysłu!

Ale stary pan zwraca się żywo w stronę Aba Turnera i jego towarzysza, w oku zaś tak mu błysnęło, jakby mówił: Aha, mam cię, ptaszku!

– Wszak słyszeliście, panowie, co powiedział mój przeciwnik? Wy teraz powiedzcie: czy taki znak widzieliście na piersiach nieboszczyka?

Obaj jednogłośnie odpowiadają:

– Nie, nie widzieliśmy takiego znaku.

– Dobrze! – podejmuje stary pan. – Teraz ja powiem swoje. Widzieliście, panowie, nie co innego, jak małe, niewyraźne P, za nim B (początkowa litera imienia, którego dawno przestał używać), a na samym końcu W; jedno od drugiego oddzielone kreskami w ten sposób: P–B–W. I to mówiąc, napisał na skrawku papieru litery z kreskami, a pokazując je zebranym, raz jeszcze zapytał:

– Wszak taki znak panowie widzieliście?

– Nie. Żadnego znaku nie widzieliśmy.

Proszę sobie wyobrazić, co się działo z obecnymi. Jak jeden mąż huknęli:

– Warci jedni drugich! I ci, i tamci oszuści! Skąpać ich! Utopić ich! Smołą wysmarować i utarzać w pierzu!

Darli się wszyscy co sił, chcąc przekrzyczeć jedni drugich: wrzask, wycie, gwizdanie, mało uszy nie pękły. Ale adwokat wskakuje na stół i krzyczy na całe gardło:

– Panowie! Pa-no-wie! Pozwólcie powiedzieć słowo! Jedno słowo! Jest sposób: wykopać ciało i zobaczyć!

To im trafiło do przekonania.

– Hura! – krzyknęli znów wszyscy i natychmiast zbierali się do odejścia, ale doktor i adwokat powstrzymali ich, wołając:

– Czekajcie! Czekajcie! Weźcie za kołnierz tych czterech ludzi oraz chłopca i poprowadźcie ich z sobą!

– Weźmiemy! – zawołali. – A jeżeli nie będzie znaków, to zlinczujemy wszystkich pięciu!

O, przestraszyłem się nie na żarty! Ale niepodobieństwem było uciec. Trzymali nas mocno i prowadzili pomiędzy sobą, prosto na cmentarz, który znajdował się o półtorej wiorsty, a za nami szło widać całe miasto, bo hałas uczynił się ogromny, a była dopiero dziewiąta wieczorem.

Gdy mijaliśmy nasz dom, z żalem wspomniałem o Marii-Joannie, którą sam wyprawiłem z miasta. Gdyby tu była, dałbym jej znak, a ona już by mnie wybawiła z tej matni.

Idziemy tedy drogą wzdłuż rzeki, z wrzaskiem, z hałasem, istna kocia muzyka! Nigdy nie czułem takiego strachu, nie byłem w podobnym niebezpieczeństwie!

Gdy doszli nareszcie do cmentarza, sypnęli się całym rojem za ogrodzenie i jak powódź zalali sobą całą przestrzeń wewnątrz parkanu. Okazało się, że mają sto razy więcej łopat, niż potrzeba, ale za to nikomu nie przyszło na myśl przynieść latarni, bez której nie sposób się obejść. Zaczęli jednak kopać przy blasku błyskawic, w braku latarń, po które posłali do najbliższego domu, odległego o małe pół mili.

Dostali się wreszcie do trumny, zaczynają wieko odśrubowywać, ścisk straszny, przepychanie łokciami i ramionami, żeby tylko cośkolwiek zobaczyć, a że to wszystko działo się po ciemku, więc strach podnosił mi włosy na głowie. Hines mało mi ręki nie zgruchotał, tak ją cisnął w swej dłoni ogromnej, i z całej siły pchał się naprzód, zapomniawszy zupełnie, że mnie ciągnie.

Nagle błysnęło tak, że powódź oślepiającej jasności zalała cały cmentarz, a w tym blasku podniósł się krzyk:

– Na piersiach nieboszczyka worek ze złotem! Bodajem tak żył, jak to prawda jest!

Hines odpowiedział okrzykiem, jak inni, z wielkiego wzruszenia wypuścił mą rękę i piersiami jak taranem tłum rozpierając, torował sobie drogę do grobu. Jak nie dam nura!

Po ciemku dopadłem gościńca i naprzód. Mając drogę dla siebie tylko, pędziłem po niej jak strzała, wśród ciemności, przerzynanej od czasu do czasu bladosinym światłem błyskawic. Deszcz lał jak z cebra, wiatr gwizdał i wstrząsał drzewami, a pioruny biły bez przerwy. Strach, co się działo na świecie, a tu ja sam jeden, jak palec, pędzę na oślep wśród nawałnicy.

Będąc już za miastem, począłem zaraz rozglądać się, czy nie można by gdzie nad rzeką „pożyczyć" łódki, jak to mawiał tatko, gdy cudze brał bez pytania. Pierwsza silniejsza błyskawica ukazała mi łódź nieprzytwierdzoną, rzuciłem się do niej, odwiązałem sznur i, nie tracąc czasu, zacząłem wiosłować, zmierzając ku niewielkiej, gąszczem zarosłej mieliźnie, wynurzającej się z wody w dość znacznym oddaleniu od brzegu. Wiosłowałem zawzięcie, a gdy nareszcie łódź osiadła na piaszczystym podłożu, byłem tak śmiertelnie zmęczony, że miałem ochotę wyciągnąć się na piasku jak długi, bo nawet tchu złapać nie mogłem. Ale nie było na to czasu. Wyskoczywszy na wilgotny piasek, zawołałem:

– Jim, prędzej, prędzej! Odpływajmy! Chwała Bogu, jesteśmy sami! Uciekajmy.

Jim wyszedł z zarośli uradowany z mego powrotu, ale gdy w świetle błyskawicy ujrzałem jego postać, tak się przestraszyłem, że, odskoczywszy w tył parę kroków, upadłem na wznak w wodę. Zapomniawszy, że Jim jest królem Learem i Arabem – topielcem w jednej osobie, straciłem przytomność na jego widok. Ale Jim podskoczył ku mnie, podniósł jak dzieciaka, i tak był uszczęśliwiony z mego powrotu, że chciał mnie całować, ściskać i winszować pozbycia się nieproszonych gości.

– Nie teraz, nie teraz! – zawołałem. – Na śniadanie schowaj czułości. Odcinaj tratwę i płyńmy! Płyńmy!

Po paru sekundach byliśmy już na rzece. Ach, jak szczęśliwy się czułem, żeśmy znów sami, że nikt nam nie rozkazuje! Wtem słyszę w dali aż nadto dobrze znany mi odgłos. Wstrzymuję oddech... słucham... czekam... i cóż! Błysnęło porządnie, patrzę: oni. Znów oni! Wiosłują w naszą stronę obydwaj, król i książę!

XXX

Król wpadł. – Kłótnia i miłość.

Ledwie wstąpiwszy na tratwę, król zaraz wziął mnie za kołnierz i trzęsąc jak gruszą, zawołał:

– Zachciało ci się uciec od nas? Co, szczeniaku? Znudziło ci się nasze towarzystwo, co?

A ja mu na to:

– Nie, wasza królewska mość, nie znudziło!

– Kiedy nie, to się tłumacz, dlaczegoś bez nas drapnął? Mów, a prędko, bo z ciebie wszystkie wnętrzności wytrzęsę.

– No, to już powiem wszystko, uczciwie, jak się patrzy, powiem wszystko, jak było. Ten człowiek, który mnie trzymał, mówił mi, że miał takiego samego chłopca, który mu umarł w przeszłym roku, i dlatego przykro mu bardzo, że ja, rówieśnik tamtego, znajduję się w wielkim niebezpieczeństwie. Otóż kiedy się tak wszyscy zdumieli, znalazłszy worek ze złotem, i zaczęli śpieszyć do trumny, on puszcza moją rękę i szepcze do ucha: „W nogi, zmykaj, co masz siły, bo jakem żyw, tak cię powieszą”... Zmiarkowałem więc, że nie ma po co zostawać tam dłużej, że już nie jestem na nic potrzebny; a po cóż iść na szubienicę, jeżeli się można obejść bez tego? Biegłem więc, dopóki nie ujrzałem łódki, a dopłynąwszy tu, zacząłem wołać na Jima, żeby się śpieszył z tratwą, bo złapią mnie jeszcze i powieszą. Powiedziałem, że, nie wiedząc, czy wasza królewska mość żyje i co się stało z księciem panem, okropnie jestem zmartwiony. Jim zmartwił się także i teraz dopiero, zobaczywszy waszą królewską mość i księcia pana, ucieszyliśmy się okrutnie; Jim niech powie, że prawdę mówię.

Jim przyświadczył, ale król kazał mu zamknąć gębę i warknął:

– Znam ja waszą prawdę, znam!

I raz jeszcze wstrząsnął mną porządnie, oświadczając, że ma wielką ochotę wrzucić mnie w wodę i utopić jak szczenię. Lecz wdał się w to książę:

– Dajże pokój chłopcu, ty stary idioto! Czy ty byś inaczej był zrobił? Co? Szukałeś może chłopca, gdyś zmykał?

Puścił mnie więc król i zaraz kląć zaczął miasto ze wszystkimi jego miesz-
kańcami. I znów przerwał mu książę:

– Lepiej byś zrobił, gdybyś siebie przeklinał, bo ci się to słusznie należy.
Od samego początku wszystko, co robisz, nie ma i nie miało w sobie ani
krzty sensu. To tylko jedno udało ci się, gdyś tak zuchwale wmawiać w nich
zaczął, że nieboszczyk ma na piersiach strzałę błękitną. To ci się udało i to
nas ocaliło! Bo gdyby nie twoja pewność siebie, byliby nas zamknęli do kozy
i trzymali dopóty, dopóki by nie nadszedł bagaż tych przeklętych Anglików,
a wtedy więzienie, bratku, lub dom kary!

Umilkli obaj na chwilę; zamyślili się jakoś. Aż wreszcie odzywa się król
jakby do siebie:

– Hm! A myśmy myśleli, że złoto ukradli Murzyni...

Zdrętwiałem cały, aż ciarki po mnie przeszły!

– A tak – odpowiada książę.

Po chwili król bąka:

– Przynajmniej ja tak myślałem.

– Nie, to ja tak myślałem.

Więc król się niby nasrożył i woła:

– Słuchaj no ty, Bridgewater, co to ma znaczyć?

A książę mu ostro odpowie:

– Kiedy już do tego przyszło, to ja bym chciał zapytać, co ty chcesz przez
to powiedzieć?

– Chciałbyś! – podrwiwa z niego król – no, proszę! Chciałbyś, ale nie
wiesz... I ja nie wiem... może spałeś wówczas i nie wiedziałeś, co przez sen
robisz.

Teraz już książę nie na żarty zaperzył się.

– Przestań pleść głupstwa! – krzyknął. – Cóż to, za błazna mnie bie-
rzesz? Dlaczegóż ja mam wiedzieć, kto schował te pieniądze do trumny?

– Dlaczego? Bo ja wiem, że ty wiesz. A wiesz dlatego, że je sam schowałeś.

– Kłamiesz!

I książę rzucił się na króla, który krzyknął:

– Precz z rękami! Puść moje gardło! Cofam, co rzekłem!

Książę popuścił nieco, ale wciąż trzymał go w rękach.

– Słuchaj – mówi – masz się przyznać do prawdy, że to ty schowałeś te
pieniądze z zamiarem porwania kiedyś ich ukradkiem.

– Puść, książę, kiedy ci mówię... Odpowiedz mi szczerze i uczciwie na
jedno pytanie: Czy tyś położył tam pieniądze? Powiedz, że nie, a uwierzę ci
i cofnę wszystko, co powiedziałem.

– Nie położyłem, stary łotrze; ty wiesz dobrze, że nie położyłem. Słyszysz?

– No dobrze, dobrze, wierzę ci... Jeszcze na jedno pytanie daj mi odpowiedź... tylko, proszę cię, spokojnie, bez żadnych głupstw... Czy nie miałeś zamiaru wziąć tych pieniędzy i ukryć?

Pomilczawszy chwilę, odparł książę:

– Mniejsza o to, czy miałem, czy nie miałem, dość, że tego nie uczyniłem. Ty zaś nie tylko miałeś zamiar, lecz i spełniłeś go.

– Niech żywy z tego miejsca nie zejdę, jeżeli to prawda. Uczciwie mówię, że ich nie tknąłem. Nie powiadam, że ich wziąć nie chciałem, bo chciałem. Lecz wyprzedziłeś... chcę powiedzieć, wyprzedzono mnie.

– Kłamstwo! To twoja sprawka i przyznaj się, bo...

I znów ścisnął króla za gardło, a ten dławić się zaczyna i bełkocze:

– Przyznaję się! Tak... to ja!

Bardzo byłem rad z tego przyznania; lekko zrobiło mi się na sercu. Książę puścił gardło króla i mówi:

– Jeżeli kiedy temu zaprzeczysz, to cię utopię. A teraz siedź tu i becz jak dziecko. Teraz już rozumiem, dlaczego tak ci chodziło o pokrycie deficytu. Chciałeś wyciągnąć ze mnie wszystko, co do grosza, i wtedy dopiero dać drapaka.

Król, trochę jeszcze zasapany, odzywa się nieśmiało.

– Ależ to ty, książę, powiedziałeś, że trzeba pokryć deficyt.

– Cicho bądź! Uszy mnie już bolą od słuchania twoich kłamstw... Dużo na nich zarobiłeś! Tamci odebrali wszystko swoje i jeszcze nasze w dodatku... nasze własne. Ruszaj spać i nie zawracaj mi głowy deficytami, bo tak się z tobą rozprawię, że mnie na całe życie popamiętasz!

Wsunął się więc król do budki i na pociechę wziął się do butelki. I książę też wziął się do swojej tak, że za pół godziny mieli już obaj dobrze w głowie. W miarę jak tracili przytomność, coraz czulsi byli dla siebie, a wreszcie zasnęli w swoich objęciach. Okropnie się pokochali przy butelce, ale zauważyłem, że pomimo całej miłości, król pamięta o groźbie z powodu ukrycia worka w trumnie. I to było dla mnie prawdziwą pociechą. Ma się rozumieć, że gdy dobrze chrapać zaczęli, opowiedziałem Jimowi wszyściuteńko.

XXXI

Próby i narady. – Nie ma Jima. – Wieści od Jima. – Stare wspomnienia. – Huck walczy z sumieniem.

Przez wiele dni płynąc ciągle w dół rzeki, byliśmy teraz na południu, bardzo daleko od domu. Król i książę, spokojni już o swoją skórę, korzystać zaczęli z oddalenia od miejsca, w którym zdemaskowano ich oszustwo, od czasu do czasu, gdy przepływaliśmy obok wioski, próbowali, czy im się nie uda złupić z mieszkańców nieco grosza. Rozpoczęli od odczytu o wstrzemięźliwości, ale nie zebrali nawet tyle pieniędzy, żeby mogli upić się za nie. W innej znów wiosce otworzyli szkołę tańca, ale umieli tańczyć akurat tyle, co kangur, za pierwszym więc popisem, cała publiczność w podskokach rzuciła się na nich, a oni w podskokach także – nie nader wdzięcznych – wynosić się musieli, nie tracąc czasu. Dalej znów chcieli dawać lekcje deklamacji, ale po próbie bardzo krótkiej publiczność z miejsc się zerwała, deklamując im, żeby się wynosili. Wszystkiego próbowali: i kazań misjonarskich, i magnetyzowania, i leczenia, i przepowiadania, i różnych innych rzeczy, ale do niczego nie mieli szczęścia. Nareszcie, dawszy wszystkiemu za wygraną, leżeli po całych dniach na tratwie, nie mówiąc ani słowa, nie ruszając się z miejsca po całych godzinach, chmurni i zrozpaczeni.

Po paru dniach z innej widać strony wiatr na nich powiał, bo coraz częściej wsuwali się do budki i szeptali coś z sobą po kilka godzin, naradzając się w wielkim sekrecie. Jim i ja zaczynaliśmy odczuwać coś na kształt niepokoju, nie podobały nam się te narady. Baliśmy się tych szeptów, przypuszczając, że przy zmowie tak tajemniczej na pewno zamyślają uczynić coś gorszego niż wszystko, co dotąd czynili. Po długich domysłach przyszliśmy do przekonania, że układają, jakby się włamać do cudzego domu czy spichlerza, sfałszować pieniądze lub coś w tym rodzaju.

Pewnego dnia, raniutko, po ukryciu tratwy w zaroślach, o dwie mile od maleńkiej wioseczki zwanej Pikesville, król wysiadł na brzeg i poszedł do wsi, zapowiadając nam, żebyśmy nie pokazywali się wcale, dopóki on nie powróci.

– Idę – rzekł – przewąchać, czy nie doszły tu słuchy o naszych przedstawieniach teatralnych.

A ja sobie myślę: Aha! Idziesz przepatrzyć, gdzie by kogo okraść, a gdy wrócisz, to w głowę będziesz zachodził, gdzie jesteśmy: Jim, ja i tratwa. Odchodząc, dodał, że jeżeli nie wróci przed południem, to znak dla księcia i dla mnie, że wszystko idzie dobrze, że mamy natychmiast iść do niego.

Zostaliśmy więc na tratwie. Książę kwaśny był czegoś i niespokojny, miejsca sobie znaleźć nie mogąc. Oho! – myślę sobie. – Coś się gotuje. Rad więc byłem, że południe nadchodzi, a króla nie ma, przynajmniej będzie jakaś zmiana, a może i ta najpożądańsza! Poszliśmy więc we dwóch z księciem na wieś i zaczęliśmy szukać naszego króla. Znajdujemy go wreszcie w jakimś mizernym szyneczku. Pijany, około niego gromada próżniaków, którzy go dla zabawy drażnią, a on im wymyśla, co ma siły, a ma jej niewiele, bo tak pijany, że się już na nogach trzymać nie może.

Książę, zobaczywszy to, zaczyna mu wymyślać od starych durniów, a tamten odcina się. Podczas kłótni zażartej wziąłem nogi za pas i co żywiej, jak ścigany zając, pędzę ku rzece, aby skorzystać ze sposobności i uwolnić się raz na zawsze od tych oszustów... No! – mówię sobie – niemało wody upłynie, nim oni się z nami zobaczą. Dopadam wreszcie tratwy, zdyszany, uszczęśliwiony i krzyczę na całe gardło:

– Odwiązuj tratwę, Jim! Pozbyłem się ich nareszcie!

Ale nikt mi nie odpowiada, nikt nie wychodzi. Cóż by to znaczyć miało? Gdzie Jim? Jima nie ma! Wołam na niego raz, drugi, trzeci, biegam po lesie tam i na powrót, krzycząc zawzięcie, wszystko na próżno... Nie ma Jima, nie ma! Rzuciłem się więc na ziemię i płakać zacząłem, nie wiedząc, co począć. Nie mogłem jednak siedzieć bezczynnie. Zerwawszy się, biegnę drogą, a wciąż myślę, gdzie Jima szukać. Wtem spotykam jakiegoś chłopca. Zapytuję go więc, czy nie spotkał Murzyna, nietutejszego, w zabawnym ubraniu?...

– Spotkałem.

– Gdzie? Zaraz gadaj gdzie?

– O dwie mile stąd, nie opodal domu Silasa Phelpsa. To zbiegły Murzyn. Złapano go i zabrano. Szukasz go?

– Ani myślę. Parę godzin temu spotkałem go w lesie, groził mi, że wnętrzności ze mnie wypruje, jeśli śledzić go będę. Kazał mi położyć się i leżeć na miejscu nieruchomo. Musiałem go usłuchać, bo się bałem.

– No, kiedy tak, to nie masz się czego obawiać, bo Murzyn złapany.

– Dobrze się stało, że go ujęto!

– Ma się rozumieć. Dwieście dolarów nagrody weźmie ten, kto go odda w ręce władzy. To tak, jak gdyby na drodze znalazł pieniądze.

– A jakże! Gdybym był większy, to wziąłbym nagrodę, bo ja go pierwszy zobaczyłem. Kto złapał Murzyna?

– Stary jakiś, nietutejszy i prawo swoje do nagrody odstąpił za czterdzieści dolarów, bo powiada, że śpieszno mu odpłynąć dziś jeszcze i nie ma czasu czekać. Jak ci się podoba?

– Kiedy tak tanio sprzedał swoje prawo, to może sam czuje, że ono nie warte więcej?

– Ale gdzież tam, wszystko jasne jak na dłoni. Sam widziałem ogłoszenie. Opisany tam Murzyn, jak żywy, powiedziano nawet, z jakiej pochodzi plantacji, gdzieś z daleka, poza Nowym Orleanem.

Wróciwszy na tratwę, schowałem się do budki, żeby wszystko dobrze obmyślić. Ale myśli nie przychodziły, pomimo że mi głowa pękała od wysiłku. Po tak długiej podróży, po wszystkim, cośmy dla tych niegodziwców uczynili, wszystko się wniwecz obróciło, dlatego że mieli serce za głupie czterdzieści dolarów zaprzedać Jima na całe życie obcym ludziom.

Przyszło mi na myśl, że tysiąc razy lepiej będzie Jimowi powrócić tam, gdzie ma rodzinę, i wśród swoich być niewolnikiem, skoro koniecznie zostać nim musi. Już miałem napisać do Tomka Sawyera, żeby oznajmić miss Watson, gdzie się Jim znajduje, ale odrzuciłem ten projekt z dwóch przyczyn. Raz dlatego, że oburzona jego nieuczciwością i niewdzięcznością, której złożył dowody, uciekając od tak dobrej pani, zaraz go odsprzeda, i to na południe, bo tu najwięcej poszukiwani są niewolnicy. A po drugie, choćby go nawet nie sprzedała, to każdy będzie pogardzał niewdzięcznym Murzynem i da mu to odczuć. Wreszcie, jakżebym ja wyglądał! Rozniosłoby się po całym świecie, że Huck Finn dopomagał Murzynowi do ucieczki, i gdybym jeszcze kiedy spotkał kogoś ze stron rodzinnych, to spaliłbym się ze wstydu.

Dreszcze chodziły po mnie i postanowiłem odtąd modlić się. Może też będę choć trochę lepszy.

Ukłąkłem więc do pacierza, ale nie mogłem sobie przypomnieć ani słowa. Dlaczego? Albo ja wiem. Nie mogłem i już! Na nic się nie zdało udawać, że pacierz mówię, bo niepodobna było ukryć przed Nim, że go zapomniałem. Siebie również oszukać nie mogłem, bo wiedziałem przecie, dlaczego ani jedno słowo nie przychodzi na myśl. Oto dlatego, że sumienie moje nie było czyste, że nieprawość ciążyła na moim sercu, że okłamywałem samego siebie. Bo udawałem wprawdzie, że zrywam z dawną niegodziwością, ale w najciemniejszej kryjówce duszy trzymałem się grzechu oburącz, i to największego ze wszystkich. Niby to chciałem powiedzieć ustami, że postąpię, jak się patrzy, uczciwie, że napiszę do obecnego właściciela Jima i doniosę, czyim jest niewolnikiem, ale głos wewnętrzny mówił mi jasno, że usta kłamią – a On wiedział też o tym. Nie można kłamać w pacierzu, przekonałem się o tym osobiście.

Pogrążony więc byłem w strapieniu po uszy, i sam nie wiedziałem co dalej czynić. Przyszła mi wreszcie myśl dobra, żeby po napisaniu do miss Watson spróbować pacierza. Po tym postanowieniu od razu uczułem się lekki jak piórko, wszystkie moje utrapienia znikły bez śladu. Wziąłem więc kawałek papieru, ołówek i napisałem, co następuje:

Miss Watson! Murzyn Jim, który uciekł od Pani, jest tu o dwie mile od Pikesville, kupił go pan Phelps i odda go, jeżeli mu Pani zwróci koszta i przyśle po niego.

Huck Finn

Po napisaniu tego listu po raz pierwszy w życiu miałem to przekonanie, że zupełnie uczciwy ze mnie chłopiec, że nic nie ciąży mi na sumieniu. Czułem też, że teraz potrafię się modlić. Ale nie zaraz to uczyniłem; położywszy ćwiartkę przed sobą, zacząłem rozmyślać nad tym, jak to dobrze, że tak się wszystko złożyło i że ujdę zatracenia wiekuistego. Po chwili jednak stanął mi Jim, jak żywy, przed oczyma i przypomniał mi się cały ów czas z nim razem na wodzie spędzony: dnie, noce, wieczory księżycowe, ulewy i burze. I jakoś nie mogłem natrafić na tę rację, z powodu której miałbym okazać się nieżyczliwy dla Jima. Przeciwnie, wszystkie, które mi do głowy przychodziły, przemawiały za nim jedynie.

Przypominało mi się, jak odbywszy swoje godziny warty, zamiast mnie na zmianę zawołać, sam pozostawał, by mnie oszczędzić, jak się ucieszył, gdy rozłączeni podczas mgły, odzyskaliśmy siebie nawzajem, jak mnie witał serdecznie po mym powrocie, gdy on się ukrywał w trzęsawisku, a ja używałem wczasu i zabawy; jak mnie pieścił, nazywał „kochaniem", „gołąbkiem", jak mi zawsze usługiwał, dogadzał; jak dobry był dla mnie. A w samym końcu przypomniało mi się, że go ocaliłem, wymyśliwszy ospę na pokładzie. Jak on mnie ściskał, nazywając swoim przyjacielem najlepszym i jedynym, bo wszak nikogo nie miał na świecie. I właśnie myśląc o tym, spojrzałem na ćwiartkę z paru wierszami do miss Watson.

Ciężka to była chwila. Wziąłem ową ćwiartkę i długi czas trzymałem ją w rękach, które jak liść mi drżały, bo teraz trzeba było na prawo czy na lewo wybierać nieodwołalnie, raz na zawsze. Po kilku minutach walki wewnętrznej rzekłem do siebie: No, stało się! Niech tam już idę do piekła!

I podarłem list na kawałki.

Nie mogę być uczciwy, bo nie chowano mnie na uczciwego, lecz na nicponia i taki też widać pozostanę. A skoro tak być musi, to się zabiorę do roboty i wykradnę Jima z niewoli.

Zacząłem tedy szukać sposobów dopięcia celu. Spośród różnych myśli jedna przypadła mi wreszcie do smaku. Upatrzywszy śród wysepek jedną na uboczu, bardziej od innych zadrzewioną, o zmroku prześliznąłem się do niej, tratwę ukryłem wśród gęstwiny, a sam poszedłem spać w krzaki. Spałem noc całą, jak zabity, a świt już mnie zastał na nogach. Posiliwszy się, włożyłem ubranie najporządniejsze i z zawiniątkiem różnych drobiazgów popłynąłem łódką ku lądowi. Wysiadłszy niedaleko miejsca, w którym, według mnie, powinien był znajdować się dom Phelpsa, ukryłem zawiniątko w krzakach, w łódkę zaś, obciążoną kamieniami, nalałem wody. Miejsce dobrze sobie zapamiętałem; łódka została pod wodą, o ćwierć mili może od niewielkiego tartaku parowego, nad samym brzegiem.

Uczyniwszy to wszystko, wyszedłem na drogę. Przechodząc koło tartaku, widzę napis: „Tartak parowy Szymona Phelpsa".

Zadowolony z siebie, maszeruję dalej, zmierzając ku folwarkowi, odległemu o pareset sążni. Mało oczu sobie nie wypatrzyłem, rozglądając się pilnie dokoła siebie, ale chociaż dzień już był jasny, nie dostrzegłem żywej duszy. Nic mi na tym jednak nie zależało, chciałem tylko przypatrzyć się dobrze miejscowości. Miałem bowiem zamiar powrócić tutaj, nie od strony rzeki, lecz od miasteczka, które widać było nie opodal. Zakarbowawszy więc sobie w pamięci szczegóły położenia, idę do miasta. Pierwsza osoba, którą spotykam na ulicy, to – książę! Oczom własnym nie wierzę, a jednak to on, we własnej swojej osobie, rozlepia afisze na widowisko, „jakiego jeszcze nie widziano", zupełnie jak wtedy, kiedy to ledwo z życiem uciekli... Tak niespodzianie wpadłem na niego, że na ukrycie się nie było czasu. Książę, zdziwiony wielce, pyta:

– A ty skąd się tu wziąłeś? Gdzie tratwa, czy w dobrym miejscu schowana?

– O to właśnie pytać miałem waszą książęcą mość – odpowiadam.

– Skądże ci przyszło do głowy mnie o to pytać?

– Ano – mówię – wczoraj, gdy króla znaleźliśmy w szynku, nie przypuszczając, żeby powrócił tak prędko, poszedłem wałęsać się po mieście dla zabicia czasu, w oczekiwaniu hasła powrotu. Tymczasem nadszedł jakiś człowiek i przyrzeka mi dziesięć centów, jeśli mu pomogę przeprawić barana na drugą stronę rzeki. Poszedłem, ciągniemy barana z całych sił, ten się opiera, więc ów człowiek daje mi sznur, mówiąc: „Trzymaj mocno, a ja go będę próbował popychać z tyłu". – Dobrze! Więc ciągnę za sznur, ale bydlę przeklęte silniejsze ode mnie. Wyrwał mi się i w nogi, a my za nim... Nie mieliśmy psa, więc trzeba było uganiać się za nim po polach, nie wiem jak długo. Schwytawszy go wreszcie, gdy już było porządnie ciemno, dobiliśmy szczęśliwie do miejsca. Wracam z dziesięcioma centami w kieszeni i ruszam prosto do tratwy. Ale gdy zobaczyłem, że jej nie ma, byłem zgnębiony. Nic innego, myślę sobie, tylko nawarzyli tam piwa i zmuszeni do ucieczki, zabrali z sobą mego Murzyna, jedynego Murzyna, jakiego miałem... Co ja tu zrobię nieszczęśliwy! Usiadłszy, zacząłem płakać, a potem całą noc przespałem w lesie... Ale cóż się z tratwą stać mogło? I z Jimem, z biednym moim Jimem?

– Bodajem skisł, jeżeli wiem, co się stało z tratwą. Ten stary dureń zrobił jakiś interes, za który dostał czterdzieści dolarów, ale kiedyśmy go znaleźli w szynku, już większą część przegrał w zakłady, a resztę przepił do ostatniego centa. Po powrocie wieczorem nad rzekę, nie zastawszy tratwy, powiedzieliśmy sobie: „Ten mały nicpoń skradł naszą tratwę, porzucił nas tutaj, a sam uciekł".

– Czyżbym ja porzucał swego Murzyna, jedynego Murzyna, jaki mi został? Nic więcej nie posiadam na świecie!

– O tym nie myśleliśmy jakoś. Co prawda, przywykliśmy uważać go za swego. Tak... za swojego... Bóg jeden wie, ile on nam przyczynił ambarasu... Ale widząc, że tratwy nie ma, żeśmy osadzeni na koszu, musieliśmy ogłosić trzy przedstawienia... Co ja się nakręciłem i nalatałem, aż mi w gębie wyschło od gadania. Gdzie masz owe dziesięć centów?

Grosza mi nie brakło, daję mu więc dziesięć centów, lecz proszę, żeby kupił za nie coś do jedzenia i podzielił się ze mną, bo to są jedyne pieniądze, jakie posiadam, a od wczoraj nic w ustach nie miałem.

Nie odrzekł na to ani słowa, tylko, pomilczawszy chwilkę, pyta:

– Jak ci się zdaje? Nie nagada na nas ten Murzyn? Obdarłbym go żywcem ze skóry!

– Jakże może nagadać? Uciekł przecie!

– Nie uciekł! Ten stary dureń sprzedał go, nie podzielił się ze mną i pieniądze stracił co do grosza.

– Sprzedał! – powiadam i w płacz. – Jakże go mógł sprzedać? To mój Murzyn, pieniądze są moją własnością... Gdzie mój Murzyn? Ja chcę swego Murzyna!

– Nie ma twego Murzyna i nie dostaniesz ani jego, ani pieniędzy, przestań więc beczeć. Słuchaj, może tobie przyszło do głowy wydać nas? Nie mam jakoś zaufania do ciebie... Powiadam ci, gdybyś to zrobił...

Urwał, ale nigdy jeszcze nie widziałem w jego oczach tak szkaradnego spojrzenia. Szlocham więc w dalszym ciągu i mówię:

– Nikogo wydawać nie będę... Nie mam czasu myśleć o tym. Muszę wrócić tam, gdzie wczoraj byliśmy, i szukać swego Murzyna.

Musiały go łzy moje rozrzewnić, bo stojąc z całym stosem afiszów, które mu wiatr rozwiewał, zamyślił się, aż wreszcie rzekł:

– Powiem ci coś. Chcemy tu zabawić trzy dni. Jeżeli dasz słowo, że będziesz trzymał język za zębami i że Murzynowi gadać nie pozwolisz, to ci powiem, gdzie go możesz znaleźć.

Dałem słowo, na co on znów:

– Właściciel folwarku nazwiskiem Silas Ph... – i nagle zamilkł. Miał widocznie zamiar powiedzieć prawdę, ale się wstrzymał, znów zaczął myśleć i już pewien byłem, że zamiar zmieni.

Jakoż tak było. Nie dowierzał mi i chciał się upewnić, że nie będę mu stawał na drodze przez trzy dni. Niebawem więc rzecze:

– Nabył go właściciel folwarku, nazwiskiem Abraham Forster, uważaj: Abraham G. Forster. Mieszka o czterdzieści mil stąd, w głąb kraju, na drodze do Lafayette.

– Doskonale! – powiadam uradowany. – Za trzy dni będę już tam. Dziś wieczorem puszczam się w drogę.

– Nie wieczorem, ale natychmiast. Nie trać czasu, nie zwlekaj, nie bałamuć się w drodze; idź prosto przed siebie, a język trzymaj za zębami, bo inaczej będziesz miał ze mną do czynienia. Słyszysz, co mówię?

Tego mi było potrzeba. Chciałem mieć ręce rozwiązane i swobodę wykonania swych planów.

Poszedłem więc we wskazanym kierunku. Nie oglądając się, czułem, że książę mnie śledzi. Wywiodę ja cię w pole – myślałem w duchu. Nie zatrzymując się przez jakąś milę, zawróciłem w końcu i poszedłem w stronę Phelpsa. Nie miałem bynajmniej zamiaru łamać danego słowa i wydawać oszustów w ręce władzy, ani też nie pozwoliłbym na to Jimowi. O jedno mi tylko chodziło: raz na zawsze zejść im z drogi i nigdy już nie oglądać ich królewsko-książęcych mości.

XXXII

Folwark Phelpsa. – To ty? – Ciotka Tomka Sawyera.

Gdy stanąłem wreszcie na folwarku Phelpsa, zastałem tam taką ciszę, jakby to była niedziela, nie dzień powszedni.

Wszyscy robotnicy byli w polu, słońce piekło jak ogniem, a w powietrzu unosiło się leciutkie brzęczenie owadów i muszek.

Folwark Phelpsa był jedną z tych małych plantacji bawełny, które jeden koń może obrobić.

Obszedłszy wokoło całą zagrodę, dostałem się do wnętrza przez ogrodzenie, tuż obok dołu na popiół. Idę w stronę kuchni, a im bardziej się zbliżam, tym wyraźniej słyszę skrzypiący turkot kołowrotka. Coś w nim zepsutego być musiało, bo jęczał, skrzypiał, zgrzytał, aż uszy bolały!

Idę prosto do kuchni, bez żadnego zamiaru wyraźnego, ufając tylko Opatrzności, która, jak zauważyłem, sama sobie pozostawiona, zawsze mi dobrze podpowiada.

Gdy byłem zaledwie o kilka kroków od kuchni, jeden z psów, zbudzony mymi krokami, podniósł się, przeciągnął i wpada na mnie a za nim drugi, trzeci i cała zgraja.

Wkrótce podobny byłem do sztorcem stojącej osi, wokoło której kręcą się ruchome, kosmate szprychy.

Usłyszawszy to ujadanie, wybiegła z kuchni Murzynka z wałkiem od ciasta w ręku: „A poszły! Poszedł, Tygrys! Leżeć, Plama! Poszły, psiska! Dam ja wam!" Jednego psa wałkiem po grzbiecie, drugiego ręką za kark, trzeciego nogą, gdzie popadło, aż odskoczyły wszystkie, skomląc żałośnie. Po chwili połowa napastników powróciła, machając przyjacielsko ogonami i łasząc się do mnie. Zaraz też na poczekaniu nastąpiło przyjazne zbliżenie, bo tak w psie, jak i we mnie, nie ma ani krzty złości.

Za Murzynką wybiegła z kuchni mała Murzyneczka i dwóch mniejszych od niej chłopaczków. Wreszcie wybiega z dworu pani (biała, ma się rozumieć), czterdziestokilkuletnia kobieta, z gołą głową, z wrzecionem w ręku, w towarzystwie dwojga czy trojga białych dzieci, które przypatrują mi się, tak samo, jak i czarne. Biegnie pani do mnie, zdyszana a uśmiechnięta i woła:

– To ty! Nareszcie! To ty!

– To ja, pani! – wyrwało mi się, zanim zdążyłem zebrać myśli.

A pani bierze mnie za szyję, ściska, wzrokiem pożera, łzy leje, jakby się mną nacieszyć nie mogła, i wciąż powtarza:

– Nie jesteś tak podobny do matki, jak przypuszczałam, ale mniejsza o to! Taka jestem szczęśliwa, że cię nareszcie widzę! Chłopcze mój drogi, napatrzeć się na ciebie nie mogę! Dzieci, patrzcie, to wasz braciszek, Tom! Przywitajcie go prędzej!

Ale dzieci pospuszczały głowy, powkładały palce do ust i wciąż się za matkę chowają. Więc ona:

– Elżuniu, pobiegnij no i każ przygotować śniadanie. Tylko prędko! A może już jadłeś na statku?

Gdy potwierdziłem, wzięła mnie za rękę i prowadzi do domu w towarzystwie podskakujących dzieci. W pokoju sadza mnie na wyścielanym krześle, a sama, siadając na niskiej ławeczce i biorąc obie moje ręce, mówi:

– No, teraz to już ci się napatrzę do woli. Mój Boże, ilem to ja się nawyglądała ciebie, jak spragniona byłam twego widoku! Tyle lat, tyle lat! Mam cię nareszcie! A czy wiesz, że od trzech dni spodziewaliśmy się ciebie lada chwila? Dlaczego się spóźniłeś? Może okręt...?

– Ta-ak, pro-oszę pani...

– Nie mów: proszę pani, mów: proszę cioci. Ciocia. Tak, ciocia Sara. Więc rozbił się statek? Czy na mieliźnie osiadł?

Nie wiedziałem, co na to odpowiedzieć, nie mając pojęcia, skąd miał przybyć oczekiwany okręt, z góry rzeki czy z dołu.

– E, mielizna to nic – odpowiedziałem po namyśle. – Nie przez nią straciliśmy tyle czasu. Gorszy był wypadek: kocioł nam pękł.

– Boże miłosierny! Pozabijał ludzi?

– Nie, nikogo; Murzyna tylko zabił.

– Chwałaż Bogu. Wujaszek Silas co dzień jeździł do miasta po ciebie. I teraz pojechał, godzinę temu, dwie może, lada chwila powróci. Może go nawet spotkałeś na drodze? Musiałeś spotkać: niemłody już człowiek, z długą...

– Nie, nie spotkałem nikogo, ciociu Saro. Ponieważ statek przypłynął o świcie, więc, zostawiwszy rzeczy na przystani, poszedłem przejść się trochę, nie chcąc tu przybyć za wcześnie.

– Jakże się więc stało, że jadłeś tak rano gorące śniadanie?

– Kapitan wziął mnie z sobą do oficerskiej jadalni i doskonale miałem śniadanie.

Taki się czułem nieswój, że nie mogłem usiedzieć. Ciągle zerkałem na dzieci, myśląc, że jeżeli mi się uda pomówić z nimi na stronie, to wyciągnę z nich, gdzie jestem i jak się nazywam. Ale nie było sposobu; pani Phelps mówiła bez ustanku. Zimny dreszcz przeszedł mi po plecach, gdy usłyszałem:

– Ale my tu gawędzimy i gawędzimy, a nie powiedziałeś mi jeszcze ani słowa o swoich. Musisz powiedzieć o każdym z osobna wszystkie szczegóły, jak się mają, jak wyglądają, co robią, co ci kazali nam powiedzieć?... Wszystko mów, co ci na myśl przyjdzie!

Widzę, że ugrzęzłem bez ratunku, że Opatrzność odstąpiła mnie już najzupełniej. Nie mając żadnego wyjścia, już otwierałem usta, by wyznać prawdę, gdy „ciotka" wpycha mnie gwałtem za łóżko i mówi:

– Idzie! Idzie! Schyl głowę... niżej... jeszcze... ot, tak! Teraz cię nie zobaczy... Nie odzywajże się i nie ruszaj... Zwiodę go... Dzieci, żebyście mi ani słowa nie mówiły.

Masz tobie! – myślę. – Nowa bieda! – Ale cóż miałem robić? Trzeba się było schować i stać cicho w oczekiwaniu na piorun, który w końcu musiał uderzyć.

Raz tylko zerknąłem okiem w stronę drzwi i ujrzałem niemłodego już pana. „Ciocia" zrywa się z miejsca, biegnie ku niemu i pyta:

– Cóż, przyjechał?

– Nie – odpowiada małżonek.

– Wielki Boże! Cóż się z nim stać mogło?

– Nie mam pojęcia – odpowiada niemłody pan – i muszę przyznać, że zaczynam być niespokojny.

– Niespokojny! – podchwyciła „ciocia". – Ja też głowę tracę... Musiał przyjechać... minąłeś się z nim na drodze... Pewna jestem, że tak... coś mi powiada, że przyjechał.

– Ależ, Saro, nie mogłem się z nim minąć. Sama wiesz, że nie mogłem.

– Silas! Silas! – przerwała mu „ciotka" – spójrz no w okno! Kto tam idzie drogą?

Pan domu podskoczył do okna, znajdującego się w głowach łóżka, z czego natychmiast skorzystała jego małżonka. Zbliżywszy się do mnie, ukrytego za kotarą w nogach łóżka, szybko szturchnęła mnie w ramię i pociągnęła za rękaw. Zrozumiałem, co to ma znaczyć, toteż gdy „wujaszek Silas", nic na drodze nie ujrzawszy, odwrócił się od okna, zobaczył przed sobą żonę tak rozjaśnioną, jak dom, z którego okien bucha płomień pożaru, a obok ciotki – mnie, stojącego z miną potulną i kroplami potu na czole. Wytrzeszczył tedy oczy i pyta:

– A to kto?

– Jak ci się zdaje?

– Pojęcia nie mam. Kto jest ten chłopiec?

– Tomek Sawyer!

Usłyszawszy to, osłupiałem ze zdumienia. Zdawało mi się, że i podłoga drgnęła pode mną. Nie było jednak czasu dziwić się, bo stary Silas złapał mnie za rękę i trząsł nią jak gruszą, z radości, żona zaś dreptała w kółko, śmiejąc się i płacząc jednocześnie, i oboje zasypywali mnie pytaniami: Co porabia ten? Jak się ma tamta? I tak dalej.

Radość ich, jakkolwiek silna, była niczym w porównaniu z moją, gdy się nareszcie dowiedziałem swego nazwiska. Jak sople dachu, tak oni mnie się trzymali co najmniej ze dwie godziny, a w końcu, gdy już szczękami ruszać nie mogłem, wiedzieli o mojej rodzinie – a raczej o rodzinie Sawyerów – daleko więcej, niż się mogło przytrafić sześciu rodzinom. Wytłumaczyłem im także przyczynę mego opóźnienia, opowiedziawszy o pęknięciu kotła i jego trzydniowej naprawie. Poszło to gładko jak chleb z masłem.

Teraz więc czułem się zupełnie spokojny i zadowolony; dolegała mi tylko myśl jedna, że przestanę być Tomkiem Sawyerem, skoro tylko zagwiżdże pierwszy parowiec. A wówczas co będzie? Tomek, wpadłszy do pokoju, zawoła: „Huck! Ty tu?", zanim ja zdążę mrugnąć na niego. Co wtedy będzie? Ponieważ jednak na to nie byłoby rady, postanowiłem nadrabiać miną i wyjść na spotkanie Tomka.

Jakoż, otrzymawszy pozwolenie na wyjazd po rzeczy, które zostały na przystani, wsiadłem do lekkiego wózka – i pojechałem.

XXXIII

Nie konio- ale Murzynokrady. – Gościnność południowców. –
Ty niegodziwy smarkaczu! – W smole i w pierzu.

Ruszam tedy do miasta i w połowie drogi widzę nadjeżdżający wózek,
a na nim... któż by inny, jak nie Tomek? Tomek Sawyer! On sam, we własnej
osobie. Przystanąłem, czekam, aż się zrównamy, i wołam: „Stój!"

Wózek staje, Tomek spostrzega mnie, rozwiera usta na oścież, jak wjaz-
dową bramę, i już ich potem nie zamyka. Parę razy z trudem przełyka ślinę,
jakby mu w gardle zaschło, po czym odzywa się:

– Ja... ja ci nigdy nie zrobiłem nic złego... Sam wiesz, że nie! Więc czemu...
czemu powracasz z... tamtego... z tamtego świata i do mnie przychodzisz?

A ja mu na to:

– Nie powracam wcale, bo tam nie chodziłem.

Usłyszawszy głos mój, ochłonął nieco z przerażenia i mówi:

– Nie żartuj ze mnie, bo ja bym z ciebie tak nie żartował. Powiedz, jesteś
porządny chłopak, nie jesteś duchem?

– Jakem porządny chłopak, nie jestem duchem.

No... kiedy tak... to wierzę ci... Wierzę, nie mogę jednak zrozumieć
Więc nie byłeś zabity? Nigdy? Ani trochę?

– Nigdy, ani trochę; słowo ci na to daję. Tak tylko wszystko urządziłem,
żeby myślano, żem zabity. Zejdź z wózka i dotknij mnie; przekonasz się, żem
żywy.

Usłuchał wezwania i to go zupełnie zadowoliło. Wtedy dopiero sam już
nie wiedział, co ma czynić z radości. Od razu też chciał się wszystkiego
dowiedzieć: jakim sposobem zdołałem uciec, skąd się tu wziąłem i tak dalej.
Ale że to była długa historia i sekret wielki, nie mogłem więc opowiedzieć
mu wszystkiego w dwóch słowach i na gościńcu. Odłożywszy na później
opowiadanie, wziąłem tylko Tomka na bok, żeby mu wyznać swój kłopot.

– Jak ci się zdaje, Tomku, co teraz robić?

– Daj mi pomyśleć chwilę i nie przeszkadzaj – odrzekł.

Milczeliśmy obaj przez kilka minut, po czym Tomek zawołał:

– Już wiem, co zrobić! Weź mój kuferek na swój wózek i zawróć do
domu, jadąc noga za nogą, żebyś tak przyjechał, jakbyś naprawdę był w mieście. Ja zaś wrócę w stronę miasta, pomarudzę trochę i przyjadę na folwark
w pół godziny po tobie. Będziesz udawał, że mnie nie znasz.

– Dobrze – mówię – ale poczekaj no chwilę. Jeszcze ci coś powiem;
czego nikt nie wie, prócz mnie. Widzisz, Tomku, jest tu Murzyn, którego
chcę wykraść. Jim mu na imię, Jim starej miss Watson, pamiętasz?!...

– Co? – przerywa Tomek. – Jim! Ależ on...

– Wiem, co chcesz powiedzieć – mówię – że to niegodziwość i podłość kraść Murzyna. Ale cóż z tego? Czując ohydę swojego czynu, wykradnę Jima, a ty siedź cicho... Dobrze?

– Dobrze! – powiada Tomek. – Ja ci pomogę.

Aż mi się w głowie zakręciło, gdy to usłyszałem. Nie spodziewałem się czegoś podobnego i – jeżeli mam prawdę powiedzieć – to Tomek Sawyer znacznie stracił w mojej opinii. Tylko że nie bardzo temu wierzyłem. Niech tam już ja – ale Tomek Sawyer jest Murzynokradem!

– Żartujesz – powiadam – ale proszę cię, jeżeli usłyszysz cokolwiek o Murzynie, którego poszukują jako zbiegłego z plantacji, to nie zapomnij, że ty nic o nim nie wiesz, tak samo zresztą jak i ja.

Wzięliśmy więc kuferek i przełożyli go na mój wózek, po czym rozjechaliśmy się, każdy w swoją stronę. Taki byłem uradowany i tyle myśli cisnęło mi się do głowy, że na śmierć zapomniawszy jechać wolno, przybyłem do domu za wcześnie. Wujaszek, stojąc we drzwiach, powiada:

– No, no! Cud prawdziwy! Kto by się był spodziewał, że ta klacz dokaże takiej sztuki. Na wyścigach biegać by mogła! Żeby choć jeden włosek miała mokry, a to nic – ani kropli potu! Nigdy nie myślałem, żeby tak znakomicie chodziła! O, teraz daję słowo, nie wziąłbym za nią stu dolarów, gdy pierwej byłbym ją oddał za piętnaście, przekonany, że i tego niewarta.

I na tym się skończyło. Poczciwy to był z kośćmi człowiek, dobroduszny, łagodny, nigdy nikogo o złe nie podejrzewał. Nie ma w tym zresztą nic dziwnego, bo wujaszek Silas nie tylko był dzierżawcą, ale jeszcze pełnił obowiązki duszpasterza. Na granicy jego folwarku stał mały kościółek drewniany, własnym jego kosztem zbudowany, a obok szkoła, również z jego ofiary wzniesiona, w której nauczał religii, nie biorąc za naukę i za posługi religijne ani grosza, chociaż dobrze uczył i dobre miewał kazania. Na całym południu pełno jest podobnych jemu dzierżawców, którzy z jednaką gorliwością oddają się gospodarstwu i służbie Bożej.

W dobre pół godziny po moim przybyciu zajeżdża przed bramę frontową wózek Tomka. Ciocia Sara spojrzała przez okno i powiada:

– Ktoś przyjechał! Ciekawam, kto to taki... Hm! Ktoś nieznajomy... Jimmy, powiedz Lizie, żeby dodała nakrycie i niech przyśpieszą obiad.

Rzucili się wszyscy do drzwi głównych, boć przecie nie co roku przybywa ktoś nieznajomy w gościnę, musi więc wzbudzać zajęcie. Tomek, przeszedłszy bramę, kroczył dziedzińcem ku domowi, gdy wózek, którym przyjechał, potoczył się z powrotem drogą ku wiosce. Stanąwszy przed nami, uchylił kapelusza.

– Wszak pana Archibalda Nicholsa mam przed sobą? – zapytuje.

– Nie, mój chłopcze – odpowiada gospodarz domu – przykro mi bardzo, ale twój woźnica oszukał cię. Pan Nichols mieszka o trzy mile dalej. Prosimy cię jednak, prosimy.

Tomek, spoglądając przez ramię poza siebie, na widok oddalającego się wózka, powiada:

– Za daleko odjechał. Nie usłyszy, choćbym i wołał.

– Odjechał, synu, odjechał. Nie ma rady, musisz z nami zjeść obiad, a potem pomyślimy, jakby cię odwieźć do Nicholsa.

– O, nie, dziękuję. Nie mogę robić państwu tyle kłopotu. Doprawdy, nie mogę. Pójdę pieszo. Trzy mile to niedaleko.

– Ale my ci iść nie pozwolimy. Cóż ty sobie myślisz, że południowcy nie znają się na gościnności? Nie puścimy cię przed obiadem.

– Ma się rozumieć, że nie puścimy – dodaje ciocia Sara. – Nie zrobisz nam kłopotu najmniejszego. Jakże można iść pieszo trzy mile ogromne w taki upał i po kurzawie. Zresztą kazałam już dodać nakrycie, obiad gotów i nie możesz nam robić zawodu.

Podziękowawszy bardzo uprzejmie, Tomek dał się przekonać. Wszedłszy za gospodarzami, złożył ukłon wszystkim obecnym i przedstawił się jako podróżny ze stanu Ohio, z miasteczka Hicksville, nazwiskiem William Thompson.

Tak zacząwszy, snuł już dalej opowiadanie, jak nitkę z kłębka, o Hicksville, o jego mieszkańcach, o tym i o tamtym, bez końca. Gadał, co mu ślina na język przyniosła, a mnie strach brać zaczynał, bo nie pojmowałem, jak się Tomek weźmie do rzeczy, żeby mnie wybawić z kłopotu. Aż wreszcie, na chwilę ust nie zamykając, podnosi się mój Tomek z krzesła, całuje ciocię Sarę w same usta i, uczyniwszy to, znów wygodnie zasiada w krześle, żeby dalej mówić. Ale ciocia Sara, zerwawszy się jak oparzona, ręką usta ociera i krzyczy z widocznym oburzeniem:

– A ty smarkaczu! Cóż to za poufałość?

Tomek stroi obrażoną minę i odpowiada:

– Nie spodziewałem się tego po pani.

– Nie spodziew... Za kogóż ty mnie masz? Doprawdy, warto by cię... Zaraz mi gadaj, co to znaczy, żeś mnie pocałował?

– Nic nie znaczy, proszę pani – potulnie już odpowiada Tomek. – Nie myślałem, że się pani obrazi... Mnie się zdawało, że pani... że pani zrobi to przyjemność...

– Skąd ci przyszło do głowy, że mi przyjemność zrobisz?

– Ja... ja... nie wiem... Wszyscy tak mówili...

– Wszyscy?! Wszyscy są wariaci, a ty... głupiec! Co też mu do głowy przychodzi. Kto są ci wszyscy?

– Wszyscy, proszę pani... Każdy mi to mówił, proszę pani...

Ciocia Sara była u szczytu oburzenia; z oczu jej sypały się iskry, a palcami robiła takie ruchy, jakby chciała Tomkowi wydrapać oczy. W końcu powiada:

– Jak się ci „wszyscy" nazywają? Jak ma każdy na imię? Odpowiadaj natychmiast!

Tomek zrobił minę desperacką, wstał z krzesła, wziął za kapelusz i żałosnym głosem powiada:

– Bardzo mi przykro... Nie spodziewałem się, że tak panią rozgniewam. Wszyscy mi mówili: „pocałuj". Każdy powtarzał „pocałuj", a wszyscy dodawali: „zobaczysz, jak się ucieszy". Każdy, proszę pani, tak mówił, wszyscy co do jednego... Ale kiedy się pani gniewa, to przepraszam, bardzo przepraszam. Już nigdy nie będę... Nigdy... słowo daję... nie zrobię już tego.

– Nie będę! Nie zrobię! Spodziewam się, że nie zrobisz!

– Na uczciwość przysięgam, że nie zrobię... Nigdy w życiu... Chyba że pani sama poprosi...

– Chyba ja ciebie poproszę! Nie, chłopcze, tyś uciekł z domu wariatów! Możesz być pewien, że sędziwych lat doczekasz, zanim poproszę o pocałunek ciebie, albo i drugiego, takiego jak ty, gołowąsa...

– Ha, trudno... ale dziwi mnie to... dziwi i smuci... I ani rusz zrozumieć nie mogę, za co się pani tak gniewa. Wszyscy mówili: „ucieszy się", i ja myślałem, że pani się ucieszy... Czy... .

Tu zatrzymał się i z wolna okiem powiódł wokoło, jakby szukał spojrzenia życzliwego. Spotkawszy wlepione w siebie oczy wujaszka, pełne dobrodusznego zdziwienia, zwrócił się wręcz z pytaniem do niego:

– A pan? Czy się panu nie zdawało, że szanowna jego małżonka ucieszy się, gdy ją pocałuję?

– Ja? Mnie? Nie... nie sądzę... żeby mi się to zdawało.

Tomek znów powiódł spojrzeniem wokoło i zatrzymując je tym razem na mnie, powiada:

– Tomku, czy i tobie się nie zdawało, że ciocia Sara roztworzy mi ramiona i powie: „Sid Sawyer, mój siostrzeńcze!"

– O nieba! – woła ciocia Sara i zrywając się z miejsca, biegnie do Tomka. – Ach! Ty... niegodziwy chłopcze... żeby też tak zwieść rodzoną ciotkę... i chce go okryć pocałunkami, ale Tomek usuwa się i oświadcza:

– Nie, nie, nie! Aż mnie pani sama poprosi.

Nie zwlekając dłużej, poprosiła go, żeby jej się pozwolił pocałować; wycałowała go też i wyściskała raz, drugi, dziesiąty i dopiero wtedy oddała go swemu mężowi, żeby się zadowolił resztkami. A gdy się wszyscy nieco uspokoili, mówi ciocia Sara:

– Ale to niespodzianka! Oczekiwaliśmy Tomka, ale żebyś ty także miał przyjechać?... Siostra nigdy nawet nie wspomniała o tym!

– Dlatego – tłumaczy Tomek – że z początku miano zamiar Tomka tylko wyprawić do wujostwa, ale ja tak prosiłem, że w ostatniej chwili mama i mnie pozwoliła pojechać! Wtedy, na statku już, przyszło nam do głowy urządzić taką niespodziankę, że Tomek pokaże się tu i nic o mnie nie powie, a ja zaczekam parę godzin i przyjadę później, udając obcego. Ale nam się nie udał figiel, ciociu. Nie bardzo tu radzi obcym...

– Takim, jak wy, nicponie! – dokończyła ciocia.

– Warto by was za uszy wytargać.

Siedliśmy do stołu w szerokim, otwartym przejściu, łączącym kuchnię z domem. Stół zastawiony był tak obficie, że siedem razy tyle osób najeść się mogło do syta.

Całe poobiedzie toczyła się ożywiona rozmowa, w której Tomek i ja braliśmy udział niemały. Nastawialiśmy pilnie ucha, czy czasem nie wspomni kto o Murzynie zbiegłym i pojmanym, ale nadzieja nas zawiodła, myśmy zaś bali się poruszać tego tematu. Wreszcie wieczorem, przy kolacji odzywa się jedno z dzieci:

– Tato, czy Tom, Sid i ja możemy pójść na przedstawienie?

Nie – odpowiada wujaszek – przypuszczam, że go nie będzie, a choćby i było, to bym wam pójść nie pozwolił. Ten zbiegły Murzyn, niedawno do mnie przyprowadzony, opowiadał o strasznej sromocie tych przedstawień, Buston więc, nasz sąsiad, postanowił podburzyć miasto i okolicę do wyświęcenia tych bezczelnych gorszycieli. Sądzę, że to się już stało.

Aha – powiadam sobie – złapali się, ale ja temu nie winien!

Tomek i ja mieliśmy spać w jednym pokoju i w jednym łóżku, pod pozorem więc zmęczenia powiedzieliśmy dobranoc i poszliśmy położyć się zaraz po kolacji. Ale wszedłszy drzwiami, natychmiast wyszliśmy z pokoju oknem, a spuściwszy się po piorunochronie, dalejże do miasta, bo głowę gotów byłem dać za to, że nikt nie ostrzeże króla i księcia i że powinienem uczynić to jak najśpieszniej, jeżeli chcę ich ocalić od niebezpieczeństwa nie na żarty.

W drodze opowiedział mi Tomek, jakim sposobem zostałem zamordowany, jak niezadługo potem zniknął gdzieś mój ojciec i już się więcej nie pokazał, jakiego hałasu narobiła ucieczka Jima. Ja zaś opowiedziałem Tomkowi, jakie to król i książę dawali przedstawienia, i o naszej podróży tratwą, ale nie wszystko, bo nie zdążyłem. Przybyliśmy do miasta o wpół do dziewiątej. W miarę, jak się zbliżamy do środka, coraz wyraźniej słyszymy wrzawę: krzyki, wycia, gwizdanie, jedni dmą w rogi, drudzy bębnią w żelazne patelnie, inni gwoździem skrobią po glinianych naczyniach, a jeszcze inni trąbią z całej siły w puste tykwy.

Usunęliśmy się nieco na bok, żeby przepuścić cały ten tłum, w którym spostrzegłem księcia i króla. To jest właściwie domyśliłem się, że to są oni, bo z twarzy ani z postaci niepodobni byli do ludzi. Wyglądali raczej na dwa chodzące pióropusze wojskowe, znacznie tylko większe od prawdziwych, tak najeżeni byli piórami, które przylgnęły do wymazanej smołą ich skóry. Taka mnie litość ogarnęła, że chyba już nigdy w życiu nie będę czuł do nich żalu za wyrządzone mi różne przykrości. Straszny to był widok!... Jak to ludzie potrafią być okrutni dla swych bliźnich!

Przekonawszy się, że za późno przybyliśmy i że nic już pomóc nie możemy, zapytujemy jednego z przechodzących, co tu się dzieje. Otóż poszli wszyscy na przedstawienie, uprzedzeni o tym, że zobaczą gorszące widowisko, ale zachowywali się spokojnie, dopóki biedny stary król nie zaczął przewracać koziołków i wyprawiać łamańców na scenie. Gdy już rzeczy zaszły za daleko, dał ktoś sygnał, tłum cały rzucił się na nieszczęsnych aktorów i po smołowej kąpieli utarzał ich w pierzu.

Wróciliśmy tedy, nic nie wskórawszy, do domu, lecz ja byłem jakoś nieswój, markotny, a tak mi coś ciążyło na sercu, jakbym popełnił grzech ciężki, choć przecież w niczym nie zawiniłem. Ale to tak: czy zrobisz źle, czy dobrze, sumienie zawsze cię gnębi, jakby po to tylko istniało, żeby gryźć człowieka. Przyznaję, że gdybym miał psa tak pozbawionego zastanowienia, to bym go otruł. Bo sami państwo powiedzcie: i zabiera w człowieku więcej miejsca, niż wszystkie inne wnętrzności razem wzięte, i gospodarzowi swojemu ciągle robi na złość.

Tomek Sawyer jest tego samego zdania.

XXXIV

Budka przy dole na popiół. – Wstyd i hańba! – Do roboty! – W mocy czarów.

Zaprzestawszy rozmowy, zaczęliśmy namyślać się. Po niejakiej chwili odzywa się Tomek:

– A wiesz, Huck, głupcy jesteśmy, że nam to pierwej na myśl nie przyszło. Założyłbym się, że wiem, gdzie jest Jim!

– Nie może być! Gdzie?

– A w tej budzie, tuż obok dołu na popiół. Czy nie zauważyłeś podczas obiadu Murzyna, idącego w tamtą stronę z pełną misą różnego jedzenia?

– Tak, zauważyłem.

– Jak ci się zdaje, dla kogo było to jedzenie?

– Albo ja wiem! Dla psa zapewne.

– Aha! Dla psa. A ja ci powiadam, że nie dla psa.

– Dlaczego?

– Bo między innymi rzeczami był tam i kawałek kawona.

– Był, był! Sam widziałem. Prawda, nie przyszło mi do głowy, że psy kawona nie jadają! Jak to człowiek czasem patrzy i nie widzi...

– I tego nie widziałeś, że wchodząc do budki, otworzył Murzyn kłódkę, a wyszedłszy, znów drzwi zamknął na kłódkę. I kiedy wstawaliśmy od stołu, to oddał wujaszkowi do rąk własnych jakiś klucz... Pewien jestem, że od tej kłódki. Kawon – to dowód, że tam jest człowiek; kłódka, że ten człowiek jest więźniem, a nieprawdopodobne jest, aby mogło być dwóch więźniów na takiej małej plantacji, gdzie wszyscy zresztą tacy są dobrzy i serdeczni. Więźniem tym nie kto inny, tylko Jim! Doskonale! Bardzo się cieszę, żeśmy to wyśledzili tak dowcipnie, za nic bym nie chciał dowiedzieć się prawdy inną drogą. Teraz łam sobie głowę i wymyśl plan wykradzenia Jima, a ja wymyślę – drugi; po porównaniu, wykonamy ten, który okaże się lepszy.

Zacząłem tedy układać plan, ale jedynie dlatego, żeby czasu nie tracić; wiedziałem doskonale, skąd wyjdzie plan lepszy od mojego. Niebawem też pyta Tomek:

Masz plan?

– Mam.

– Dawaj go tu.

– Mój plan taki – powiadam: – Łatwo nam będzie przekonać się, czy w owej budzie znajduje się Jim, czy kto inny. I łódź moja, i tratwa, dobrze ukryte, mam pod ręką na zawołanie. Czekać tylko pierwszej ciemnej nocy i skoro wujaszek spać się położy, wykraść mu klucz z kieszeni: wtedy w nogi, w stronę rzeki. Dopadniemy łódki, łódką do tratwy, z Jimem, ma się rozumieć, i popłyniemy w dół rzeki, ukrywając się we dnie, a płynąc w nocy, jakeśmy to przedtem z Jimem czynili. Cóż, zły plan? Nie uda się może?

– Udać się uda, dlaczego nie? Całe zło w tym, że za prosty, za łatwy. Co mi to za plan, który da się wykonać bez kłopotu. Dobry plan, ani słowa, ale ja mam co innego w głowie...

Nic na to nie odrzekłem, pewny, że jego plan będzie bez zarzutu. I tak też było. Gdy mi plan swój opowiedział, od razu poznałem, że wart jest moich piętnastu, bo daleko trudniejszy do wykonania i niezwykły. Jim zostanie wolny, jakby nim został, gdybyśmy się trzymali mego planu, ale przy tym wszyscy trzej możemy triumf życiem przypłacić. Nie mam potrzeby opowiadać tu wszystkie szczegóły tego planu, bo wiedziałem, że przy wykonywaniu go zajdą zmiany, które go uczynią zupełnie innym i wprowadzą do niego tyle zawiłości, na ile tylko znajdzie się miejsca. No i nie omyliłem się.

Po powrocie, gdy w całym domu cicho już było i ciemno, pobiegliśmy do budki, obok dołu z popiołem, żeby jej się dobrze przypatrzeć. Szliśmy przez cały dziedziniec, trochę niespokojni, jak się z nami obejdą psy podwórzowe, ale te, znając nas, poszczekiwały tylko z lekka, żeby dać dowód swej czujności. Obejrzawszy budkę dokładnie, ujrzeliśmy w ścianie północnej, która do ogrodzenia przypierała, niewielkie okienko kwadratowe, dość wysoko umieszczone i zabite w poprzek położoną grubą deszczułką, bretnalami do futryny przymocowaną. Powiadam więc:

– Doskonale! Przez ten otwór Jim wyjdzie, trzeba tylko oderwać deskę...

Tomek zaś na to:

– I zjeść chleba z masłem, i popić ciepłym mlekiem, i pójść z nianią na spacer, i tak dalej. Moim zdaniem, potrafimy znaleźć nieco trudniejszy sposób wydobycia więźnia z niewoli.

– No, to może wypiłować deskę, jak to ja uczyniłem, zanim mnie zamordowano?

– To już bardziej uchodzi. Ale ja bym chciał jeszcze coś lepszego... Zresztą pośpiech zbyteczny, można się rozejrzeć, namyślić...

Pomiędzy tą budą a ogrodzeniem, pod tylną jej ścianą, była jakaś przybudówka z desek, niezbyt wysoka, tak prawie długa, jak buda, ale wąska, mająca niziutkie drzwiczki, zamknięte łańcuchem na kłódkę. Tomek poszedł do dołu z popiołem, obok którego, jak to zwykle bywa, stał kocioł do warzenia mydła. Znalazłszy tam dość szybko zakrzywiony pręt żelazny, którym się pokrywę kotła unosi, rozwiódł nim jedno ogniwo łańcucha, który też rozpadł się, umożliwiając nam przejście do przybudówki. Przy świetle zapałki przekonaliśmy się, że przybudówka dotyka budy, nie mając z nią żadnego połączenia, że jest bez podłogi i pusta. Na ziemi leżało kilka stępionych motyk, rydel, zepsute grabie i inne nieużyteczne graty. Po tych oględzinach wyszliśmy, założywszy ogniwo nie najgorzej. Tomek zaś rzekł:

– No, teraz wszystko w porządku! Zrobimy podkop, przez który Jim wyjdzie. Tydzień na to wystarczy!

Nazajutrz o świcie pobiegliśmy do chatek murzyńskich, żeby poigrać z psami i wejść w zażyłość z Murzynem Jima, który właśnie, napełniwszy blaszankę mięsem, jarzynami i chlebem, szedł do budy. Miał on twarz bardzo poczciwą, o zębach wyszczerzonych w uśmiechu, wełniste zaś jego włosy powiązane były w pęczki nićmi i sznureczkami. To go miało chronić od czarów. Opowiedział nam zaraz, że jest prześladowany przez czarownice, że po nocach straszą go różne widziadła, słyszy głosy i hałasy nadzwyczajne.

– Dla kogo to jadło? – pyta go Tomek. – Psy karmić idziesz?

– Tak, paniczu, psa, ale nie takiego jak inne. A może panicze ciekawi go zobaczyć?

– I owszem – rzekł Tom.

– Jakże to? W biały dzień tam pójdziemy? Inny plan miałeś! – szepnąłem cicho Tomkowi.

– Teraz mam taki.

Cóż było robić? Ustąpiłem, chociaż niechętnie, i poszliśmy. Wszedłszy do środka, zrazu nic nie widzieliśmy, tak było ciemno, ale Jim – bo to Jim był naprawdę, zobaczywszy nas, zawołał:

– Co? Huck i panicz Tomek! Wiedziałem, że tak będzie!

Zdumiony Murzyn oczy wytrzeszczył i mówi:

– Co? To on zna paniczów?

Myślałem, że wszystko przepadnie. Ale Tomek spogląda na Murzyna obojętnie i zdziwiony pyta:

– Kto? Skądże ci przyszło do głowy, że on nas zna?

– Skąd przyszło? A przecie on wykrzyknął, że zna paniczów.

Wtedy Tomek, jeszcze bardziej zdziwiony, rzecze, jakby do siebie:

– A to rzecz ciekawa! Kto wykrzyknął i kiedy? – Potem, zwróciwszy się do mnie, z zimną krwią pyta:

– A ty, czyś słyszał cokolwiek?

Ma się rozumieć, że na takie pytanie mogła być tylko jedna odpowiedź:

– Nie, nic nie słyszałem.

Zwraca się więc Tomek do Jima i patrząc na niego tak, jakby go nigdy w życiu nie widział, zapytuje:

– A możeś to ty się odzywał?

– Nie, paniczu – odpowiada Jim – to nie ja.

– Ani jednego nie mówiłeś słowa?

– Ani jednego.

– Widziałeś nas kiedy przedtem?

– Nie, paniczu.

Wówczas Tomek, zwracając się do Murzyna, który patrzył na to wszystko przerażony, surowym głosem zawołał:

– Wytłumacz mi, co ci strzeliło do głowy? Dlaczegoś powiedział, że Murzyn, który nas nigdy nie widział, mówi do nas po imieniu?

– Ech, proszę panicza – z desperacją odrzecze Murzyn – to z pewnością znów czary... Już bym wolał nie żyć! I to tak zawsze! Wciąż dokuczają człowiekowi, że mi już życie obrzydło! Niech panicz nikomu o tym nie mówi, bo pani znów mnie wyłaje... Pani nie wierzy... twierdząc, że nie ma czarów. A ja bym chciał, żeby pani teraz tu była... ciekaw jestem, co by powiedziała? Gadaj, co chcesz, a wszyscy swoje, nieprawda i nieprawda!

Tom przyrzekł mu, że nic nie powie, i dał mu drobną monetę, żeby miał za co kupić sobie nici do związania włosów w pęczki. Potem, patrząc na Jima, rzekł ostro:

– Ciekawym też, czy wuj Silas powiesi tego Murzyna? Bo gdybym ja schwytał takiego niewdzięcznika, co od swoich państwa ucieka, zaraz bym go powiesił.

Gdy zaś Murzyn podszedł do drzwi, żeby obejrzeć pieniążek i zębami spróbować, czy dobry, szepnął Jimowi do ucha:

– Udawaj, że nas nie znasz. A jeżeli w nocy usłyszysz, że ktoś kopie, siedź cicho, bo to my. Zrobimy podkop i będziesz wolny.

Po tych słowach wyszliśmy z budy.

XXXV

Zgryzoty Tomka. – Tomek łamie sobie głowę. – Kiedy wolno kraść? – Głęboki podkop.

Na pogawędce rannej pośród lasu Tomek powiedział, że trzeba koniecznie mieć trochę światła, gdyż kopać po ciemku nie można. Radziłem dostać latarnię, ale on się na to nie zgodził, twierdząc, że latarnia daje za wiele światła, które może nas zdradzić. Mieliśmy więc poszukać pewnego gatunku drzewa, którego próchno, położone w ciemnym miejscu, wydaje blask żywy, lecz nie rażący. Zrobiwszy zapas tego drzewa i ukrywszy je w chwastach, rosnących pod ogrodzeniem, usiedliśmy dla odpoczynku i pogawędki.

– Ech! Co to za robota! – rzecze Tomek zmartwiony. – Wszystko idzie łatwo, jak z płatka... Aż wstyd! Nie ma ani trudności, ani przeszkody. Dozorca więzienny? Nie istnieje – kogóż więc uśpić napojem?... Nie ma nawet psa, którego można by otruć! Niby to trzymają Jima na łańcuchu! Ależ łańcuch na dziesięć stóp długości z obręczą, na jednym końcu założoną na nogę więźnia i zamkniętą na kłódkę, drugim końcem przytwierdzony niby do nogi łóżka... Cóż z tego, kiedy dość unieść łóżko, żeby ogniwo zsunęło się z nogi! A wuj Silas? Każdemu wierzy, wszystkim klucz daje, nie pilnując tego Murzyna. Jim mógłby wprawdzie wyjść przez okno, ale jakże będzie uciekał z długim łańcuchem? Ten łańcuch to jedna jedyna trudność, wszystkie inne sam wymyślać muszę! Ha! Cóż robić, trzeba brać to, co jest, kiedy nie ma tego, co być powinno. Aha... dobrze, że mi to na myśl przyszło... Musimy jak najprędzej zdobyć coś takiego, z czego można zrobić piłę...

– A na cóż nam piła?

– Jak to, na co? Trzeba przecież odpiłować nogę łóżka, o którą łańcuch zaczepiony.

– Po co? Sam dopiero mówiłeś, że wystarczy podnieść łóżko, żeby łańcuch sam opadł.

– Ach, Huck, z tobą zgryzota prawdziwa! Jakie ty masz dziecinne pomysły!...Tyś chyba nigdy w życiu nie czytał porządnej książki? Któż słyszał uwalniać więźnia sposobem tak pospolitym? To dobre dla starych panien, lecz nas niegodne. Nie, nigdy! Prawdziwe powagi uczą tak: przepiłować nogę od łóżka, trociny połknąć, żeby nie zostało ani ździebełka, miejsce, gdzie noga przepiłowana, pomazać błotem albo tłuszczem, a wtedy najwprawniejsze oko nie spostrzeże przepiłowania. W chwili stanowczej wyciągniemy spod łóżka nogę odpiłowaną, łańcuch opadnie, no... i po wszystkim. Wtedy dopiero spuszczasz się po drabinie sznurowej do fosy, łamiesz nogę... bo drabina taka powinna być co najmniej dziewiętnaście łokci za krótka – a tam już czekają z końmi wierni wasale, podnoszą cię omdlałego, rzucają na siodło i lecisz z wiatrem w zawody do ojczyzny, do Langwedocji, Nawarry albo gdzie indziej. To się nazywa uciekać z więzienia! Chciałbym, żeby wokoło tej budki była fosa. Jeżeli nam czasu wystarczy, wykopiemy ją jeszcze.

– Po cóż fosa – mówię – kiedy wykopiemy przejście podziemne?

Ale Tom nie słuchał nawet, zapomniał o mnie i o świecie. Brodę podparłszy ręką, myślał, myślał nad czymś długo, nareszcie westchnął, wstrząsnął głową, znów westchnął i mówi:

– Nie, nie można. Nie ma naglącej konieczności. Nie można...

– Czego nie można? – pytam.

– Odpiłować nogi Jimowi.

– Chryste Panie! – krzyknąłem. – Ma się rozumieć, że nie można. A po cóż byś ty miał mu nogę odpiłowywać?

– Widzisz... bywało, że tak czyniły największe powagi! Nie mogąc, na przykład, pozbyć się kajdan, ucinają sobie rękę, żeby móc uciec. Ucięcie więc nogi byłoby jeszcze wspanialsze. Ale trzeba dać temu pokój. Nie ma konieczności dość naglącej, a w dodatku Jim jest Murzynem, nie zrozumiałby więc powodów, dla których taki zwyczaj przyjął się w Europie... trzeba dać pokój! Ale drabinę sznurową mieć nietrudno, możemy przecie podrzeć nasze koszule i ukręcić sznury, a z nich drabinę... to nawet bardzo łatwo. Drabinę taką poślemy Jimowi upieczoną w chlebie... zawsze się tak robi. Można by i w pierogu upiec... w takim dużym, pulchnym...

– Co też ty gadasz, Tom! Jim nie będzie potrzebował drabiny.

– Powinien jej potrzebować. Każdy ucieka po drabinie i on ją mieć musi.

– Ale cóż on z nią będzie robił?

– Co będzie robił? Niech ją w łóżko schowa! Przypuśćmy, że mu drabina będzie niepotrzebna, to schowa ją do łóżka i zostawi, jako dowód, że ucieczka była obmyślana.

– Ha – powiadam – kiedy takie są prawidła, to niechże już ma drabinę, w takim jednak razie musisz zezwolić, żebym z pościeli w swoim pokoju „pożyczył” jedno prześcieradło.

Odpowiedział, że zezwala. A przy tym wpadł widać jeszcze na nową myśl, bo mówi:

– A pożycz także i koszulę.

– Na cóż nam koszula?

– Żeby Jim miał na czym pisać dziennik.

– Dziennik? Jim nie umie przecież pisać!

– To może nakreślić na koszuli jakieś znaki! Zrobimy mu pióro z trzonka od łyżeczki albo z kawałka starej obręczy żelaznej.

– Ależ, Tomku, czy nie lepiej wyrwać pióro z gęsi?

– Ach, ty tępa głowo! Czyż więźniowie mają na zawołanie gęsi? Oni sobie pióra muszą robić, i to zawsze z materiału najtwardszego, z lichtarza, ćwieka, słowem z tego, co im się pod rękę nawinie! Całymi tygodniami, ba!, miesiącami, pracują nad zrobieniem takiego pióra, nad zaostrzeniem go o mur, bo inaczej ostrzyć nie można. Nawet gdyby się znalazło gęsie pióro, to ci go żaden porządny więzień nie użyje. Nie uchodzi.

– Dobrze już, dobrze. A z czegóż mu zrobimy atrament?

– Niektórzy przyrządzają go z łez i ze rdzy żelaza, ale czynią to tylko kobiety i byle jacy więźniowie; porządni używają zwykle własnej krwi. I Jim musi tak uczynić, a jeśli będzie potrzebował przesłać o sobie wiadomość, żeby ludzie wiedzieli, gdzie więziony, to wieść ową wyryć może widelcem na cynowym talerzu, który wyrzuci przez okno. Tak postępował więzień zwany Żelazną Maską, a to był więzień, co się zowie, porządny.

– Jim nie ma talerza cynowego. Noszą mu jeść w misce.

– To nic. Postaramy się o taki talerz.

– A jeżeli nikt nie przeczyta tego, co on napisze?

– A tobie co do tego, Huck, przeczyta czy nie przeczyta? Jego rzecz napisać, co trzeba, i wyrzucić talerz przez okno. Prawie zawsze tak się zdarza, że to, co więzień napisze na talerzu albo na czym innym, pozostaje nie odczytane.

Dalszą rozmowę przerwał nam odgłos rogu, wzywającego na śniadanie. Pobiegliśmy więc czym prędzej do domu.

Tego samego rana zajrzałem do szafy z bielizną, i „pożyczyłem" z niej duże prześcieradło oraz białą koszulę. Znalazłem także stary jakiś worek, w który schowałem bieliznę, po czym poszliśmy do lasu, przynieśli próchna, „lisim ogniem" u nas zwanego i włożyliśmy je w tenże sam worek. Gdy powiedziałem Tomkowi o pożyczeniu bielizny, on nazywał to nie pożyczką, tylko kradzieżą, dodając jednak, że przedstawiciele więźnia muszą być obojętni na sposób zdobycia potrzebnych im przedmiotów i nikt im tego nie ma za złe. I więzień, i jego przedstawiciele mają zupełne prawo kraść wszystko, co tylko może ucieczkę ułatwić. Gdybyśmy nie byli więźniami, a!, to zupełnie co innego. Tylko człowiek nieuczciwy może kraść, nie będąc więźniem.

Postanowiliśmy zatem, że będziemy kraść wszystko, co nam wpadnie pod rękę. A jednak w kilka dni potem zrobił mi Tomek formalną scenę za to, że skradłem kawona z grzędy Murzynów po to, żeby go zjeść; kazał mi zaraz dać Murzynom centa, nie mówiąc, za co go daję.

– Źle mnie zrozumiałeś – rzekł – kraść mamy prawo tylko to, co nam potrzebne.

– A właśnie kawon był mi potrzebny!

– Nie, nie był ci potrzebny do ucieczki. Nie jesteś więźniem.

– Aha, więc to w tym różnica?

– Naturalnie, że w tym. Jeżeli Jim potrzebuje noża, żeby nim zabić dozorcę, a ty mu ukradniesz i potajemnie go prześlesz, to nie kradzież, jeżeli zaś ukradniesz nóż dla siebie, to kradzież. Rozumiesz?

– Niechże tak będzie – odpowiedziałem.

Po tej rozmowie siedzieliśmy parę godzin spokojnie, czekając, aż każdy pójdzie do swej roboty i nikogo nie będzie na dziedzińcu. Wtedy Tom zaniósł worek do owej przybudówki, sąsiadującej z więzieniem Jima, ja zaś stałem na straży. Niedługo zabawiwszy, wrócił z próżnymi rękami, po czym usiedliśmy na stosie desek, żeby swobodnie porozmawiać. Ja milczałem, bo w takich razach zwykle zaczynał Tom.

– Już wszystko mamy – powiada – oprócz narzędzi.

– Narzędzi? – pytam.

– Tak.

– Do czego?

– Do kopania. Nie będziesz przecie wygrzebywał dołu paznokciami.

– A te połamane szpadle i motyki? Czy ich nie starczy na wykopanie przejścia dla jednego człowieka, i to Murzyna?

Ale Tomek zwraca na mnie spojrzenie tak pełne litości, że o mało nie rozpłakałem się z rozrzewnienia nad samym sobą.

– Hucku Finn! Powiedz mi, proszę, czyś ty słyszał kiedykolwiek, żeby więzień miał motyki i szpadle, i w ogóle wszystkie narzędzia wynalazku nowoczesnego, którymi by mógł wykopać dla siebie przejście podziemne? I pytam się ciebie, odpowiedz, jeżeli w ogóle potrafisz rozsądnie odpowiedzieć, czy zamiar ucieczki, tym sposobem doprowadzonej do skutku, miałby w sobie choć odrobinę bohaterstwa?

– W takim razie, czegóż nam potrzeba?

– Parę noży składanych albo nawet i scyzoryków z większym ostrzem.

– Żeby nimi wykopać podziemne przejście z tej budy?

– Tak.

– A bierz cię licho, to szaleństwo!

– Ja nie wiem, czy to szaleństwo, ale wiem, że tak postąpić wypada i trzeba! O żadnym innym sposobie ucieczki z więzienia nie słyszałem, pomimo że przeczytałem wszystkie książki, które uczą, jak postępować należy w takim razie. Przejście wykopane być musi nożykiem składanym, i to nie w miękkiej ziemi, ani w piasku, lecz w skale. Praca tego rodzaju ciągnie się tygodnie całe, miesiące, lata, a czasem i do końca życia.

– Dobrze już, dobrze... Wszystko mi jedno, jak Jim wyjdzie, byle wyszedł, a i jemu także o nic więcej nie chodzi. Ale, widzisz, trzeba jedno mieć na uwadze: Jim jest za stary, żeby kopać wyjście scyzorykiem. Nie wyżyje tak długo.

– Nie bój się, wyżyje. Zresztą robota ta nie może trwać tak długo, jak potrzeba, bo to za wielkie ryzyko. Do Nowego Orleanu niedaleko, wuj Silas niezadługo otrzyma stamtąd wiadomości. Otóż kopanie przejścia, które by powinno trwać co najmniej kilka lat, z powodu wyjątkowego położenia, musi być bardzo przyśpieszone. Za to po ucieczce Jima możemy wmówić w siebie, że robota trwała lat trzydzieści.

– Teraz rozsądnie mówisz – odpowiadam. – Przejście wykopiemy z łatwością, bez kłopotu, a jeżeli ci na tym zależy, to mogę powiedzieć, że kopanie trwało sto pięćdziesiąt lat. To już mi wszystko jedno, bylebyśmy na swoim postawili: No, a teraz trzeba ściągnąć ze dwa noże składane.

– Ściągnij trzy – mówi Tomek – z jednego musimy zrobić piłkę.

Tomku rzekłem jeżeli nie będziesz tego uważał za bezbożność i lekceważenie uświęconych zwyczajów, to ci powiem, że tam pod ogrodzeniem, pomiędzy śmieciem i gratami, widziałem zardzewiałą piłę.

Ale on spojrzał na mnie z nieopisanym zniechęceniem i odrzekł:

– Ty się nigdy w życiu niczego nie nauczysz. Biegaj po noże. Pamiętaj, trzy nam potrzebne.

Ma się rozumieć, że pobiegłem.

XXXVI

Piorunochron. – Tomek ma zasady. – Dla sławy a potomności. – Kradzież łyżek. – Najście psów. – Dobra rada.

Wieczorem, gdy wszyscy posnęli, zszedłszy po piorunochronie, pobiegliśmy do przybudówki, żeby się zabrać do roboty przy świetle próchna. Tom zalecił rozpoczęcie kopania tuż pod łóżkiem Jima, żeby przejście pokryte było kołdrą, spadającą do ziemi. Kopaliśmy więc nożykami aż do północy, zmordowani strasznie i z pęcherzami na dłoniach, pomimo że robota wolno postępowała. Na koniec odzywam się do Toma:

– Ależ my tego przez lat trzydzieści osiem nie wykopiemy!

Tom nic nie odpowiedział, lecz westchnąwszy tylko, przestał kopać i przez długą chwilę tonął w zamyśleniu. Wreszcie rzekł:

– Na nic to się nie zda, Huck, co my robimy. Będąc w więzieniu, nie potrzebowalibyśmy się tak śpieszyć, bo nie zbywałoby nam na czasie. Teraz zaś widzę jeden sposób wielce niemoralny, ale jedyny: dać pokój nożom składanym, a kopać... po prostu motykami.

– Złote słowa! Coraz mądrzejszą masz głowę Tomku! Motyki! Nic innego, tylko motyki, a czy to moralnie, czy nie, to mniejsza...

– Zgoda! – powiada Tom. – Przystaję na motyki, bo... nie można inaczej. Daj mi nożyk!

Widząc, że nie ma własnego pod ręką, podałem swój. Rzucił go na ziemię, wołając:

– Podaj mi nożyk!

Domyśliwszy się wreszcie, o co chodzi, wręczyłem mu motykę, śród starych narzędzi znalezioną. Wziął ją i ani słowa nie rzekłszy, zaczął kopać. Taki to był Tomek. Nic dziwnego: miał zasady!

Gdy znalazłem łopatę, zaczęliśmy pracować we dwóch: jeden kopał, a drugi odrzucał ziemię, na przemiany. Po jakimś czasie musieliśmy zaniechać roboty, bo ręce, strasznie zbolałe, już nam odmówiły posłuszeństwa, dół jednak był wcale porządny. Tom wyszedł pierwszy, ja za nim w kilka minut.

Następnego dnia Tom ukradł łyżeczkę do herbaty i lichtarzyk mosiężny, żeby z tego porobić pióra dla Jima, ukradł także sześć świec łojowych, ja zaś trzy talerze cynowe. Gdy Tomek twierdził, że to za mało, poradziłem wyrzucane przez Jima talerze zbierać w chwastach pomiędzy okienkiem a ogrodzeniem i dawać je znów Jimowi. Uspokoił się więc Tom i mówi:

– Teraz trzeba obmyślić sposób dostarczenia wszystkiego Jimowi.

– Przez dziurę, którą wykopiemy.

Spojrzał na mnie z pogardą i nazwawszy pomysł idiotycznym, pogrążył się w myślach. Po niejakiej chwili oznajmia, że są dwa czy trzy sposoby, ale że nie ma gwałtownej potrzeby natychmiast wybierać pomiędzy nimi. Teraz trzeba myśleć o robocie.

Tejże nocy, podszedłszy pod okienko więzienia, usłyszeliśmy chrapanie Jima, który spał tak mocno, że ani zaglądanie nasze, ani wrzucona do komórki świeca, ani hałas przy robocie, nie rozbudziły go ze snu. Uwijaliśmy się też z motyką i z łopatą tak dzielnie, że po paru godzinach robota była skończona. Wsunąwszy się jeden za drugim w wykopane przez nas przejście, wyszliśmy akurat pod łóżkiem Jima, na środek budki. Tom, znalazłszy wrzuconą poprzednio świecę, zapalił ją, ja zaś stanąłem nad łóżkiem śpiącego i patrząc nań, przekonałem się, że nie wyglądał na znękanego niewolą więźnia.

Jim rozbudzony tak się ucieszył, że o mało nie ryknął płaczem. Obsypawszy nas tysiącem pieszczot, prosił o pilnik, aby przeciąć założony na nogę łańcuch, bo chciał natychmiast być wolny.

Tom wszakże jął mu dowodzić, jak dalece sprzeciwiałoby się to wszelkim prawidłom, a siadłszy obok Jima, opowiedział mu swoje plany, obmyślane podług najlepszych wzorów. Ponieważ Jim na wszystko się zgadzał, przeto zaczęliśmy rozmawiać o dawnych czasach i o dzisiejszych. Jim powiedział nam, że wuj Silas co dzień przychodził dla odmówienia z nim modlitwy, a ciocia Sara dowiaduje się, czy nie głodny i czy mu nic nie brakuje. Oboje, mówił, są dla mnie tak dobrzy, że już lepsi być nie mogą. Tom wypytywał o to i owo, wreszcie rzekł:

– Teraz już wiem, przez nich ci przyślę, co trzeba.

– Nie czyńże tego – odparłem – do czego to podobne!

On jednak wcale na mnie nie zważał, co zresztą zawsze miał w zwyczaju, gdy mu plan jaki zaświtał w głowie.

Zaczął więc wyliczać Jimowi wszystko, co mu ukradkiem przyślemy. Pieróg nadziany drabiną oraz inne większe przedmioty odda mu Nat, Murzyn, przynoszący jadło. Musi więc Jim zachować ostrożność, nie dziwić się zaraz przy Murzynie ani pieroga nie rozłamywać, ani koszyka nie opróżniać. Przedmioty mniejszych rozmiarów przyniesie mu wujaszek Silas w kieszeniach swego palta, skąd Jim musi je wyciągnąć ukradkiem. To i owo uda nam się może przyczepić do tasiemek, którymi ciocia Sara zawiązuje z tyłu swój fartuch, albo wsunąć jej do kieszeni. Wyszczególnił też Tom owe przedmioty, objaśnił, do czego posłużą, i wspomniał wreszcie o dzienniku, który ma być pisany krwią na koszuli. Jim nie bardzo rozumiał, o co chodzi, ale wiedząc, że biali są rozumniejsi od niego, przyrzekał uczynić wszystko według rozkazu.

Tomek był w wybornym humorze. Mówił, że nigdy w życiu lepiej się nie bawił, że taka tylko rozrywka godna jest człowieka rozumnego i że gdyby rzecz była możliwa, to należałoby przedłużyć tę rozkosz szlachetną na całe życie, a potomkom przekazać obowiązek wyswobodzenia Jima z niewoli.

Nazajutrz rano poszliśmy do drwalki, żeby ciężkim toporem porąbać mosiężny lichtarz na kilka niewielkich kawałków, które Tom wraz z łyżeczką schował do kieszeni. Stamtąd udaliśmy się do kuchni murzyńskiej, a gdy ja rozmawiałem z Natem dla odwrócenia jego uwagi, Tomek wpakował jeden z kawałków lichtarza w podpłomyk, przygotowany dla Jima. Ciekawość nas brała, jak się nam uda przesyłka!

Poszedłszy z Natem do więźnia, przekonaliśmy się, że poszło wybornie: Jim zapuściwszy zęby w podpłomyk, o mało wszystkich nie wyłamał. Nie mogło udać się lepiej, sam Tomek to przyznał.

Jim nic nie dał poznać po sobie, ale potem był ostrożniejszy i nigdy chleba do ust nie wziął, dopóki go widelcem w kilku miejscach nie wypróbował.

Gdy raz staliśmy sobie w więzieniu Jima, prawdę mówiąc bardzo ciemnawym, nagle spod łóżka wybiega w podskokach jeden pies, potem drugi i tak dalej, aż do jedenastu! Zrobiło się tak ciasno, że szpilkę wetknąć byłoby trudno. Tam do licha! Zapomnieliśmy założyć łańcuch na drzwi, prowadzące z podwórza do przybudówki. Murzyn Nat krzyknął tylko rozpaczliwie: „Czary!", i przykucnąwszy na ziemi pomiędzy psami, jęczał jak na śmiertelnej pościeli. Tomek zaś silnym szarpnięciem roztworzył drzwi na oścież i cisnął przez nie kawał mięsa z przyniesionego dla Jima posiłku. Psy rzuciły się za mięsem jak szalone. Tomek wyszedł za nimi, a w pół minuty był już z powrotem, zamknąwszy drzwi jedne i drugie. Teraz dopiero dla uspokojenia Nata głaskał go i pieszczotliwie doń przemawiał, pytając, czy mu się znów coś nie przywidziało... Nat, mrugając oczyma, drżącym jeszcze głosem powiada:

– Panicz znów powie, że ja głupi... Ale jeżelim ich tu nie widział ze sto... z milion może, czy psów, czy diabłów, to niech tu na miejscu padnę... tu, jakem żyw.

A Tomek na to:

– Wiesz, ja ci powiem, co mi się zdaje. Dlaczego one napadają na ciebie wtedy właśnie, gdy ze śniadaniem przychodzisz? Dlatego, że są głodne, tylko dlatego. Upiecz im pieróg, taki, co to umyślnie dla strachów go pieką.

– A jakżeż ja, paniczu, potrafię upiec pieróg strachom? Ja nie wiem, jak się to robi... Nigdy nawet o takim pierogu nie słyszałem.

– Ha! Trudno, kiedy ty nie umiesz, to ja sam upiekę.

– Paniczu! Złoty paniczyku! Upiecze panicz! Ślady nóg panicza całować będę!

– Bądź spokojny, upiekę. Dla ciebie to uczynię, bo i ty wyświadczyłeś nam grzeczność, pozwalając zobaczyć tego Murzyna. Ale pamiętaj, trzeba być bardzo ostrożnym! Gdy tu wejdziemy, zaraz się od nas odwróć tyłem; niosąc miskę z pierogiem, nie zaglądaj do niej, niech cię Bóg broni. Nie patrz także na Jima, gdy miskę do rąk weźmie, bo się może zdarzyć nieszczęście. Przede wszystkim zaś nie dotykaj wcale tych rzeczy, które dla strachów będą przygotowane.

– Nie dotykać? Ja bym ich miał dotknąć? Co też panicz mówi? Za żadne skarby!

XXXVII

Ostatnia koszula. – Koniec świata! – Ciocia Sara chce nas
obedrzeć ze skóry. – Pieczemy pieróg.

Na małym tylnym dziedzińcu znaleźliśmy podziurawioną miednicę blaszaną, w której po zatkaniu dziur mieliśmy pieróg przygotować.

Tomek, znalazłszy parę nowych, dobrze zaostrzonych ćwieków, podniósł
je z radością, mówiąc, że przydadzą się Jimowi do wyrycia na ścianie swego
nazwiska i historii swych cierpień. Zaraz też wsunął do bocznej kieszeni
fartuszka cioci jeden ćwiek, drugi zatknęliśmy wujowi za wstążkę przy kapeluszu, ponieważ dzieci oznajmiły nam, że rodzice zaraz po śniadaniu pójdą odwiedzić Murzyna. Przed śniadaniem Tomek wpuścił łyżeczkę do kieszeni obszernego kitla, który wujaszek miał na sobie, i staliśmy już potem
spokojnie, czekając na ciocię Sarę.

Przyszła nareszcie, ale zgrzana, czerwona, w złym humorze, i ledwie
wujaszek odmówił modlitwę przed jedzeniem, zaraz rozpoczęła kroki wo-
jenne.

– Cały dom przeszukałam, zajrzałam w każdy kącik i pojąć nie mogę, co
się stało z twoją drugą koszulą.

– Ja także nie rozumiem – mówi wuj Silas – co się z nią stać mogło. To
ciekawe, doprawdy. Wiem doskonale, że ją zdjąłem z siebie, bo...

– Jedną masz, nie dwie na sobie. Z góry wiedziałam, że to powiesz. Wiem,
żeś ją zdjął, ale jej nie ma. Tobie, jak widzę, koszul nastarczyć nie można,
a co z nimi robisz, tego odgadnąć nie mogę. Zdawałoby się, że człowiek
w twoim wieku powinien by pamiętać o swoich rzeczach.

– Niewątpliwie, Saro, ja też czynię, co mogę. Ale widzisz, w tym wypadku nie ja jeden jestem winien. Sama wiesz, że wtedy tylko widuję swoje
koszule, kiedy je noszę, a przyznasz, że z siebie żadnej nie zgubiłem.

– To wcale nie twoja zasługa i nie masz się wcale czym chełpić. Gdybyś
był mógł zgubić, to byś zgubił. A zresztą nie tylko koszula zaginęła. Zaginęła mi łyżeczka. Było ich dziesięć, a teraz jest tylko dziewięć. Dajmy na to, że
koszulę psy poszarpały, ale łyżeczki chyba nie wzięły.

– A czy jeszcze co zaginęło?

– Sześć świec! Ale świece zjeść mogły szczury; pewna nawet jestem, że
to zrobiły. I nawet się dziwię, że nie zjadły dotąd całego domu, razem z nami,
a okruchów nie rozniosły po dziurach, bo tych dziur wszędzie pełno...

– Prawda, Saro, prawda, dawno należało opatrzyć te dziury...

W tej chwili wbiega pokojówka Murzynka:

– Proszę pani! Nie ma jednego prześcieradła!

– Jak to, nie ma?

– No to dzisiaj zaraz opatrzę dziury – pojednawczo odzywa się wujek.

– Po co? Na kogóż w takim razie złożymy zgubę prześcieradła? Gdzież ono się podziało, Lizo?

– Albo ja wiem, proszę pani... Wczoraj jeszcze leżało w szafie na półce, a dziś go nie ma...

– Koniec świata! Pierwszy raz w życiu widzę coś podobnego... Koszula, prześcieradło, łyżeczka, sześć św...

– Proszę pani – wpada młoda pokojówka, Mulatka – lichtarz mosiężny gdzieś zaginął.

– Wynoś mi się stąd, kozo jedna, bo skórę z ciebie zedrę!

Kipiała z gniewu! Zacząłem spoglądać na drzwi, sądząc, że lepiej było wyjść chyłkiem i drapnąć w las, póki się widnokrąg nie rozchmurzy. Ciocia złościła się i gniewała, nie mając z kim wojować, bo wszyscy siedzieli cicho, jak myszy pod miotłą.

Wtem wujaszek Silas, sięgnąwszy po coś do kieszeni, wyłowił z niej łyżeczkę, co jego samego niepomiernie zdziwiło. Ciocia Sara umilkła na ten widok i, wzniósłszy ręce do góry, zapomniała ust zamknąć. Opanowała się jednak i z udanym spokojem powiada:

– Tego się spodziewałam. Gdzież by łyżeczka być mogła? Ma się rozumieć, że nie gdzie indziej, jak w twojej kieszeni i że cały czas tam leżała. Bardzo być może, że i wszystko inne tam się znajdzie. Co robiła łyżeczka w twojej kieszeni?

– Doprawdy, nie wiem, Saro, nie wiem – tłumaczył się wujaszek – znasz mnie przecie? Toż powiedziałbym ci natychmiast. Czytałem przed śniadaniem Pismo Święte, chyba więc przez nieuwagę włożyłem do kieszeni łyżeczkę zamiast Biblii... Tak! Tak być musiało... Bo sama zobacz: Biblii w kieszeni nie ma! Pójdę i przekonam się, jeżeli Biblia leży tam, gdzie ją czytałem, to znak, że jej nie włożyłem do kieszeni, jeżeli zaś nie włożyłem jej do kieszeni, to musiałem włożyć łyżeczkę, bo skoro łyżeczka jest, a...

– A dajże mi święty pokój! – przerwała mu ciocia zniecierpliwiona. – Idź, szukaj, przekonaj się, i wy wszyscy idźcie sobie także, a nie zbliżajcie się do mnie, dopóki cokolwiek nie ochłonę.

Gdy wychodzimy z pokoju, wuj bierze kapelusz, i... z hałasem upada na ziemię ćwiek. Wuj, nie mówiąc ani słowa, podniósł go, położył na gzymsie od kominka i wyszedł. Widział to Tomek, a mając w świeżej pamięci przygodę z łyżeczką, powiada:

– Na nic się nie zda posyłanie przez wuja. Już to na nim polegać nie można. Ale z tą łyżeczką – dodał Tomek po chwili – to nam oddał prawdziwą przysługę, nie wiedząc o tym. W zamian za nią pójdźmy pozabijać owe dziury.

A było ich sporo w piwnicy i w spiżarni, toteż zabrała nam ta robota dobrą godzinę. Zrobiliśmy wszystko porządnie i trwale, szczelnie zabijając dziury czopami, a potem zalewając je smołą, tak jak się to na okrętach czynić zwykło. Wtem słyszymy na schodach kroki: zdmuchnąwszy świecę, czekamy. Po chwili wchodzi do piwnicy, kto? Wujaszek! Świecę ma w jednej ręce, kłąb pakuł w drugiej, a z oczu jego widać, że nie o szczurach myśli, lecz o czym innym. Idzie, schyla się, zagląda do jednej dziury, do drugiej, wszystkie obszedł po kolei. Stanął potem na środku piwnicy, myślał i myślał, a łój ze świecy kapie i kapie. Nareszcie, zawracając ku schodom powoli, jakby przez sen, mówi do siebie: Ani rusz nie mogę sobie przypomnieć, kiedy ja to zrobiłem! Mógłbym teraz powiedzieć Sarze, że to nie moja wina, że to nie szczury... No, ale mniejsza o to... Czy powiem, czy nie, to wszystko jedno.

I tak mrucząc pod nosem, wyszedł z piwnicy, a w parę minut – my za nim. Strach, jaki to był dobry staruszek!

Tomek strasznie się kłopotał, jak sobie poradzimy z łyżką, ale ponieważ „koniecznie" była potrzebna, łamał więc głowę. Znalazłszy sposób, zaraz też powiedział mi, co mam czynić. Wróciwszy do pokoju, stajemy nad koszyczkiem, w którym leżą łyżki, i czekamy cierpliwie na ciocię. Gdy weszła, Tomek liczy łyżeczki, przekładając je z jednej strony na drugą, ja zaś niepostrzeżenie wsuwam jedną w rękaw. Wtedy Tomek powiada:

Ciociu, przeliczyłem łyżeczki, jest dziewięć!

– Wracaj do zabawy i nie nudź mnie. Sama przecie liczyłam i było ich dziesięć.

– Cioteczko, liczyłem dwa razy i zawsze wypadało tylko dziewięć...

Jakkolwiek bardzo zniecierpliwiona, przyszła przeliczyć raz jeszcze. Każdy by zrobił to samo.

– Ależ prawda! – zawołała. – Dziewięć tylko! Cóż to jest? Nie, nie może być, raz jeszcze przeliczę.

Wtedy ja podkładam nieznacznie tę dziesiątą, która była u mnie w rękawie, ciocia Sara liczy i obojętnie niby powiada:

– Naturalnie, żeśmy się pomylili. Dziesięć było i dziesięć jest.

– Czy doprawdy, ciociu? – pyta Tomek. – Mnie się zdaje, że nie.

– Widziałeś przecie, że liczyłam?

– Widziałem, ale...

– No, to przeliczę jeszcze raz.

Wtedy ja znów ukradkiem ściągam łyżeczkę i, ma się rozumieć, wypada dziewięć. Ciocia aż się zatrzęsła z gniewu, ale wciąż liczy, raz, drugi, trzeci i dziesiąty, aż przyszło do tego, że już koszyk liczyła za łyżeczkę, wypadało zaś rozmaicie, to dziewięć, to dziesięć. Porwała więc koszyk i rzuciła go na ziemię z takim hałasem, że kot, śpiący na oknie, zerwał się i uciekł przestra-

szony. Odchodząc, wsunęliśmy łyżeczkę do kieszeni fartucha i znalazł ją tam Jim razem z ćwiekiem i ze śliwkami, którymi ciocia wypchała kieszeń dla niego.

W przekonaniu Tomka zachód sowicie nam się opłacił, bo teraz, gdyby życie cioci zależeć miało od przeliczenia raz jeszcze łyżeczek, liczyć ich nie będzie, nie dowierzając sobie wtedy nawet, gdy się nie omyli w rachunku.

Tej samej nocy, położywszy prześcieradło na swoim miejscu, wyciągnęliśmy drugie z innej szafy. Potem oddawszy je, znów wzięliśmy tamto i tak powtarzając sztukę kilkakrotnie, doprowadziliśmy ciocię do tego, że nie wiedziała już sama, ile ma prześcieradeł. Oświadczyła nawet, że jej to wszystko jedno, że nie myśli zagryźć się na śmierć dla głupich paru prześcieradeł, że woli umrzeć niż je obliczać.

Dzięki zatem psom, szczurom i podwójnemu rachunkowi, posiadaliśmy koszulę, prześcieradło, łyżeczkę i świece. Co zaś do lichtarza, to przedmiot ten był małej wagi i wiedzieliśmy, że o nim wkrótce zapomną.

Ale za to z owym pierogiem było kłopotu co niemiara; trzeba go było piec w lesie. Trzy miednice mąki wyszły na ten pieróg, przy którym poparzyliśmy ręce i nałykaliśmy się dymu.

Następnej nocy, pokrajawszy u Jima prześcieradło na wąskie paseczki, ukręciliśmy z nich przede dniem jeszcze sznur taki, że można by się na nim powiesić.

Niestety, drabina w pieróg wejść nie chciała, można nią było nadziać ze czterdzieści pierogów, zachowując coś jeszcze na zupę i na pieczyste. Jakoż trzeba było wyrzucić część drabiny, a szkoda, bo sznur był śliczny! Ostatecznie upiekliśmy pieróg nie w miednicy, bo zlutowanie stopiło się w ogniu i dno odleciało, lecz w żelazku mosiężnym do ogrzewania pościeli, które wujaszek Silas przechowywał na strychu, jako pamiątkę po jednym z przodków bardzo dawnych. Tak tedy Jim posiadał wszystko, co porządnemu więźniowi było potrzebne. Zostawszy sam, rozłamał pieróg, drabinę ukrył w sienniku, na jednym z cynowych talerzy wydrapał trochę kresek i kółek i wyrzucił talerz przez okno.

XXXVIII

Nowy kłopot. – Przyjaciel samotnika. – Uroczy kwiat.

Okropnie dużo roboty mieliśmy z piłą i z piórami; sam Tomek przyznawał, że napis będzie najprostszy, jaki być może: nie wyryty na ścianie, ale zaledwie wydrapany. Był jednak niezbędny, według Toma. Więc gdy Jim i ja mordowaliśmy się nad zaostrzeniem piór, które on robił z kawałków połamanego lichtarza, ja zaś z łyżeczki, Tomek zaczął układać napisy, którymi wyrazić miał Jim swoje cierpienia. Że jednak Jim nie znał liter, Tomek zafrasowany postanowił litery sam nakreślić węglem, resztę zaś miał Jim wykonać.

– Są tu pająki, Jim? – zapytał potem Tomek.

– Nie, paniczu, Bóg łaskaw, ani jednego.

– To nic! Wystaramy ci się o kilka.

– Paniczu złocisty, a po co? Po co mnie pająki? Ja się ich boję... Dla mnie pająk czy grzechotnik to wszystko jedno.

– To pyszna myśl! A gdzież byś go trzymał?

– Kogo, paniczu?

– Grzechotnika, ma się rozumieć!

– Łasko Boska! A panicz co mówi?! A toć, żeby tu miał ze mną mieszkać grzechotnik, to bym chyba głową wybił dziurę i uciekł.

– E! Jim, tak ci się zdaje. Z początku tylko bałbyś się grzechotnika, a potem oswoiłbyś go...

– Oswoił?

– I nawet bardzo łatwo. Każde zwierzę okazuje wdzięczność za pieszczoty i nic czyni krzywdy osobie, która ma o niego staranie.

– Mój paniczu, mój śliczny, niech panicz tego nie mówi! Słuchać nawet nie mogę...

– Miejże rozsądek, Jim. Każdy więzień posiadać musi jakieś stworzenie obłaskawione, a jeżeli nikt dotychczas nie próbował oswoić grzechotnika, to tym większa stąd sława dla ciebie. Zobaczysz, Jim, cały świat będzie wiedział o tobie.

– Nie, paniczu, dziękuję, co mi tam po sławie! Jak mnie wąż ukąsi, to się od sławy nie zagoi. Nie, nie, paniczu, nie chcę!

– Ach! Jim, czyż spróbować nawet nie możesz? Ja tylko chcę, żebyś spróbował. Nie uda się, to nie...

– Pewno, że się nie uda, jak mnie grzechotnik ukąsi... A jeżeli mi tu przyniesiecie grzechotnika i każecie go oswajać, to ucieknę. Zobaczy panicz, że ucieknę... Bez pisania i drabiny.

– No, dobrze, już dobrze, kiedyś taki uparty, to nie... Nie chcesz grzechotnika, to ci przyniesiemy kilka jaszczurek, a ty im ponawlekasz po parę
guzików na ogony i niech udają grzechotników.

– Ja i tego paskudztwa znieść nie mogę, ale jeżeli już bez nich nie można, to niech tam... Niech panicz przyniesie... Żebym ja był wiedział, że to
tyle kłopotu z tym siedzeniem w więzieniu i taki zachód...

– Ma się rozumieć, że jest zachód i kłopot, jeżeli wszystko idzie, jak się
należy. Czy są tu szczury?

– Nie, paniczu, nie widziałem ani jednego.

– No, to ja ci ich kilka dostarczę.

– Kiedy ja i szczurów nie chcę, paniczu. Chwili spokoju z nimi nie ma, to
coś gryzą, to skrobią, to biegają... a gdy człek zaśnie, to po nogach kąsają...
bo i to bywa! Nie, paniczu, już jeżeli koniecznie potrzeba, to niech panicz
przyniesie jaszczurki, ale szczurów nie chcę. Co mi po tym?

– Dajże pokój, Jim. Nie ma więźnia bez szczurów. Każdy je ma i ty swojego mieć musisz. Powiadam ci: nie było przykładu, żeby więzień nie miał
szczura! Oswoisz go, nauczysz sztuk i zobaczysz: będzie chodzić po tobie,
śmiały jak mucha. Ale trzeba, żebyś im grał na jakim instrumencie, bo szczury przepadają za muzyką. Masz na czym grać?

– Mam grzebień, paniczu, i papieru kawałek, i gitarę z porwanymi stru-
nami. Nie wiem, czy im się taka muzyka podoba?

– I jak jeszcze! Graj im byle jak, byleś grał, to dla nich dosyć. Trzeba ci
wiedzieć, że wszystkie zwierzęta lubią muzykę, gdy są w więzieniu, a muzyka musi być smutna, płacząca... Pograsz jakie parę minut i zaraz szczury,
jaszczurki, pająki, rozczulą się, powyłażą ze swoich dziur i przyjdą wszystkie do ciebie. To ci dopiero będzie uciecha!

– Dla nich może, paniczu, ale nie dla mnie. Żebym choć wiedział na co
to paniczowi potrzebne? Ale trudno, kiedy trzeba, to trzeba... Niech tam już!
Pozłazi się ta gadzina do mnie, to przynajmniej w domu dokuczać nie będzie.

Tomek chwilkę się jeszcze namyślał, czy czasami nie zapomniał czego.
W końcu powiada:

– Jeszcze jedno, Jim, czy mógłbyś tu pielęgnować jaką roślinę, której
kwiat uroczy...

– Nie wiem, paniczu. Ciemnawo tu, na kwiatach się nie znam, a zachodu
z tym sporo...

– Spróbuj, co ci szkodzi? Czynili to niektórzy więźniowie.

– Ja myślę, paniczu, że można by tu posadzić chwast jaki: pokrzywę
może? Ale kłopotu będzie dużo, a pożytku żadnego.

– Nie wierz temu. Ja ci przyniosę kilka krzaków pokrzywy i innego ziela, a ty je posadzisz tam w kącie. Będziesz je łzami podlewał.

– Po co, paniczu? Jest przecie źródlanej wody pod dostatkiem.

– Ale więzień nie może używać wody źródlanej; musi je podlewać łzami. Każdy tak czyni.

– Kiedy, proszę panicza, od wody daleko prędzej rośnie... A z tymi łzami, to jeszcze nie wiadomo jak...

– To nie twoja rzecz. Łzami podlewaj i koniec...

– Zobaczy panicz, że przepadnie... Skądże ja zresztą wezmę łez, kiedy ja nigdy nie płaczę?

To ostatecznie przekonało Tomka. Pomyślał trochę i oznajmił, że jeżeli już nie inną roślinę, to cebulę musi pielęgnować. Przyrzekł też zajść do kuchni murzyńskiej i, wziąwszy parę cebul, wrzucić je do imbryka, w którym co rano przysyłano Jimowi kawę. Jim skrzywił się trochę na kawę z cebulą i wyrzekał, że w ogóle za dużo ma do roboty. Tomek zniecierpliwiony ostro wymawiać mu zaczął niewdzięczność.

– Jak to? – powiada – zdarza ci się sposobność, nie każdemu dana więźniowi, rozsławić swe imię po całym świecie, przekazać je pamięci potomnych, a ty ocenić tego nie umiesz? Wstydź się, Jim! Inaczej o tobie myślałem.

Zawstydził się więc Jim, uznał swą winę, przyrzekł nie wpadać w nią więcej i przejednał Tomka, po czym obaj udaliśmy się na wypoczynek.

XXXIX

Szczury. – Mili towarzysze. – Listy.

Wstawszy raniutko, pobiegliśmy do najbliższej wioski, do sklepiku, po pułapkę na szczury, a po otworzeniu największej nory, w niespełna pół godziny mieliśmy z piętnaście ogromnych szczurów, które w pułapce dużej jak klatka schowaliśmy pod łóżko cioci Sary. Ale mały Tomcio Phelps, znalazłszy pułapkę, otworzył drzwiczki dla przekonania się, czy szczury wyjdą. I wyszły! Wszystkie, co do jednego! Trzeba było znów łapać szczury, które już były znacznie mniejsze. Zmarnowała się nasza praca przez tego bębna nieznośnego!

Dobraliśmy sobie za to pająki jak na wystawę! Nałowiliśmy także żab, gąsienic i różnych takich stworzeń; chcieliśmy także zabrać i gniazdo szerszeni, ale nie udało mi się. Za to jaszczurek, małych węży domowych, odznaczających się pięknym ubarwieniem, znalazło się co niemiara. Wpakowaliśmy to wszystko do worka, zanieśli do swego pokoju, a że się już miało ku wieczorowi, siedliśmy do kolacji z ogromnym apetytem po całodniowej pracy mozolnej.

Po kolacji wracamy i... cóż państwo powiecie? Ani jednego węża! Worek był źle zawiązany i wszystko to się rozlazło. Nie bardzośmy się jednak zmartwili, wiedząc, że nie pójdą daleko i zawsze gdzieś w domu się znajdą. I prawda! Przez dni kilka nikt nie mógł się uskarżać na brak ich w domu. Zwieszały się z sufitów, leżały na półkach, a najczęściej zdarzało się, że spadały na talerz albo na szyję, wtedy, gdyś ich wcale nie potrzebował. Ale przynajmniej było z nimi w domu bardzo ładnie, zwłaszcza że nic złego nikomu nie robiły.

Co to był za milutki kącik, ta komórka Jima, gdy się wszystko po niej rozpełzło! Jim nie mógł polubić pająków, a i one jego, że zaś po wszystkich kątach było ich pełno, więc biedny więzień nie wiedział, gdzie się ma podziać. Szczury i węże tak przepełniały jego łóżko, że sam nie miał miejsca, a nade wszystko nie mógł spać. Ciągle się coś ruszało, mówił Jim, bo gady i szczury nie spały nigdy jednocześnie, lecz po kolei. Gdy spały węże, to szczury w harcach, a gdy one pozasypiały, wężom zabawa była w głowie. Zawsze tedy jedne stworzenia leżały przy nim i pod nim, a inne roiły się poza nim. Gdy zaś ustąpił im z placu i przytulił się w jakim kącie, to czyhały na niego pająki. Powiadał Jim, że jeżeli mu się uda wyjść z komórki, to już za żadne w świecie pieniądze nigdy do więzienia nie wróci.

Upłynęły tak trzy tygodnie. Przez ten czas przygotowaliśmy wszystko, jak należy. Koszula dawno już została przesłana (w pierogu), a Jim za każdym razem, gdy go szczur ukąsił, wstawał z łóżka i krwią żywą dopisywał parę słów w swoim dzienniku. Pióra zostały zaostrzone, napisy żłobił Jim powoli; noga od łóżka przepiłowana była na dwoje, a trociny zjedliśmy obaj do szczętu tak starannie, żeśmy aż dostali skurczów żołądka. Były to widać jakieś niestrawne trociny! Ale przynajmniej wszystkiego prawie dokonaliśmy, straszliwie obaj zmęczeni i Jim także.

Wujaszek pisał parę razy do właściciela plantacji pod Nowym Orleanem, żeby przybył zabrać niewolnika, odpowiedź jednak nie nadchodziła, bo nie było na świecie ani wiaściciela takiego, ani plantacji. Stanęło więc na tym, że poda ogłoszenie do gazet w Saint Louis, na którego wspomnienie aż mnie ciarki przeszły, widzę bowiem, że nie ma czasu do stracenia.

– Teraz trzeba listy bezimienne rozsyłać – powiada Tomek.

– Po co? – pytam.

– Jako ostrzeżenie, że się coś gotuje. Takie ostrzeżenia bywają zawsze wysyłane w tej lub innej formie, bo przecież ktoś zwykle szpieguje w pobliżu zamku i zawiadamia o wszystkim komendanta.

– Ale zastanów się, Tomku, po cóż my mamy ostrzegać, że się coś gotuje? Niech sami odkryją i niech się mają na baczności!

– Tak być powinno, ale czy to na nich polegać można? Sam przecie widzisz, jak postępowali od początku; my sami robić wszystko musieliśmy. Tacy łatwowierni! Toteż, jeżeli my ich nie ostrzeżemy, nikt nam nie przeszkodzi i cała nasza praca, wszystkie zabiegi na nic pójdą, bo wszystko przejdzie bez wrażenia.

– Wiesz? Ja bym wolał, żeby tak było.

– Ty byś wolał! – pogardliwie powtórzył Tomek.

– Ależ ja nie narzucam swego zdania. Rób, jak uważasz, zgadzam się na wszystko.

– Przebierzesz się za służącą. Zakradniesz się nocą i ściągniesz suknię tej dziewczyny, Mulatki.

– Zlituj się! Toż to dopiero będzie hałas jutro rano! Ona nie ma zapewne innej sukni?

– Cóż z tego? Tobie suknia będzie potrzebna tylko na kwadrans najwyżej, na wsunięcie listu bezimiennego pod główne drzwi wchodowe.

– No, dobrze, wezmę suknię i list odniosę... Ale, co prawda, mógłbym go odnieść tak samo w swoim ubraniu.

– Tak, ale nie wyglądałbyś wtedy na służącą!

– Zapewne, że nie, ale nikt by nie widział, jak wyglądam.

– Co to ma do rzeczy? Czy nas kto widzi, czy nie, to rzecz najmniejsza... Wiesz, Huck, nieraz myślę, że ty wcale nie dbasz o zasadę!

Napisał więc Tom list bezimienny, ja zaś tej samej nocy ściągnąłem suknię Mulatce, ubrałem się w nią i tak wystrojony poszedłem podsunąć list pod główne drzwi wchodowe. List brzmiał:

Miejcie się na ostrożności. Czeka was wielka nieprzyjemność. Czuwajcie z wytężoną uwagą.

Nieznany przyjaciel

Następnej nocy przybiliśmy do drzwi wchodowych rysunek, nakreślony krwią przez Tomka, a przedstawiający trupią czaszkę na dwóch skrzyżowanych piszczelach; później zaś na drzwiach od tyłu narysował Tomek ogromną trumnę.

Na całą rodzinę padł strach taki, że nigdy jeszcze nie widziałem nic podobnego. Gdyby cały dom pełen był duchów, w każdym kąciku zaczajonych i unoszących się w powietrzu, to i wtedy chyba nie byłoby większego popłochu. Tomek cieszył się, że tak dobrze idzie, twierdząc, że nigdy nie przypuszczał takiego powodzenia.

– A to dlatego – mówił – że spełniamy swój obowiązek.

Lecz nie wszystko jeszcze było zrobione. Nazajutrz, o świcie, mieliśmy już drugi list przygotowany, nie wiedząc, co z nim zrobić, bo przez noc całą miał stróżować Murzyn i obchodzić dom naokoło, żeby nikt do drzwi nie miał dostępu. Tomek zsunął się na dół po piorunochronie dla zbadania położenia, lecz okazało się, że Murzyn siedzi pod drzwiami i śpi. Zasunąwszy mu więc list za kołnierz, powrócił tą samą drogą. W liście zaś tak pisał:

Nie zdradźcie mnie: jam wasz przyjaciel. Banda opryszków z kraju Indian zamierza wykraść dziś w nocy zbiegłego Murzyna, którego trzymacie w więzieniu. Użyli wszelkich środków dla wzbudzenia w was przestrachu, chcą bowiem, żebyście nie śmieli ruszyć się z domu i nie czynili im przeszkód. Ja także do ich bandy należę, lecz, Boga mając w sercu, chcę ich opuścić i znów rozpocząć życie uczciwe, dlatego też zdradzam przed wami piekielne ich zamiary. O samej północy z dorobionym kluczem wejdą do komórki Murzyna. Ja mam stać na czatach i gwizdawką dać znać o niebezpieczeństwie, lub zamiast tego beknę jak owca. Potem zaś, gdy oni wezmą się do rozkuwania kajdan Murzyna, wy, z domu wypadłszy, zamknijcie opryszków na klucz i wybijcie co do jednej. Zaklinam, postępujcie według moich wskazówek: inaczej wzbudzicie podejrzenie i padniecie ofiarą nieszczęścia. Nagrody nie żądam, znajduję ją we własnym sumieniu, które chwali mój postępek.

Ten sam nieznany wam przyjaciel!

XL
Komitet czujności. – Zapalenie mózgu. – Ważne wypadki.

Nazajutrz byliśmy w doskonałych humorach, bo wszystko składało się jak najlepiej. Spędziliśmy cały dzień na rzece i wróciliśmy do domu dopiero na kolację. W domu wszyscy głowy zupełnie potracili, nie wiedząc, co się z nimi dzieje. Nikt nic powiedzieć nam nie chciał, co zresztą nie było potrzebne, bo myśmy i tak przecież o wszystkim wiedzieli, zapowiedziano nam tylko, że natychmiast po kolacji mamy iść spać. Jakoż po ostatnim kęsku, ciocia Sara poczęła nas wypędzać na górę, a dla większej pewności sama z nami poszła. O wpół do dwunastej byliśmy na nogach. Tomek ubrał się i już miał wychodzić z zapasami, gdy wtem pyta:

– A gdzie masło?

– Jest, spora nawet osełka. Włożyłem ją pomiędzy dwa placuszki żytnie.

– Włożyłeś i zostawiłeś. Nie ma tu masła.

– To się bez niego obejdziemy – powiadam.

– A po cóż się mamy obchodzić? Śpiesz do spiżarni i przynieś masło, a ja się tymczasem spuszczę po piorunochronie.

Rozeszliśmy się każdy w swoją stronę. Jakoż istotnie zapomniałem osełki: leżała tam, gdzie ją zostawiłem. Wziąłem ją tedy razem z placuszkami i, zgasiwszy świecę, wstępowałem ostrożnie na schody, żeby się dostać do pokoju. Wtem nagle drzwi się otwierają, a w nich ciocia Sara, ze świecą w ręku. Ja tedy czym prędzej masło i placuszki wsuwam do kapelusza, kładę na głowę i idę. Ciocia Sara, spostrzegłszy mnie, pyta:

– W spiżarni byłeś?

– Tak, ciociu.

– Coś tam robił?

– Nic, ciociu.

– Więc po coś tam chodził o tej porze?

– Nie wiem, ciociu.

– Nie wiesz? Nie pleć mi głupstw, Tomku. Raz jeszcze pytam, co miałeś do roboty w spiżarni?

– Nic do roboty nie miałem, proszę cioci...

Myślałem, że mnie już potem puści i kiedy indziej byłaby tak zrobiła, ale że się tyle nadzwyczajnych rzeczy działo teraz koło niej, więc, pełna podejrzeń, rzekła głosem bardzo stanowczym:

– Ruszaj mi do pokoju i siedź tam. Coś, widzę, zbroiłeś, boś był tam, gdzie nic nie masz do roboty, muszę zobaczyć, coś zbroił.

I poszła sobie, a ja rad nierad musiałem wejść do pokoju na dole, gdzie o tej porze zazwyczaj bywały pustki. Tymczasem rojno tam było jak w ulu! Piętnastu dzierżawców z sąsiedztwa, każdy ze strzelbą! Aż mi się niedobrze zrobiło. Wszyscy siedzieli na rozstawionych w półkole krzesłach, rozmawiając z sobą półgłosem, i widać było, że tylko spokój udawali. Mnie samemu było także nieswojo, ale ponieważ oni siedzieli w kapeluszach na głowie i ja też nie zdjąłem swojego.

Ciocia, wróciwszy, zadawała mi różne pytania. Nie mogąc na żadne z nich dać odpowiedzi prawdziwej, wiłem się jak piskorz... Czuję, że w głowie mi się przewraca, że robi mi się coraz gorzej, masło zaś zaczyna mi topnieć pod kapeluszem, spływając po karku i za uszami! I to nic, ale gdy jeden z dzierżawców odezwał się: „Ja teraz pójdę do komórki i tam będę czekał na opryszków", to mną tak rzuciło, że o mało z krzesła nie runąłem, a stopniałe masło płynęło mi po czole coraz silniej. Zobaczywszy to wreszcie, ciocia Sara zbladła jak chusta i głosem drżącym woła:

– Na rany Boskie! Co temu dziecku jest? Nic innego, tylko dostał zapalenia mózgu tak, że mu w głowie aż kipi!

Zrywają się wszyscy z przerażeniem, zdejmuje mi ciocia kapelusz z głowy, lecą na ziemię placuszki, leci reszta masła niestopniałego jeszcze, a ciocia, obejmując mnie za szyję i tuląc do piersi, woła:

– Ach! Jakże ja się przestraszyłam! Dzięki Bogu, że nic groźnego!... Myślałam, że znów jakie nieszczęście! Byłam pewna, że już po tobie!... Ach! Co by to było, gdyby tak mózg, nie masło... Czemu żeś ty mi nie powiedział, po co chodziłeś do spiżarni? Bierz sobie tyle masła, ile chcesz... No, a teraz idź zaraz do łóżka!

Jednym susem przebyłem schody, drugim nasz pokój, a zsunąwszy się po piorunochronie w mgnieniu oka, pędzę ku przybudówce. Słowa więzły mi w gardle, gdy opowiedziałem Tomkowi, co się dzieje, dodając, że nie ma minuty do stracenia, że dom pełen uzbrojonych mężczyzn...

Tomkowi aż się oczy zaiskrzyły z radości.

– Doprawdy? – woła. – A to świetnie! Gdyby można jeszcze poczekać...

– Nie można! – przerywam. – Gdzie Jim?

– Za tobą; wyciągnij poza siebie ramię, a namacasz go. Wszystko gotowe. Zaraz ruszymy, a wówczas dam hasło...

Ale zanim to nastąpiło, usłyszeliśmy kroki zbliżające się ku drzwiom, a wreszcie głos:

– Mówiłem wam, że to za wcześnie... Nie przyszli... drzwi zamknięte... Niech kilku z was wejdzie do komórki i zaczai się na nich... Strzelajcie, jak tylko wejdą... Reszta niech się rozstawi, gdzie może, i nasłuchuje...

Jim wyszedł pierwszy, ja za nim, Tomek na końcu, bo taki zalecił porządek. Stojąc już w przybudówce, słyszymy, że ktoś chodzi pod ścianą. Tomek szeptem oznajmia nam, że gdy usłyszy oddalające się kroki, trąci nas obu dla oznaczenia pory wyjścia: Jim pierwszy, ja drugi, on – ostatni. Przykłada więc ucho do szpary i słucha... Kroki to oddalają się, to przybliżają, to cichną... Nareszcie trącił mnie Tomek nogą, ja trąciłem Jima i wysunęliśmy się przez drzwiczki na pół otwarte, wstrzymując oddech. Idąc gęsiego, byliśmy już blisko ogrodzenia... już, już po drugiej jego stronie, bo Tomek i ja przeszliśmy szczęśliwie, gdy wtem... zaczepia Jim o jakiś sterczący pręt... Słysząc kroki, szarpnął się silniej, pręt zatrzeszczał, Jim już przy nas, już uciekamy, gdy rozlega się głos:

– Kto tam? Odpowiadać, bo strzelę!

Wziąwszy nogi za pas, pędzimy, co sił starczyło; pogoń za nami, huk wystrzałów, kule nam świszczą koło uszu. Kilka głosów woła:

– Są! Są! Uciekają w stronę rzeki! Gonić ich, gonić! A spuścić tam psy z łańcucha!

Biegniemy ścieżką wiodącą do młyna, doganiają nas prawie, skręcamy więc na bok w zarośla, przepuszczamy ich naprzód, a sami zostajemy w tyle. Wszystkie psy z wieczora jeszcze zamknięto, żeby opryszków nie spłoszyły, lecz teraz ktoś je wypuścił, bo nadbiegają, czyniąc taki hałas, jakby kto na ich zdrowie nastawał. Poznawszy nas, powiedziały nam tylko: Jak się macie i bywajcie zdrowi, i popędziły naprzód. Teraz my w nogi! Dopadliśmy miejsca, gdzie uwiązana była moja łódź, wskakujemy do niej i szybkimi uderzeniami wiosła wypływamy na środek rzeki, o ile można jak najciszej. No! Teraz już jak po maśle! Dobijamy do wysepki, gdzie w zaroślach ukryta tratwa, a tamci biegają, krzyczą, słychać nawoływania, szczekanie psów, wrzask, zamęt!... Nareszcie jesteśmy wszyscy na tratwie.

– No, mój stary – rzekłem – jesteś znów wolny i moja w tym głowa, żebyś nigdy już nie był niewolnikiem.

– Aleście się też napracowali – rzecze Jim. – Jak to wszystko było obmyślane, jak wykonane!...

Byliśmy wszyscy bardzo szczęśliwi, a najszczęśliwszy był Tomek, bo go w łydkę kula trafiła.

Wielce nas zmartwiła ta wiadomość. Rana bolała go bardzo, krew płynęła obficie, położyliśmy więc Tomka w naszej budce i dalej drzeć na bandaże jedną z pozostałych po księciu koszul.

– Dajcie no te gałgany – rzekł Tomek – ja sam to zrobię. Wy czasu nie traćcie... dotychczas świetnie wszystko idzie... Ocaliliśmy się ucieczką, aż miło! Będziemy wzorem dla potomności... Odbijajmy od brzegu! Odbijajmy!

Po kilku minutach narady z Jimem, rzekłem nareszcie:

– No, Jim... powiedz...

– No to powiem – odrzekł Murzyn. – Bo to ja myślę sobie tak: Gdyby to on, Tomek, został uwolniony z więzienia, a jeden z nas był ranny, czy on powiedziałby wtedy: „Uciekajmy! Uciekajmy! Co mnie tam obchodzi, żeś ty ranny w nogę, czy potrzebujesz doktora?" Czy powiedziałby tak Tomek Sawyer? Paniczu Tomku! Nie! Głowę daję, że nie! A kiedy nie, to z jakiejże racji ma tak mówić Jim! Nie, paniczu, ja się stąd nie ruszę... Nie ruszę się, dopóki doktor nie obejrzy nogi!

Wiedziałem, że Jim z wierzchu tylko jest czarny, a wewnątrz tak biały, jak każdy z nas, i pewien byłem, że powie to, co powiedział, ale Tomek narobił hałasu i zabronił nam iść po doktora. Ale wobec naszej stanowczości, widząc mnie już w łódce, powiada:

– No, kiedyś się uparł koniecznie przywieźć doktora, to ci przynajmniej powiem, jak to zrobić. Wejdź, drzwi za sobą zamknij na klucz, zawiąż doktorowi oczy, każ mu przysiąc, że milczeć będzie jak grób, potem wyprowadź go, obejdź z nim kilka razy dom dookoła, skręcając na prawo, to na lewo, żeby nie mógł zmiarkować, którędy go prowadzisz. Dopiero wówczas siądź z nim do łódki, lecz nie płyń prosto, krąż ciągle pomiędzy wysepkami... Kieszenie obszukaj mu ściśle i jeśli ma ołówek albo kredę, odbierz ją i oddaj dopiero po powrocie. A nużby naznaczywszy tratwę, ułatwił jej odszukanie. Miejże się na ostrożności!

Przyrzekłem spełnić wszystkie jego zlecenia i popłynąłem ku wsi, Jim zaś miał się skryć w lesie i pozostać tam, dopóki doktor nie odjedzie.

XLI

Doktor. – Wujaszek Silas. – Ciocia Sara zmartwiona.

Doktor, niemłody już człowiek, wyglądał na staruszka bardzo poczciwego. Opowiedziałem mu, że brat mój i ja udaliśmy się wczoraj po południu na polowanie, na wysepkę, zwaną Spanish Island, że spędziliśmy noc na tratwie, przypadkiem znalezionej, że około północy przytrafił się wypadek bardzo niemiły, gdyż brat mój przez sen widać potrącił fuzję, która wypaliła, raniąc go w nogę. Prosimy więc doktora, żeby był łaskaw odwiedzić go, opatrzyć i nic nie mówić nikomu, bo... bo chcemy, żeby nikt nie wiedział o wypadku.

– Skądże wy jesteście?

– Siostrzeńcy Phelpsów, z sąsiedztwa.

– Wiem, wiem.

I po chwili dodaje:

– Powtórz no, jakim to sposobem postrzelony został twój brat?

– Śniło mu się coś, panie doktorze, i... i strzeliło.

– Hm! Dziwny sen! – powiada doktor.

Wziął jednak swoją latarnię, torbę z narzędziami i poszliśmy. Zobaczywszy czekające na nas czółno, skrzywił się jakoś...

– Na jednego dobre – powiada – ale na dwóch za niebezpieczne.

– Niech się pan nie boi – zawołałem – toć trzech nas było, a płynęliśmy bez obawy...

– We trzech?

– Tak, proszę pana. Ja, brat mój Sid i... strzelby. Strzelby były na trzeciego, proszę pana...

– Aha, strzelby. Hm! Hm!

– Wiesz co? – rzekł doktor. – Ja sam popłynę, a ty czekaj na mnie.

Po czym doktor odpłynął, a ja pozostałem.

Będę tu czekał – myślę sobie – lecz jeśli doktor wróciwszy, powie, że jeszcze raz musi być na tratwie, to i ja mu będę towarzyszył, choćby mi nawet przyszło płynąć. Na tratwie zaś zwiążemy go, zatrzymamy gwałtem i popłyniemy w dół rzeki. Skoro zaś Tomek wyzdrowieje, zapłacimy doktorowi, co mu się będzie należało, i wysadzimy go na brzeg.

Wlazłem sobie tedy pomiędzy ułożone w kilka stosów tarcice, żeby się zdrzemnąć. Po przebudzeniu widzę słońce wysoko nad głową! Zerwawszy się, pędzę do domu doktora, ale ten jeszcze nie wrócił. Hm! – myślę sobie – z nogą Tomka musi być źle. Nie ma co, ruszam na wyspę natychmiast... I ruszyłem, ale tuż na zakręcie ulicy wpadłem na wujaszka Silasa tak, że o mało mu brzucha głową nie przebodłem.

– Tomek! Gdzie ty byłeś, urwisie jeden?

– Ja, wujaszku? Nigdzie nie byłem, proszę wujaszka... Ja tylko... to jest my obaj, ja i Sid, puściliśmy się w pogoń za Murzynem.

– Ale gdzieżeście się zapędzili? Ciotka niepokoi się o was...

– Niepotrzebnie, bo nam się nic złego nie stało. Pobiegliśmy za ludźmi i za psami, ale wyprzedzili nas, proszę wujaszka, i zgubiliśmy się... A potem... proszę wujaszka... aha, potem... zdawało nam się, że tamci odpłynęli, na rzekę... proszę wujaszka, na rzekę... Więc i my wsiedliśmy w łódkę i za nimi... I pływaliśmy, pływali, dopókiśmy się nie zmęczyli... A już potem, proszę wujaszka, to nam sił brakło... Tak... No i Sid pobiegł na pocztę, może się tam czego dowie, proszę wujaszka, a ja... ja tu zostałem i szukam... czy nie znajdę czego do zjedzenia. A potem... potem, proszę wujaszka, to już do domu idziemy. Prosto, jak strzelił, do domu...

Wskutek mego opowiadania musiałem pójść z wujaszkiem na pocztę „po Sida". Tu, naturalnie, Sida nie było, tylko wujaszkowi list doręczono. Czekaliśmy na Sida dość długo, lecz nie przyszedł, aż wreszcie zacny staruszek powiada:

– Wiesz ty co? Nie możemy czekać dłużej. Ciocia zamartwi się tam z niepokoju o nas. Sid przecież trafi do domu. Ty zaś siadaj ze mną i pojedziemy. Próbowałem wymówek, obiecywałem odszukać Sida i z nim powrócić. Wszystko na nic!

Gdy przed dom zajechaliśmy, ciotka, ujrzawszy mnie, zaczęła śmiać się, płakać, całować mnie i szturchać, mówiąc, że tak samo i Sid oberwie.

Dom pełen był gości, dzierżawcy bowiem zostali na obiedzie, razem z żonami, które do nich przybyły, gwarno więc było jak w ulu.

Późnym wieczorem, gdy się wszyscy rozjechali, przyszedłem do ciotki i zacząłem opowiadać, że hałas i strzały obudziły nas, a ponieważ drzwi były zamknięte, nam zaś szło o zabawę, więc też zsunęliśmy się po piorunochronie, czego zresztą nigdy już nie uczynimy. Potem powtórzyłem to wszystko, co opowiedziałem wujaszkowi. Ciotka pocałowała mnie, zamyślając się jednak, bo wciąż ją gnębił niepokój o Sida.

– Ach, nieszczęście... Noc już prawie, a Sida nie ma... Co się z tym chłopcem stało?

Chcąc skorzystać ze sposobności, zrywam się i mówię:

– Ciociu, pobiegnę do miasta i powrócę z nim.

– Nie, nie. Zostaniesz w domu. Jeżeli Sid nie powróci na kolację, to wuj pójdzie po niego.

Tak się też stało, lecz wujaszek wrócił niespokojny, bo Tomka odnaleźć nie mógł. Ciocia zgnębiona oświadczyła, że spać nie pójdzie, świecę zaś postawi w oknie, żeby Sid łatwiej trafił do domu.

Cóż miałem robić? Poszedłem spać, ledwie się jednak położyłem, wchodzi ze świecą ciocia Sara i okrywa mnie, i otula, jak matka. Tak mi się dziwnie w duszy zrobiło, że nie śmiałem spojrzeć jej w oczy. Usiadłszy na łóżku, rozmawia ze mną bardzo długo, a ciągle jedno i to samo.

– Gdzie też może być Sid? Jak ci się zdaje, Tomku, gdzie Sid? Może on gdzie zabłądził lub zachorował, albo i utonął i leży teraz sam jeden, chory, umarły, żadnego nie mając ratunku?

Mówi, mówi, a łzy jej ciurkiem płyną po twarzy, rzęsiste, ciche, że mi serce pękało na ich widok. Pocieszam ją, jak mogę, zapewniając, że nad rankiem Sid wróci na pewno, ciocia zaś, ściskając mnie za rękę i całując w czoło, każe mi to powtórzyć raz, drugi, trzeci i dziesiąty, bo słowa moje przynoszą ulgę jej sercu. Wreszcie, zabierając się już do odejścia, patrzy mi w oczy tak łagodnie, a błagająco i mówi:

– Tomku, drzwi nie będą zamknięte, a choćby i były, to potrafisz wyjść przez okno. Nie czyń tego jednak... Nie uczynisz, prawda? Jeżeli mnie kochasz...

Pomimo że wyjść postanowiłem, żeby się czego dowiedzieć o Tomku i o Jimie, bo aż mnie z łóżka podrywało, po jej słowach już wyjść nie mogłem! Gdyby mi królestwo dawali, nie byłbym poszedł!

Że zaś i ciotka stała mi na myśli i Tomek, więc też sen miałem niespokojny. Dwa razy wstawałem, dwa razy spuszczałem się na dół, żeby popatrzeć w okna od frontu i za każdym razem widziałem ciotkę, siedzącą z oczami łez pełnymi. Nie wiem, co bym zrobił, żeby ją pocieszyć, ale to nie było w mojej mocy! Przysiągłem tylko, że nigdy jej niczym nie zmartwię. Gdy się obudziłem po raz trzeci, dniało już; ciotka siedziała jeszcze przy świecy dogasającej; siwą głowę oparłszy na ręku, zasnęła.

XLII

Tomek ranny. – Opowiadanie doktora. – Poczciwe Murzynisko.
– Wyznania Tomka. – Ciocia Polcia. – Listy.

Wujaszek znów pojechał do miasta, lecz nie przywiózł żadnej o Tomku wiadomości. Siedliśmy do stołu smutni i zamyśleni, wujostwo mało mówią, nic nie jedzą, że aż serce bolało na nich patrzeć. Na koniec odzywa się wujaszek:

– Czy ja ci oddałem list?

– List? Jaki list?

– Z wczorajszej poczty.

– Nie, żadnego mi listu nie oddałeś!

– Nie? To musiałem zapomnieć.

I zaczyna szukać po kieszeniach, ale w żadnej listu nie było. Przypomniał sobie wreszcie, gdzie go położył, poszedł, przyniósł i oddał ciotce.

– Chwała Bogu! List od siostry. Pewno pyta o swoich chłopców.

Wolałbym nie być na jej oczach, a tu, jak na złość, wstać nie można. Lecz zanim zdążyła ciotka list otworzyć, upuściła go i wybiegła, zobaczywszy przez okna to samo, co i ja spostrzegłem.

Tomek Sawyer na materacu, obok niego doktor, dalej Jim, ze związanymi rękami, w orszaku mnóstwo ludzi. Schowałem list za pierwszy sprzęcik, jaki mi się nawinął, i w nogi. Ciocia zaś biegnie ku Tomkowi i, zalewając się łzami, woła:

– Nie żyje! Nie żyje! Wiem, że nie żyje!...

Ale Tomek, poruszywszy głową raz i drugi, zaczął coś mówić.

– Żyje! – zawołała ciocia, wznosząc ręce do góry. – Dzięki ci Boże!

I ucałowawszy go, skoczyła do domu, żeby posłać łóżko, dając polecenia każdemu, kogo po drodze spotkała.

Poszedłem i ja za wszystkimi, chcąc widzieć, co uczynią z Jimem, stary zaś doktor i wujaszek Silas poszli za Tomkiem.

Tłum cały silnie był rozjątrzony, niektórzy chcieli natychmiast powiesić Jima dla przykładu wszystkich Murzynów.

Zaprowadzono go do tej samej komórki i wzięto na łańcuch, tym razem do haka potężnego przytwierdzony. Włożono kajdany na ręce i na nogi, a wreszcie zapowiedziano mu, że będzie tylko dostawał chleb i wodę, póki się nie zgłosi jego właściciel; w przeciwnym razie będzie sprzedany na licytacji.

Po tych operacjach zagrzmiały znów przekleństwa i wymyślania, podczas których zjawił się doktor.

– A nie wymyślajcie mu – rzekł – nad potrzebę, bo to poczciwe Murzynisko. Kiedy się dostałem na ową tratwę, gdzie znaleźć miałem chorego, byłem w trwodze, że nie dam sobie rady bez pomocnika. O zostawieniu samego chłopca nawet nie mogło być mowy, gdyż bredził nieprzytomny, rzucał się, nie pozwalając przystąpić do siebie. Groził, krzycząc, że jeżeli się ośmielę naznaczyć kredą jego tratwę, to mnie zabije, i tym podobne plótł brednie. Widząc, że z każdą chwilą mu gorzej, że nie dam mu rady, mówię sam do siebie, rzecz prosta, że bądź co bądź, trzeba chorego tak zostawić i poszukać jakiejś pomocy. Wtem, jakby spod ziemi, staje przede mną Murzyn, oświadczając, że mi pomoże... I pomógł; doskonale zrobił wszystko, co trzeba. Naturalnie, zaraz się domyśliłem, że to zbiegły Murzyn, więc nie mogąc się ruszyć, musiałem, jak przykuty, siedzieć przez resztę nocy, a potem znów dzień i noc... Muszę przyznać, że nigdy nie widziałem Murzyna, który by troskliwiej doglądał chorego i więcej mu okazywał przywiązania z narażeniem własnej wolności. O! Taki Murzyn, panowie, wart jest tysiąc dolarów... no i łagodniejszego obchodzenia się z nim. Dopiero dziś rano, gdy o brzasku spostrzegłem płynących łódką kilku ludzi, kiwnąłem na nich i przybyli akurat w porę, gdy Murzyn, głowę położywszy na kolanach, spał jak zabity. Związali go więc prędko i cicho. Że zaś chory, zasnąwszy, nic nie wiedział, co się z nim dzieje, więc przenieśliśmy go na łódź i popłynęli do brzegu. Murzyn nie stawiał oporu, milczał i spoglądał tylko na chłopca, czy się nie zbudzi, nie jęknie... poczciwe Murzynisko, powiadam... Związać go trzeba było... na to nie ma już rady... Ale nie róbcie mu krzywdy...

– Ma rację doktor – wtrącił głos jakiś – i Murzyna krzywdzić nie należy.

Słysząc to, zmiękli i inni, a ja wdzięczny byłem doktorowi, że ujął się za Jimem i że mówił o nim słowo w słowo to samo, co ja zawsze o nim myślałem. Bo przyznać muszę, że po pierwszej rozmowie z Jimem odgadłem w nim zaraz człowieka zacnego i dobre serce – a że czarne, to on już temu nie winien.

Dla złagodzenia doli Jima postanowiłem, po rozejściu się wszystkich, pójść do cioci Sary i powtórzyć jej słowo w słowo to wszystko, co mówił doktor. Miałem przed ową rozmową nie lada orzech do zgryzienia, bo przecie trzeba było wytłumaczyć cioci, dlaczego jej nie powiedziałem o ranie Tomka, dlaczego skłamałem, że jest na poczcie, i pozwoliłem jej całą noc czekać na niego.

Miałem jednak dość czasu do namysłu, gdyż ciocia Sara przez dzień i noc nie wychodziła z pokoju Tomka. Nazajutrz rano usłyszałem, że Tomek zdrowszy i że ciocia Sara poszła zdrzemnąć się trochę. Postanowiłem wówczas wejść do pokoju chorego i jeżeli nie śpi, obmyślić wspólnie najlepsze zamydlenie oczu naszym starym. Ale Tomek spał smacznie i spokojnie, a zamiast czerwonych jak ogień policzków, z którymi go tu przyniesiono, miał twarz bladą jak płótno.

Usiadłem więc w kąciku i czekam, aż się obudzi. Po jakiejś godzinie weszła na palcach ciocia Sara. Wreszcie Sid poruszył się, przeciągnął, otwiera oczy, rozgląda się po całym pokoju i zupełnie naturalnym głosem powiada:

– Aha, to ja jestem w domu! Skądże się tu wziąłem? Gdzie tratwa?

– Nie troszcz się, wszystko dobrze – odpowiadam.

– A Jim?

– Bezpieczny.

– A to dobrze! Doskonale! Teraz możemy być spokojni. A powiedziałeś cioci?

– O czym, Sid? – wtrąciła ciocia.

– Ano, o wszystkim, cośmy zrobili...

– O jakim wszystkim?

– Że to my wykradliśmy Murzyna...

– Łasko Boska! Oni wykradli! Co też ten chłopiec wygaduje! Nieszczęście! Znów stracił przytomność!

– Nie, ciociu, jestem przytomny i wiem doskonale, co mówię. Myśmy uwolnili Jima, my we dwóch: Tomek i Sid.

Rozgadawszy się, wciąż jechał dalej, a ciocia nie próbowała go nawet powstrzymać, tylko słuchała z oczyma szeroko rozwartymi.

– Tak, ciociu – trzepał Tomek – napracowaliśmy się przy tym okrutnie przez kilka tygodni po całych nocach, gdy wszyscy spali. Ale też nabawiliśmy się przewybornie! A potem, jak to ciocia trzymała Tomka tak długo... z masłem w kapeluszu, wie ciocia... to o mało wszystko w łeb nie wzięło, bo pogoń weszła do komórki, zanim my zdążyliśmy z niej uciec. Musieliśmy więc biec bardzo szybko, usłyszano nas, puszczono za nami strzały, no i jeden trafił mnie w nogę, potem puściliśmy ścigających naprzód, a sami ukryli się w krzakach, psy zaś spuszczone z łańcucha, przywitawszy się z nami, dalej pobiegły, a my swoją łódką do tratwy... I wszystko nam poszło po myśli, Jim uciekł z więzienia i został wolny dzięki nam! A co? Spisaliśmy się!

– Jak długo żyję na świecie, nic podobnego nie słyszałam! Więc to wy, urwisy, przewróciliście dom cały do góry nogami, napędzając nam tyle strachu?! Że ja wam tego nie daruję, to pewne!... Zobaczycie! Jak to! Ja się bałam przez tyle nocy, tyle mi rzeczy pogineło... a to wy! Wy, smarkacze niegodziwi! Poczekajcie, nie ujdzie wam to na sucho!

Ale Tomek taki był uradowany i dumny z siebie i z nas obydwóch, że chociaż ciotka mu groziła, on wcale na to nie zważał. Ona swoje, a on swoje. Ona się złości i wymyśla nam, a on trzepie i trzepie... Wreszcie ciotka powiada:

– Cieszcie się, cieszcie, lecz zapowiadam, że jeżeli wam się jeszcze zachce nim opiekować...

– Kim? – zapytuje Tomek zdziwiony, przestając się uśmiechać.

– Jak to, kim? Murzynem, ma się rozumieć. O kimże innym mogłabym mówić?

Tomek spoważniał, patrzy na mnie i pyta:

– Tomku, czy nie powiedziałeś mi, że wszystko dobrze? Więc Jim nie jest wolny?

– Jim? – wykrzykuje ciocia. – Jim, zbiegły Murzyn! Ma się rozumieć, że niewolny... Jeszcze by tego brakowało! Schwytali go, związali, przyprowadzili tutaj i siedzi znów w tej samej komórce, o chlebie i wodzie, w kajdanach i będzie siedział, dopóki się po niego nie zgłosi właściciel, lub dopóki nie sprzedadzą go przez licytację.

Tomek zrywa się z poduszek i siada na łóżku wyprostowany, oczy mu się iskrzą, nozdrza wydymają i na cały głos krzyczy:

– Nikt nie ma prawa go zamykać! Wypuścić go! Zaraz wypuścić! Jim nie jest niewolnikiem! Wolny jest, jak my wszyscy!

– Co to ma znaczyć, chłopcze?...

– To znaczy, ciociu, że Jim jest wolny! A jeżeli nikt go nie oswobodzi, ja to uczynię. Znam go, odkąd żyję na świecie i Hu...Tomek, chciałem powiedzieć, zna go także. Dwa miesiące temu stara miss Watson umarła i wstyd jej było, że powzięła kiedyś zamiar sprzedania Jima do oddalonej plantacji. Okupując tę winę, testamentem darowała wolność Jimowi.

– Więc po cóście uwalniali go z takim zachodem, skoro był wolny?

– W tym właśnie sęk! To prawdziwie kobiece pytanie! Uwalniałem... uwalnialiśmy go... bo chciałem doznać przygód i zwalczać niebezpieczeństwa. I byłbym w krew szedł po szyję do celu, byłbym... masz tobie... ciocia Polcia!

I prawda! Stoi ciocia Polcia we drzwiach, prosta jak tyka, uśmiechnięta, zadowolona i słodziutka, jak anioł, który się ciastkami naładował. Ażeby ją... Ciocia Sara skoczyła do niej i z czułości mało jej głowy nie urwała. Ja zaś wynalazłem sobie bezpieczne schronienie pod łóżkiem, będąc pewny strasznej katastrofy. Wychyliwszy cokolwiek głowę spod łóżka, spostrzegłem, że ciocia Polcia, oswobodzona z objęć naszej cioci, stanęła nad łóżkiem i patrzy na Tomka przez okulary, ale tak patrzy, jakby go wzrokiem w ziemię wgnieść chciała. Nareszcie, otwarłszy usta, mówi:

– Tak! Ukryj twarz, Tomku! Odwróć głowę! Ja, będąc na twoim miejscu, tak bym uczyniła, Tomku!

– „Tomku" – podchwytuje ciocia Sara. – Czyżby go tak choroba zmieniła? To przecie nie Tomek, to Sid! Tomek! Gdzie on się podział? Tomek! Tomek! Dopiero co tu był...

– Huck Finn tu był, nie Tomek. To chyba chcesz powiedzieć. Zdaje mi się, że wychowując przez tyle lat takiego gagatka, jak mój Tomek, znam go dobrze... Poznam go zawsze i wszędzie. Wyłaź spod łóżka, Hucku Finn!

Wylazłem. Ale jakoś ckliwo mi było. Któż wyrazi zdumienie cioci Sary, a jeszcze bardziej wujaszka Silasa, gdy powrócił do domu i opowiedziano mu całą historię. Słuchał, ale był zupełnie nieprzytomny... Całą resztę dnia chodził jak błędny, a wieczorem na zebraniu wiernych miał kazanie, którym sobie ogromną zdobył reputację, bo najstarsi ludzie nie mogli z niego zrozumieć ani słowa.

Ciocia Polcia rozpowiedziała wszystkim, kim jestem, byłem więc zmuszony opowiedzieć o sobie resztę i objaśnić, jakie to okoliczności zmusiły mnie udawać Tomka Sawyera, kiedy pani Phelps...

Tu ciocia Sara przerywa mi:

– Dlaczego pani? Nazywaj mnie dalej ciocią Sarą. Przywykłam już do tego i nie widzę powodu, żebyś mnie inaczej nazywał.

Ciocia Polcia potwierdziła też słowa Tomka, że miss Watson dała wolność Jimowi. Tomek zatem „przewrócił dom do góry nogami" – jak mówiła ciocia Sara – po to tylko, ażeby uwolnić wolnego!

Teraz dopiero zrozumiałem, dlaczego Tomek w tak porządnym domu wychowany, wykradał ze mną Murzyna!

Mówiła jeszcze ciocia Polcia, że dowiedziawszy się z listu cioci Sary o przyjeździe Tomka z Sidem, zaraz sobie pomyślała:

– No, patrzcie państwo! Mogłam się spodziewać, że ten urwis znów coś spłatał! Toteż rada nierada musiałam wyjechać w taką podróż, tysiąc sto mil płynąć okrętem, żeby położyć koniec sprawkom tego urwisa... A musiałam, nie mogąc doczekać się od ciebie odpowiedzi na moje listy.

– Nie pisałaś do mnie ani razu – przerywa ciocia Sara.

– Jak to? Dwa razy pisałam, zapytując, co znaczą twoje słowa: „Sid i Tomek są tutaj".

– Nie otrzymałam żadnego listu!

Co usłyszawszy, ciocia Polcia powoli zwraca oczy na Tomka i uroczyście surowym głosem zapytuje:

– Słyszysz?

– Słyszę... No i co? – odpowiada Tomek.

– Powiedz mi, cóś zrobił z tymi listami?

– Jakimi znów listami?

– Z moimi. Jeżeli natychmiast nie powiesz...

– W kufrze są. Gdzież by być miały, jak nie w kufrze? Leżą nietknięte tak, jak je z poczty zabrałem. Ani ich tknąłem, ani do nich zaglądałem... Nie oddawałem ich przez wzgląd na ciocię, która z pewnością narobiłaby kramu, w listach zaś nie było przecie nic pilnego.

– A skądże o tym wiedziałeś, ty nicponiu? A gdzież trzeci list z zapowiedzią mego przyjazdu? Pewno i ten także...

– Nie, ten przyszedł. Nie czytałam go jeszcze, ale przyszedł. Możesz być spokojna.

I bez tego dobrze wiedziałem, że ciocia Sara nie czytała jeszcze tego listu: uważałem jednak, że lepiej milczeć.

XLIII

Uroczystość wyzwolin. – Szczerze panu oddany Huck Finn.

Gdy się znaleźliśmy sam na sam z Tomkiem, pytam go, jaki miał cel w wykradaniu Jima? Dlaczego tak się mordował i nas tak męczył, wiedząc, że Jim otrzymał wolność?

– Nie rozumiesz tego – wyjaśnił Tomek. – Oto chciałem, żebyśmy po wykradzeniu Jima popłynęli w dół rzeki aż do samego ujścia. Przygód mielibyśmy bez liku, a dopiero po ukończeniu podróży, Jim dowiedziałby się o swej wolności i powrócił do domu na parostatku. Uprzedzeni o naszym powrocie, wszyscy Murzyni zebraliby się, i z muzyką, z pochodniami wprowadziliby Jima do miasta. I on zostałby bohaterem, i my!

Ma się rozumieć, że natychmiast wypuszczono Jima z komórki, a gdy obie ciocie i wujaszek dowiedzieli się od doktora, jak Jim troskliwie doglądał Tomka, zaczęli rozczulać się nad nim. Przyprowadziłem go do Tomka, który musiał jeszcze leżeć w łóżku, i nagadaliśmy się, aż miło! Jim, okrutnıe uradowany, rzekł do mnie:

– A pamiętasz, Huck, co ci mówiłem, jeszcze u miss Watson? Mówiłem, że mam na piersiach włosy i że to znak szczęśliwy... A co? Nie miałem racji?

Potem zabrał głos Tomek i prawił... prawił... namawiając nas, żebyśmy, nakupiwszy zapasów, uciekli i puścili się na szukanie przygód śród Indian.

– Dobrze – odpowiadam – z ochotą, tylko że nie mam pieniędzy, a i z domu nic nie dostanę, bo zapewne tatuś dawno musiał zabrać mój skarb od sędziego i przepił wszystko co do grosza.

– Nie, masz go dotąd – powiada Tomek. – Ojca twego nie było do chwili mego wyjazdu.

Na to rzekł Jim uroczyście:

– I nie będzie go wcale. Nie powróci.

– Dlaczego, Jim?

– Mniejsza o to, dlaczego. Powiadam ci, Huck, że nie wróci.

A gdy nalegałem, rzekł z wielką powagą:

– Pamiętasz, Huck, ten dom, który spotkaliśmy, płynący z wodą w dół rzeki? W tym domu był człowiek, przykryty na głowę; myśleliśmy że śpi. Powiedziałem ci: Nie odkrywaj go... Pamiętasz? Sam jednak poszedłem i odkryłem. Pamiętasz? No... to znaczy... że możesz odebrać swoje pieniądze, bo tym człowiekiem był twój ojciec...

Zdaje mi się, że z wyprawy do kraju Indian nic nie będzie, a przynajmniej nie teraz, bo ciocia Sara chce zostać moją matką, to jest usynowić mnie i ucywilizować. Czy ja to wytrzymam? Już próbowałem tego przysmaku i...

Skończyłem.

Szczerze panu
oddany Huck Finn

KONIEC

Spis treści